CW00383355

La memoria

1212

LE INDAGINI DEL COMMISSARIO MONTALBANO

Andrea Camilleri

La prima indagine di Montalbano

Sellerio editore
Palermo

2021 © Sellerio editore via Enzo ed Elvira Sellerio 50 Palermo
e-mail: info@sellerio.it
www.sellerio.it

Questo volume è stato stampato su carta Arena Ivory Smooth prodotta
dalle Cartiere Fedrigoni con materie prime provenienti da gestione
forestale sostenibile.

Camilleri, Andrea <1925-2019>

La prima indagine di Montalbano / Andrea Camilleri. - Palermo:
Sellerio, 2021.
(La memoria ; 1212)
EAN 978-88-389-4121-4
853.914 CDD-23   SBN Pal0330491

CIP - *Biblioteca centrale della Regione siciliana «Alberto Bombace»*

La prima indagine
di Montalbano

Sette lunedì

Uno

I dù òmini che sinni stavano arriparati sutta la tettoia che era stata messa alla firmata, aspittando con santa pacienza l'arrivata della circolare notturna, macari senza acconoscersi si scangiarono un surriseddro pirchì da dintra di un grosso scatolone di cartone arrovisciato in un angolo proveniva un runfuliare accussì forte e persistente che manco una sega elettrica. Un povirazzo, un pizzente certamente, che aveva trovato provisorio riparo al friddo e all'acqua di cielo e che, conortato da quel tanticchia di calore del suo stesso corpo che il cartone tratteneva, aveva addiciso che la meglio era inserrare gli occhi, futtirisinni di lu munnu sanu sanu e bonanotti. Finalmenti la circolare arrivò, i dù òmini acchianarono, ripartì. Di cursa arrivò uno:

«Ferma! Ferma!».

Il conducente sicuramenti lo vitti, ma tirò di longo. L'omo santiò, taliò il ralogio. La prossima corsa sarebbe passata un'orata appresso, alle quattro del matino. L'omo stette a pinsarisilla tanticchia e doppo una scarrica di santiuna addecise di farsi la strata a pedi. S'addrumò una sicaretta e partì. Tutto 'nzemmula la runfuliata finì, lo scatolone traballiò e lentamente princi-

11

piò a spuntare la testa di un pizzente mezzo ammucciata da un cappiddrazzo spurtusato che gli calava fino a supra l'occhi. Stinnicchiato in terra com'era, ruo-
tando la testa, il pizzente desi un'attenta taliata torno
torno. Quanno fu certo che nei paraggi non c'era anima criata e che le finestri delle case di fronte erano tutte allo scuro, l'omo, strisciando, niscì dallo scatolone.
Parse un serpenti che faciva la muta della pelli. A vidirlo addritta, non dava la 'mpressioni d'essiri accussì
povirazzo: di personale minuto, era ben rasato e portava un vistito cunsumato, ma di buona fattura. L'o-
mo infilò dù dita nel taschino della giacchetta, cavò fora un paro d'occhiali, se l'inforcò, niscì da sotto la tettoia, girò a mano dritta e, fatti manco una decina di
passi, si fermò davanti a un cancello inserrato da una
catina con un grosso catinazzo. Supra il cancello una
granni insegna al neon, ora astutata, diceva: «Ristorante La Sirenetta – Ogni specialità di pesce». Accomenzò
a chiòviri. L'acqua non era fitta, ma bastevole per as-
suppare. L'omo armiggiò col grosso catinazzo che era
più apparenzia che sustanzia, infatti non fece convinta
resistenza al grimaldello, raprì mezza latata del cancello, appena quanto bastava per trasire, la richiuse alle sue
spalle, rimise a posto la catina, fece scattari il catinazzo. Il vialetto che arrivava fino al portone di trasuta del
ristorante era corto e tinuto bono. Però l'omo non se
lo fece tutto, a metà girò a mano dritta e si dirigì verso il giardino che c'era darrè il locale e indovi, appena
faciva stagione, apparecchiavano minimo minimo una
trintina di tavolini. A malgrado dello scuro fitto, l'omo

si cataminava con sicurezza, senza addrumare la pila che teneva in mano. L'acqua di cielo lo stava assammarando, ma non ci faceva caso. Anzi, sintiva un calore tale che manco la 'stati, gli veniva di levarsi la giacchetta, la cammisa, i cazùna e restarsene nudo sutta all'acqua rinfriscante. Vuoi vidiri che gli era acchianata qualichi linea di fevri?

La vasca coi pisci, vanto del locale, era in fondo al giardino, a mano mancina. Il cliente che lo desiderava poteva andare alla vasca e scegliere personalmente il pisci che addesiderava mangiare: fornito di un coppo, doviva piscarselo da sé. Non sempre la cosa arriniscíva agevolmente e allura era tutto un gran ridere, un grosso divertimento, principiava un ioco di allusioni e doppi sensi specie se nella comitiva era presente qualiche fìmmina. Divertimento che in parte s'abbacava alla presentazione del conto, perché era cògnito che in quel ristorante, in quanto a prezzi, non ci andavano di lèggio.

Fermo al bordo della vasca, l'omo principiò a murmuriarisi in una specie di sussurro a un tempo arraggiato e lamentioso. La notti era tanto fitta che non vidiva niente, manco se la vasca era piena o era stata svacantata. Calò a lento una mano dintra alla vasca, assurdamente scantandosi che qualichi pisci, se ancora ci stava, potesse assugliarlo mangiandogli un dito. Incontrò l'acqua gelida, ritirò la mano di scatto. Allora si addicise ad addrumare la pila per un attimo: fu un lampo, ma bastevole a fargli sparluccicare l'argento dei pisci sutta il pelo dell'acqua. Erano

13

tantissimi, i pisci, evidentemente la vasca era stata rifornita la sira avanti. Questo – pinsò – gli avrebbe facilitato la facenna, pirchì lui doviva pigliari un pisci col coppo praticamente alla cieca, dato che la pila meno si adoperava e meglio era. Al di là del giardino e della strata strapiombava un palazzone di una decina di piani, era assai probabile pirciò che qualichi cornuto che pativa d'insonnia, affacciatosi per caso e notata la luce della pila, aviva l'alzata d'ingegno di dare l'allarmi. Si sintiva, ed era, tutto sudato. Si levò la giacchetta che oltritutto l'avrebbe impacciato nei movimenti, la posò su una seggia di plastica e fece fare un altro lampo alla pila.

Di coppi, posati supra il bordo della vasca, ne scorse almeno tri, quegli stronzi dei clienti certe volte si mettevano a fare gare tra di loro, tipo chi perde paga per tutti. Ne pigliò uno, s'agginocchiò vicinissimo al bordo, calò il coppo tenendolo con le dù mano, gli fece descrivere un ampio semicerchio, lo tirò fora. Dal peso si fece capace che non aveva pigliato nenti. Ma volle sincerarsi e lo tastiò. Dintra c'era sulamenti qualichi goccia d'acqua residua. Riprovò altri volte, e ottenne sempre lo stesso risultato.

S'acculò sui talloni, stanchissimo, col sciato tanto grosso che si scantò che lo potevano sintire macari dal mallitto palazzo vicino. Non potiva perdiri tutto questo tempo, doviva essiri fora dal ristorante almeno una decina di minuti prima che arrivava la circolare delle quattro, di solito affollata di pirsone ancora mezze addrummisciute, certo, ma sempre capaci d'arriconoscere a qualichiduno. Gli venne di fare una pinsata che gli parse bona assà. Tenne il coppo con la mano manca, lo calò, gli fece fare un veloce mezzo giro, ma, prima di finirlo, addrumò la pila che teneva nella mano dritta. Aviva immaginato giusto: una massa di pisci, scappanno, si era concentrata in quella parte della vasca dove non arrivava il giro della rete. Allora si susì, pigliò un altro coppo, si mise in equilibrio sul bordo della vasca, aspettò cinque minuti che i pisci si calmavano e ripigliavano a natare ognuno per conto sò. Trattenne perfino il respiro. Doppo agì. Mentri faciva fare il solito mezzo giro al primo coppo, calò di colpo il secondo a tagliare la strata alla fuitina dei pisci.

Ci arriniscì, sentì che nella rete almeno tri ci erano trasuti da soli. Gettò il coppo vacante, scinnì dal bordo, posò 'n terra quello coi pisci, addrumò la pila. Distinse subito un grosso cefalo. Sorrise, s'assittò sul bordo della vasca, aspittò che i pisci finissero di dibattersi ammàtula contro la morte. Quanno fu certo che non si cataminavano più, gettati nuovamente in acqua gli altri dù pisci che non gli servivano pirchì erano troppo nichi, stese il cefalo sul bordo, tirò fora dalla sacchetta posteriore dei cazùna una pistola, ci mise il silenziatore, s'infilò la pila addrumata tra i denti e, tenendo fermo il corpo del pisci con una mano, con l'altra gli sparò un colpo, puntando l'arma in verticale in modo che la pallottola non lo decapitava ma gli spappolava la testa. Astutò la pila e rimase immobile pirchì il botto, a malgrado del silenziatore, gli era parso che aviva arrisbigliato l'intera Vigàta. Ma non capitò

15

nenti, nisciuna finestra si raprì, nisciuna voce addimannò cosa fosse capitato.

Allora l'omo cercò in una sacchetta dei cazùna, tirò fora il biglietto che si era portato appresso già scritto e l'assistimò sutta al pisci sparato.

La circolare delle quattro della matina si fece aspittare a longo, arrivò con deci minuti di ritardo.

Quanno ripartì, tra i passeggeri assonnati c'era macari l'omo che aviva appena assassinato un cefalo.

«Dottore, lei lo conosce il ristorante La Sirenetta, quello che si trova dalle parti del monumento a Luigi Pirandello?» spiò Fazio quella matina di lunedì, 22 settembiro, trasendo nell'ufficio del commissario Montalbano.

Il commissario era d'umore bono. La jornata avanti aveva fatto friddo e pioggia, ma doppo, a nova matinata, era venuto fora un sole ancora agostano, compensato da un venticello arguto. A taliarlo bene in faccia, macari Fazio pareva privo di mali pinseri.

«Certo che lo conosco. Ma non c'è da gloriarsene, a conoscerlo. Ci sono andato una volta con Livia, tanto per provare, e m'è bastato e superchiato. Scrùscio di carta e cubàita nenti. Cammareri eleganti, servizio discreto, inappuntabile, posateria lussuosa, conto da infarto, ma quanto al dunque, alla sustanza, servono piatti che parino preparati da un cuoco in stato di coma irreversibile».

«Io mai ci mangiai».

«E bene facesti. Perché me ne parli?».

16

«Pirchì stamatina presto il signor Ennicello, il proprietario, che poi è un lontano parente di mè mogliere, mi chiamò qua al telefono e mi contò una storia tanto stramma che mi fece pigliare di curiosità. Accussì ci andai. Lo sa che in quel ristorante c'è una vasca piena di pesci vivi che...».

«So tutto, so tutto. Vai avanti. Che capitò?».

«Capitò che stanotti qualichiduno è trasuto nel ristorante raprendo il catinazzo, ha tirato fora un pisci e gli ha sparato un colpo in testa».

Montalbano lo taliò strammato.

«Ha sparato al pesce?!».

«Sissignore. E doppo, sotto al catàfero... no, alla salma... boh, sotto a quello che è, ci mise un pizzino, quanto un quarto di foglio di carta a quadretti, che sopra c'era scritto qualichi cosa».

«Che c'era scritto?».

«Questo è il busillisi. Tra la pioggia, l'acqua e il sangue del pisci, l'inchiostro si è sciolto. E il pizzino è diventato fradicio, tanto che quando l'ho pigliato in mano si è come sfarinato».

«Ma me lo spieghi pirchì uno s'addiverte a fare tutti questi mutupèrii, mettendosi macari a rischio d'essere arrestato, solamente per andare ad ammazzare un pesce?».

«Nonsi, ma gerarchicamente è lei che lo deve spiegare a me».

«Siete sicuri che gli hanno sparato?».

«Sicurissimi, in terra c'era macari il bossolo. L'ho portato».

Cercò nella sacchetta della giacchetta, lo tirò fora, lo pruì al commissario che lo pigliò e lo taliò.

«Questo non c'è nicissità di mandarlo alla Scientifica» fece Montalbano a commento, «ci piglierebbero per pazzi. Ha usato una 7,65».

Gettò il bossolo in un cascione della scrivania.

«Giusto» disse Fazio. «Secondo mia, dottore, è stato un avvertimento. Viene a dire che l'amico Ennicello ha saltato qualche rata del pizzo».

Montalbano gli diede una taliata infastidita.

«Con tutta l'esperienza che hai, dici ancora queste stronzate? Se non ha pagato il pizzo gli ammazzavano tutti i pesci e per buon peso gli abbrusciavano macari il ristorante».

«E allora che può essere?».

«Tutto e nenti. Macari una scommissa cretina tra due clienti, una garrusiata...».

«E noi ora che facciamo?» spiò Fazio dopo una pausa.

«Che pisci era?».

«Un muletto granni quanto mezzo braccio mio».

«Un muletto? Facciamo a capirci, Fazio: il muletto, sino a prova contraria, non è il cefalo?».

«Sissi, dottore».

«E il muletto non è pisci di mare?».

«C'è macari il muletto d'acqua duci. Che a mangiarlo, però, è meno bono di quello di mare».

«Non lo sapevo».

«Certo, dottore. A vossia i pisci d'acqua duci ci sdignano. Che devo fare con Ennicello?».

«Te lo dico io cosa devi fare. Torna al ristorante e fatti consegnare il muletto dicendo che ti serve per approfondire l'indagine».

«E dopo?».

«Te lo porti a casa e te lo fai cucinare. Te lo consiglio alla griglia, ma la brace non deve essere forte, mi raccomando. Riempigli la panza con rosmarino e tanticchia d'aglio. Condiscilo col salmoriglio. Dovrebbe essere mangiabile».

Nelle jornate che vennero appresso, in commissariato ci fu il solito trantran, fatta cizzione di tri fatti un tanticchia più impegnativi degli altri.

Il primo fu quanno il ragioniere Pancrazio Schepis, tornato a la sò casa a ora inconsueta, aviva scoperto la sò mogliere, signora Maria Matildina, stinnicchiata completamente nuda supra il letto mentri il famoso «Mago di Bagdad», al secolo Minnulicchia Salvatore di Trapani, macari lui nudo, «usava il di lui sesso come aspersorio», siccome scrisse Galluzzo nel suo diligente rapporto. Passato il primo sbalordimento, il ragioniere aviva scocciato il revorbaro ed esploso colpi cinque all'indirizzo del mago fortunatamente pigliandolo solo alla coscia mancina.

Il secunno fu quanno la casa della novantina signora Balduino Lucia venne completamente svaligiata dai latri. Una fulminea indagine di Fazio inequivocabilmente accertò che il latro era uno solo: il nipote della signora Balduino, il sidicino Filippuzzo Dimora, al quale la nonna aviva negato i soldi per accattarsi il motorino.

Il terzo fu quanno tri magazzini di proprietà del vicesinnaco Bartolotta Giangiacomo furono abbrusciati nella stissa notti e la facenna venne catalogata da tutti come un chiaro avvertimento contro certe iniziative del vicesinnaco che passava per essiri uno strinuo combattente antimafia.

Abbastarono dodici ore per accertare che la benzina che aviva dato foco ai magazzini l'aviva accattata l'istisso vicesinnaco.

Insomma, tra una cosa e l'altra, passò una simana.

La notti era scurosa, non si vidiva manco una stiddra, erano tutte cummigliate da nuvole carriche d'acqua. La trazzera era proprio difficoltosa, spuntuna di massi sbucavano all'improvviso dai muretti di pietra, si raprivano buche che parivano voragini. La machina era vecchia e malannata, procedeva a scossoni, affannando. Per di più l'omo ch'era al volante addrumava i fari solo di tanto in tanto, per qualichi secondo, e doppo l'astutava: a quell'ora di notte e su quella trazzera non era facile che passava un'automobile epperciò la meglio era di non fare nasciri curiosità. A occhio e croce doveva mancare picca per arrivare a indovi voliva arrivare. Addrumò gli abbaglianti e a una ventina di metri di distanza, a mano dritta, vitti l'insegna scritta a mano e inchiovata a un palo. L'omo fermò la machina, astutò il motore, raprì lo sportello, scinnì. L'ariata umida e frisca faciva più pungente il sciàuro della campagna. L'omo tirò un respiro profunno e doppo, le mano in sacchetta, principiò a caminare. A mezza strata venne pigliato da un pinsero. Si fermò. Quanto tempo ci aviva messo per arrivare? E se era troppo presto? Sapiva che era partito dal paìsi di picca passate le unnici e mezza, ma non aviva incontrato trafico e non arrinisciva a farsi capace di quanto aviva caminato con la machina. S'arrisolse. Cavò dalla sacchetta la torcia, l'addrumò per la durata di un lampo. Bastevole per vidire l'ora al ralogio che teneva al polso. Era la mezzanotte e deci. La jornata nova era principiata da deci minuti. Tutto a posto. Ripigliò a caminare.

Per sparare, l'omo stavolta non ebbe bisogno di silenziatore. Il botto l'avvertì solo qualichi cane lontano che si fece un'abbaiata senza convinzione, tanto per far vidire che si guadagnava la pagnotta.

Lunedì 29 settembiro Fazio s'appresentò in commissariato verso mezzojorno tenendo in mano un sacchetto di plastica, di quelli tipo supermercato.

«Sei andato a fare la spesa?».

«Nonsi, dottore. Un pollo ci portai. A mia non mi piace. Se lo mangiasse lei, io la simana passata mi sono già sbafato il muletto».

«Spiegati meglio».

«Dottore, il pollo che ho qua dintra è stato sparato. In testa, come il pisci dell'altro lunedì».

«Dov'è successo?».

«Nell'allevamento di Masino Contrera, in campagna, verso Montereale, a una mezzorata di machina da qui. Però è un posto solitario. Ecco il bossolo».

21

Montalbano raprì il cascione, recuperò l'altro bossolo, li confrontò. Erano identici.

«E macari stavolta ha lasciato un pizzino» ripigliò Fazio cavandolo dalla sacchetta e pruiendolo al commissario.

Era scritto su un pezzo di carta a quadretti con la biro, i caratteri erano a stampatello:

«CONTINUO A CONTRARMI».

«Che viene a significare?» si spiò Montalbano.

«Posso permettermi?».

«Certo».

«Io ho pensato che forse questo signore ha sbagliato a scrivere» fece Fazio.

«Ah, sì?».

«Sissi, dottore. Forse voleva scrivere: "Continuo a contrariarmi". Forse questa pirsona è contrariata per qualche ragione, che ne saccio, le tasse, la mogliere che gli mette le corna, un figlio drogato, cose accussì. E allora piglia e si sfoga».

«Sparando ai pesci e ai polli? No, Fazio, qua c'è scritto proprio "contrarmi". Da questo pizzino possiamo però intuire il contenuto del primo, quello che non hai potuto leggere perché si era vagnato. Qua dice: "continuo"».

«E allora?».

«Vuol dire che nel primo pizzino c'era scritto: comincio, inizio, principio, un verbo di questo tipo. "Comincio a contrarmi" o qualcosa di simile».

22

«E che viene a dire?».

«Boh».

«Che facciamo, dottore?» spiò tanticchia squieto Fazio.

«Questa storia ti fa diventare nirbùso?».

«Sissi».

«E perché?».

«Perché è una facenna senza capo né coda. E a mia le cose che non sono ragionate m'impressionano».

«Non possiamo fare niente, Fazio. Aspettiamo che questo signore finisce di contrarsi e poi vediamo. Ma proprio proprio il pollo non ti piace?».

Due

Aveva dormito bene, per tutta la nottata una friscanzana leggera e danzante che veniva dalla finestra aperta gli aveva puliziato i purmuna e i sogni. Si susì dal letto, andò in cucina a prepararsi il cafè. Aspittando che colasse, niscì sulla verandina. Il cielo era netto, il mare piatto e come ripassato di colore fresco. Qualichiduno lo salutò da una barca, rispose isando un vrazzo. Ritrasì, versò il cafè in un cicarone da latte, se lo scolò, addrumò la prima sigaretta della jornata senza pinsari a nenti, la terminò, andò sutta la doccia, s'insaponò coscienziosamente. E appena l'ebbe fatto, capitarono due cose nello stesso momento: finì l'acqua del serbatoio e squillò il telefono. Santiando, rischiando di sciddricare a ogni passo per il sapone che gli colava dal corpo, corse all'apparecchio.

«Dotori, lei di pirsona pirsonalmente è?».

«No».

«Domando pirdonanza, non è con l'abitazione del dotori e comisario Montalbano che io sto per parlando?».

«Sì».

«E alora chi è che pigliò il posto suo di lui?».

«Arturo sono, il fratello gemello».

«Davero?!».

«Aspetti che le chiamo Salvo».

Era meglio babbiare accussì con Catarella piuttosto che farsi il fìcato una pesta per l'improvisa mancanza d'acqua. Tra l'altro il sapone, asciucandosi, principiava a fargli chiurito.

«Pronto, Montalbano sono».

«La sapi una cosa, dotori? Proprio la stisa pricisa identifica voci di suo fratelo gimelo Arturo tiene!».

«Capita tra gemelli, Catarè. Ma perché parli accussì?».

«Acusì comu, dotori?».

«Per esempio, dici dotori invece che dottori».

«Aieri a sira me lo dise uno milanise di Torino che qua avemo la tinta bitudine di parlari metendoci due cose, come si chiamano, ah ecco, consonatazioni».

«Vero è. Ma a te che te ne fotte, Catarè? Macari i milanesi di Torino fanno gli sbagli loro».

«Maria santissima, dottori, un piso dal cori mi allevò! Difficile assà mi avveniva di parlari tinendomi accussì!».

«Che volevi dirmi, Catarè?».

«Tilifonò Fazio che mi disse di tilifonarle che hanno sparato al signor Tani. Lui sta per arrivando qua».

«L'hanno ammazzato?».

«Sissi, dottori».

«E chi è questo Tani?».

«Non ci lo saprei diri, dottori».

«Dov'è successo?».

«Non lo saccio, dottori».

In bagno teneva una riserva d'acqua in una tanica. Ne versò la metà nel lavabo, meglio non consumarla tutta, chissà quando si sarebbero degnati di ridarla, l'acqua, a fatica arriniscì a scrostarsi il sapone vetrificato. Lasciò il bagno sporco, una vera fitinzìa, sicuramenti la cammarera Adelina gli avrebbe mandato mortali gastìme e sentiti agùri di mala annata.

Arrivò in commissariato contemporaneamente a Fazio.

«Dov'è avvenuto l'omicidio?».

Fazio lo taliò ammammaloccuto.

«Quale omicidio?».

«Quello di un certo Tani».

«Gli disse accussì Catarella?».

«Sì».

Fazio principiò a ridere prima chiano poi sempre più forte. Montalbano si squietò, macari pirchì sentiva un chiurito insistente in quella parte del corpo sulla quale si era assittato per guidare. E non gli pariva cosa decente dare, alla parte, una furiosa grattata. Si vede che non era arrinisciuto a liberarsi di tutto il sapone impicciato.

«Se vuoi essere così cortese da mettermi a parte...».

«Mi scusasse, dottore, ma è troppo bella! Ma quale Tani e Tani! Io dissi a Catarella di riferirle che avevano ammazzato a un cani!».

«È stato il solito?».

«Sissignore».

«Un colpo di pistola e via?».

«Sissignore».

«Oggi è il 6 ottobre, no? Questa pirsona travaglia seguendo una scadenza settimanale e sempre nella nottata compresa tra la domenica e il lunedì» commentò il commissario trasendo nel suo ufficio.

Fazio s'assittò in una delle due seggie davanti alla scrivania.

«Il cane aveva un padrone?».

«Sissi, un pensionato, Carlo Contino, un ex impiegato del municipio. Ha una casuzza in campagna con l'orto e qualche armàlo. Una decina di galline, qualche coniglio. Lui stava dormendo, è stato arrisbigliato dal colpo di pistola. Allora si è armato e...».

«Di cosa?».

«Un fucile da caccia. Ha il porto d'armi. Ha visto subito il cane morto e un attimo dopo ha sentito il rumore di una macchina che partiva».

«Ha capito che ora era?».

«Sissi, ha taliato il ralogio. Era la mezzanotte e trintacinque. Mi ha contato che ha passato il resto della nottata a chiàngiri. Ci era assà affezionato, al cane. Poi, quando si è fatto giorno, è venuto qua. E io sono andato con lui a vedere».

«Ha qualche idea?».

«Nessuna. Dice che non riesce a capacitarsi perché gli hanno ammazzato il cane. Lui sostiene di non avere nemici e di non avere mai fatto torto a nisciuno».

«La casa di questo Contino è nei paraggi dell'allevamento della volta passata?».

«Nonsi, è esattamente dalla parte opposta».

«E rispetto al ristorante?».

«Macari lontano dal ristorante è».

«Hai ritrovato il bossolo?».

«Sissignore, eccolo qua».

Era identico agli altri due.

«A trovare il biglietto invece stavolta ci ho messo tanticchia più tempo. Il venticello di stanotte l'aveva portato lontano».

Lo pruì al commissario. Solito quarto di foglio di carta quadrettata, solita biro:

«CONTINUO A CONTRARMI».

«Bih, che grandissima camurrìa» sbottò Montalbano, «quanto minchia di tempo ci mette 'sto stronzo a finire di contrarsi?».

Trasì in quel momento Mimì Augello, frisco, sbarbato, elegante. Si era fatto una misata di vacanza in Germania, ospite di una picciotta di Amburgo che aveva la 'stati avanti accanosciuto alla pilaja.

«Ci sono novità?» spiò assittandosi.

«Sì» arrispunnì secco Montalbano. «Tri omicidi».

Quanno lo vedeva accussì arriposato e sorridente, al commissario gli smorcava il nirbùso e Mimì gli faceva 'ntipatia.

«Minchia!» reagì Augello alla notizia saltando letteralmente dalla seggia.

Poi, taliando in faccia gli altri due, si fece pirsuaso che c'era qualichi cosa di strammo.

«Mi state babbiando?».

Fazio si mise a taliare il soffitto.

«In parte sì e in parte no» disse il commissario.

E gli contò tutta la facenna.

28

«Questo non è uno scherzo» fece Mimì alla conclusione restando mutanghero e pinsoso.

«Mi dispiace solo che stavolta ha ammazzato un armàlo che né io né Fazio ci possiamo mangiare» disse Montalbano.

Augello lo taliò.

«Ah, tu la pigli accussì?».

«E come la dovrei pigliare?».

«Salvo, quello va a crescere».

«Non ti ho capito, Mimì».

«Mi riferisco alle dimensioni delle...».

Si fermò, imparpagliato. Non gli pariva giusto chiamarle vittime.

«... degli armàli. Un pesce, un pollo, un cane. La prossima volta, vedrete, ammazzerà una pecora».

Venniridì 10 ottobriro il commissario stava assittato nella verandina che si era appena appena mangiato una caponatina da primo premio assoluto, quanno il telefono sonò. Erano le dieci di sira e Livia, come al solito, spaccava il secondo.

«Ciao, amore, eccomi qua puntuale. A che ora arrivi domani?».

Glielo aveva promesso a Livia, il mese avanti, che in ottobriro avrebbe potuto passare un sabato e una domenica con lei a Boccadasse. Anzi, nella telefonata della sera prima le aviva detto che, essendo tornato Mimì dalle vacanze, si sarebbe potuto trattenere macari il lunedì. Allora perché gli venne fatto di rispondere come rispose?

29

«Livia, mi devi scusare, ma temo proprio di non riuscire a liberarmi. Mi è capitato che...».

«Zitto!».

E calò un silenzio che parse tagliato con un colpo di mannaia.

«Non è per una questione di lavoro, credimi» ripigliò lui doppo tanticchia, coraggiosamente.

Voce di Livia proveniente dalle parti della Groenlandia del nord.

«Che ti è successo?».

«Ti ricordi di quel dente che mi doleva? Bene, mi è tornato all'improvviso un dolore che...».

«Sono io il dente che ti duole» fece Livia.

E riattaccò.

Montalbano s'infuriò. Va bene, le aveva contato una farfantarìa, ma metti che il malo di denti ce l'avesse avuto pì davero, era quello il modo di rispondere di una fìmmina innamorata? A uno che arraggia per il duluri? Ma almeno una parola di compatimento, Cristo santo! Tornò ad assittarsi nella verandina spiandosi pirchì aviva detto a Livia che non sarebbe più andato a trovarla. Fino a un secondo prima era deciso a partire, poi quelle parole gli erano nisciute dalla vucca accussì, senza controllo, senza che se ne rendeva conto. Un attacco incontrollato di lagnusìa, vale a dire un'irresistibile voglia di non fare nenti di nenti, standosene a tambasiare casa casa in mutande?

No, provava veramente gana di aviri Livia allato a lui, sentirla vivere, sentirla respirare nel letto addrummisciuta, sentirla trafichiare, sentirla ridere, sentire la sua voce che lo chiamava dalla spiaggia o dall'altra càmmara.

E allura pirchì? Una botta di sadismo, come spisso capita tra innamorati? No, non era cosa che apparteneva alla natura sò. Possibile che aviva fatto una cosa senza senso, irrazionale?

Lontano, al limite dell'udibilità, un cane abbaiò.

E tutto 'nzemmula fiat lux! Eccola, la spiegazione! Assurda, certo, ma indubbiamente era quella. Un attimo prima di andare al telefono e rispondere a Livia aviva sintuto lo stesso abbaio di cane. E dintra di sé, a livello quasi inconscio, aviva capito che era venuto il tempo di occuparsi seriamente della facenna del pisci, del pollo e del cani assassinati. Le frasi scritte su quei pizzini di carta quatrittata contenevano certamente una minaccia oscura, indecifrabile, ma reale. Cosa sarebbe capitato quando quel pazzo avrebbe finito, come diceva lui, di contrarsi? E inoltri quel verbo, contrarsi, in che senso andava pigliato?

Andò a taliare sull'elenco il numero della Sirenetta, lo fece.

«Il commissario Montalbano sono. C'è il signor Ennicello?».

«Glielo chiamo subito».

Il ristorante doveva essere pieno. Si sentivano voci animate, risate di màscoli e fìmmine, scrùscio di posate e bicchiera, le note di un pianoforte, una voce fimminina che cantava.

«Al momento del conto vi voglio!» pinsò Montalbano.

«Commissario, sempre agli ordini!».

Aveva la voce allegra, Ennicello, gli affari dovivano andargli bene.

«Mi scusi se l'ho disturbata. Le telefono a proposito del pesce dell'altro giorno...».

«Qua da noi lo mangiò? Non era fresco?».

Mangiare alla Sirenetta! Manco sutta tortura!

«No, mi riferivo a quel muletto che hanno sparato nella...».

«Ancora di quella passata si ricorda, commissario?».

«Non dovrei?».

«Ma quello certamente uno scherzo fu! Vede, nel primo momento mi preoccupai, ma dopo, riflettendoci a mente fridda, mi feci pirsuaso che era stata tutta una babbiata...».

«Una babbiata pericolosa, non crede? Poteva, che so, passare la vigilanza notturna, accorgersi di un estraneo armato nel ristorante...».

«Ha ragione, commissario. Però, vede, per fare uno scherzo che arrinesci bene qualcosa bisogna rischiare».

«Eh già».

«Senta, commissario, ho il ristorante pieno e...».

«Ancora una domanda e la lascio tornare ai suoi clienti. Signor Ennicello, secondo lei la scelta del tipo di pesce da ammazzare fu voluta o casuale?».

Ennicello dovette strammare.

«Non ho capito, commissario».

«Le rivolgo la domanda in un altro modo. Mi spiega come fece quell'uomo a tirare fora dalla vasca il muletto?».

«Non tirò fora il solo muletto, dottor Montalbano.

Col coppo pigliò tri pesci. Scelse quello forse perché era il più grosso di tutti».

«E lei come fa a sapere che pigliò tri pesci?».

«Perché quella mattina stessa trovai nella vasca macari una tinca e una trota morte».

«Sparate?!».

«No, per asfissia, per mancanza d'acqua: secondo me, quello ha svacantato il coppo sull'erba e ha aspettato che i pesci morissero. Gli sarebbe venuto difficile tenerli in mano mentri erano vivi. Poi ha pigliato il muletto e ha rigettato gli altri due nella vasca».

«In altri parole, ha fatto una scelta. Secondo lei ha pigliato il muletto perché era il più grosso, ma le ragioni potrebbero essere altri, non le pare?».

«Commissario, come faccio a sapere quello che passa per la testa a un...».

«Un'ultimissima cosa. A che ora ha chiuso il ristorante la sera avanti del fatto?».

«Io chiudo sempre, per i clienti, a mezzanotte e mezza».

«E il personale per quanto si trattiene?».

«Ancora un'orata, pressappoco».

Ringraziò, riattaccò. Quindi, munito di un foglio e di una biro, tornò ad assittarsi nella verandina. Scrisse:

Lunedì, 22 settembre = pesce
Lunedì, 29 settembre = pollo

Gli venne da ridere, pareva un menu.

Lunedì, 6 ottobre = cane

33

Perché sempre nelle prime ore del lunedì? Per il momento, meglio sorvolare. Scrisse le iniziali di ogni armàlo ammazzato.

PPC

Non aveva senso. E non aveva manco senso se alla *p* di pesce sostituiva la *c* di cefalo.

CPC

E meno che mai se alla *c* di cefalo sostituiva la *m* di muletto.

MPC

Gli venne un pinsero goliardico: l'unico significato che poteva dare a quelle tri consonanti messe in fila era:

MANCO P'O' CAZZO

Appallottolò il foglio, lo gettò a terra, si andò a corcare più confuso che pirsuaso.

Mentri Montalbano s'arramazzava nel letto per arrinèsciri a pigliari sonno doppo una mangiata quasi industriale di sarde a beccafico, l'omo, nella sua càmmara granni tutta tappezzata da scaffalature stracolme di libri e la cui unica splàpita luce era data da un lume da tavolo, isò l'occhi dal libro antico e preziosamente rilegato che stava leggendo, lo chiuse, si levò gli occhiali, si appoggiò allo schienale della poltrona di ligno. Restò qualche minuto accussì, passandosi di tanto in tanto due dita sull'occhi che gli abbrusciavano. Doppo, con un sospiro funnuto, raprì il cascione destro della scrivania. Dintra, in mezzo a carte, gomme da cancellare, chiavi, vecchi timbri, fotografie, c'era la pistola. La pigliò, estrasse il carricatore vacante. Circò con la mano ancora più a fondo sempre nello stesso cassetto, trovò la scatola delle cartucce, la raprì. Ne restavano otto. Sorrise, bastavano e superchiavano per quello che aviva in mente di fare. Introdusse una sola cartuccia nel carricatore, una sola, come sempre faciva, rimise a posto la scatola, chiuì il cascione. La pistola se l'infilò nella sacchetta destra della giacca sformata. Tastiò la sacchetta di mancina: la torcia era al suo posto. Taliò il ralogio, si era già fatta la mezzanotti. Per arrivare al posto stabilito sicuramente ci sarebbe voluta un'orata, il che veniva a significare che avrebbe potuto agire all'ora giusta. Si rimise gli occhiali, stracciò un rettangolino di carta da un quaderno a quadretti, ci scrisse supra con una biro, si mise il pizzino nel taschino della giacchetta. Appresso si susì, andò a pigliare l'elenco telefonico, lo sfogliò fino alla pagina che l'interessava. Doviva essiri più che sicuro che l'indirizzo era quello giusto. Doppo raprì la carta topografica che teneva a portata di mano sulla scrivania, controllò il percorso da fare partendo dalla sò casa. No, forse ci avrebbe messo qualichi cosa di più che un'orata. Meglio. Andò alla finestra, la raprì. Una vintata fridda lo pigliò in piena faccia, lo fece arretrare. Non era cosa di nesciri col solo vistito. Quanno montò in machina aviva un impermeabili pisanti e un cappello nìvuro.

Mise in moto ma doppo qualichi rantolo il motore si fermò. Riprovò. Stesso risultato. Riprovò ancora e il motore ancora s'arrefutò. Si sentì sudare. Se la machina si era definitivamente scassata, tutto quello che aviva in testa di fare non poteva essere fatto. E allura? Saltare l'avviso di quel lunedì? No, sarebbe stato un gesto di slealtà e lui non poteva, proprio per sua natura, commettere slealtà. Non restava che rimandare, ricominzare daccapo. Ma se fossero scaduti i termini? Sarebbe riuscito a compiere l'eccezionale impresa di contrarsi? Perso era. Riprovò, dispirato, e stavolta il motore, doppo qualichi colpo di tosse, s'addecise a partire.

Tre

Mimì Augello c'inzirtò e ci sbagliò. C'inzirtò in quanto alle dimensioni della, diciamo accussì, nova vittima, ci sbagliò invece in quanto non si trattava di una pecora.

La matina di lunedì 13 ottobriro, Fazio s'arricampò in commissariato con la novità, che poi non era per niente una novità, che era stata ammazzata una capra.

Solito colpo di pistola in testa, solito bossolo, solito pizzino:

«CONTINUO A CONTRARMI».

Nisciuno dei presenti sciatò, nisciuno s'azzardò a fare una battuta spiritosa.

Nella càmmara del commissario aleggiò un silenzio denso e perplesso.

«Ci sta arriniscendo e come!» fece Montalbano decidendosi a parlare per primo.

D'altra parte, gli attoccava: era lui il capo.

«A che?» spiò Augello.

«A farsi pigliare sul serio».

«Io l'ho pigliato sul serio subito» disse Mimì.

«Bravo, vicecommissario Augello. La proporrò per un encomio solenne al signor questore. Contento?».

Mimì non replicò. Quanno il commissario era d'umore accussì agro, la meglio era di starsene con la vucca chiusa.

«Sta cercando di farci sapere qualche altra cosa, oltri a tenerci al corrente dello stato della sua contrazione» ripigliò doppo tanticchia Montalbano.

Parlava a mezza voce pirchì più che altro stava ragionando con se stesso.

«Da che lo capisci?».

«Ragiona, Mimì, se non ti viene troppo difficile. Se voleva farci sapere solo che si stava contraendo, qualisisiasi cosa significa per lui contrarsi, non aveva bisogno di correre da un posto all'altro di Vigàta e dintorni ammazzando ogni volta un armàlo diverso. Perché cangia armàlo?».

«Forse le lettere iniziali di...» azzardò Augello.

«Ci ho già pensato. PPCC o MPCC ti significa cosa?».

«Potrebbe essere la sigla di un gruppo o di un movimento eversivo» azzardò timidamente Fazio.

«Ah, sì? Fammi un esempio».

«Che so, dottore. Dico la prima cosa che mi passa per la testa. Per esempio, potrebbe essere Partito Popolare Cristiano-Comunista».

«E tu pensi che ci sono ancora comunisti rivoluzionari? Ma fammi il piacere!» lo liquitò sgarbato Montalbano.

Calò altro silenzio. Augello s'addrumò una sigaretta, Fazio si fissò sulla punta delle scarpe.

«Astuta la sigaretta» gli ordinò il commissario.

«Pirchì?» spiò sbalordito Mimì.

«Pirchì mentri tu te la stavi a fissiare a Magonza...».

«Ad Amburgo ero».

«Dove eri, eri. Insomma, mentri tu eri fora da questo nostro bel paese, un ministro s'è svegliato una matina e si è preoccupato per la nostra salute. Se vuoi continuare a fumare, te ne vai a fare due passi strata strata».

Santiando tra i denti, Mimì si susì e niscì dalla càmmara.

«Posso andarmene?» spiò Fazio.

«Chi ti tiene?».

Rimasto solo, tirò un lungo respiro di soddisfazione. Si era sfogato per l'umore nìvuro che quel cretino che andava ammazzando armàli gli aveva fatto viniri.

Era passata un'orata scarsa che per tutto il commissariato rimbombò la voce di Montalbano.

«Augello! Fazio!».

Si precipitarono. A solo taliare in faccia il commissario, Augello e Fazio si fecero persuasi che qualche ingranaggio si era messo in moto dintra al sò ciriveddro. Stava infatti facendo una specie di surriseddro.

«Fazio, lo sai il nome del proprietario della capra ammazzata? Aspetta, se lo sai fammi solo segno di sì con la testa, non parlarc».

Fazio, strammato, calò ripetutamente la testa.

«Vuoi vedere che indovino come comincia il cognome del proprietario? Comincia con la lettera *o*. Giusto?».

«Giusto» sclamò Fazio ammirato.

Mimì Augello fece una breve e ironica battutina di mano e doppo spiò:

«Hai finito di fare giochi di prestigio?».

Montalbano non gli arrispunnì.

«E ora ripetimi i cognomi dei proprietari degli altri animali» disse invece rivolto a Fazio.

«Ennicello, Contrera, Contino, Ottone: il proprietario della capra, quello che abbiamo detto ora ora, si chiama Stefano Ottone».

«Ecco!» gridò Mimì.

«Ecco che?» spiò Fazio imparpagliato.

«È quello che ha scritto» gli spiegò Augello.

«Hai detto giusto, Mimì» fece Montalbano. «Con le iniziali dei cognomi ci sta scrivendo un altro messaggio. E noi sbagliavamo a pinsari che il messaggio lo stava componendo con gli armàli ammazzati».

«Ora mi spiego pirchì!» fece Fazio.

«Spiegalo macari a noi questo pirchì».

«Nella casuzza del pensionato al quale ha ammazzato il cane, c'erano macari due capre. E io stamatina mi spiai perché non fosse tornato dal signor Contino invece di andare a sdirruparsi a venti chilometri di distanza per cercare un'altra capra. Ora ho capito. Gli abbisognava un cognome che principiava con la vocali o!».

«Che possiamo fare?» intervenne Augello.

Il suo tono era tra il nirbùso e l'angosciato. Macari Fazio taliò il commissario con gli occhi di un cane che voli l'osso.

Montalbano allargò le braccia.

«Non possiamo aspettare che spari a un uomo per intervenire. Perché la prossima volta, ne sono più che pirsuaso, ammazzerà a qualcuno» insistette Mimì.

Montalbano allargò nuovamente le braccia.

«Io non capisco come fai a startene accussì calmo» fece, provocatorio, Augello.

«Perché non sono tanto fissa come a tia» disse frisco frisco il commissario.

«Vuoi chiarire?».

«Prima di tutto, chi ti dice che sono calmo? Poi: me lo spieghi tu che minchia possiamo fare? Costruiamo un'arca come Noè, ci mettiamo dintra tutti gli armàli e aspettiamo che l'omo venga ad ammazzarne uno? Terzo: non è detto, non è scritto da nessuna parte che la prossima volta spara a un omo. Lui ammazzerà un cristiano solo alla fine del messaggio. Fino ad ora ha scritto la prima parola, che è "ecco". La frase evidentemente non è finita. Non sappiamo quanto sarà lunga, quante parole ci vorranno. Vi consiglio di armarvi di santa pacienza».

La matina di lunedì 20 di ottobriro, Montalbano, Augello e Fazio si trovarono in commissariato alle sett'albe e senza che si erano dati appuntamento. A vederseli davanti a quell'ora di primo matino a momenti a Catarella gli pigliò il sintòmo.

«Che fu, ah? Che successe, ah? Che capitò, ah?».

Ebbe tri risposte diverse, tri farfantarìe. Montalbano disse che non aviva chiuso occhio per una forti acidità di stomaco, Mimì Augello spiegò che aviva dovuto accompagnare al trino un amico sò che era venuto a trovarlo, Fazio che era stato obbligato a nesciri presto per accattare l'aspirina a sò mogliere che aviva tanticchia di fevri. Ma di comune accordo lo mandarono a pigliare tri cafè ristritti dal bar vicino ch'era già aperto.

Vivuto il cafè in silenzio, Montalbano s'addrumò una sigaretta. Augello aspettò che tirasse la prima vuccata e quindi diede il via alla sua privata vendetta.

«Ah ah!» fece agitando un indice ammonitore. «E che gli conti al signor ministro se capita qua e ti vede?».

Santiando, Montalbano niscì dalla càmmara e si mise a fumare sulla porta del commissariato. Al terzo tiro, sentì squillare il telefono. Tornò dintra con la velocità di una palla allazzata.

E si vennero a trovare tutti e tri contemporaneamente, Montalbano, Fazio e Augello, a voler trasire in quel vero e proprio pirtuso ch'era l'ingresso del centralino che a sua volta era un vano tanticchia più granni di un ripostiglio per le scope. Principiò una specie di lotta a spallate. Atterrito per l'irruzione, Catarella si fece erroneamente pirsuaso che quei tri ce l'avessero con lui. Lasciò cadere la cornetta che stava sollevando, si susì di scatto con gli occhi sbarracati, si addossò con le spalle alla parete e, le mani isate in alto, gridò:

«Mi arrenno!».

Montalbano si impadronì d'autorità del microfono.

«Qui parla il...».

Venne interrotto da una voce fimminina acutissima, isterica.

«Pronto! Pronto! Cu è ca palla?».

«Qui parla il...».

«Di subito accurrite! Rompitivi l'osso del coddro e accurrite!».

«Per caso, signora, le ammazzarono un qualichi armàlo?».

La domanda imparpagliò la fìmmina.

«Eh? Di quali armàlo palla? Che è, 'mbriacu di prima matina?».

«Mi scusi, declini le sue generalità».

«Ma comu palla, chistu?».

«Nome, cognome, indirizzo».

A conclusione della disagiata conversazione telefonica, si capì che la signora De Dominici Agata, abitante in contrada Cannatello, «propiu allatu allatu alla funtaneddra», era scantata a morti per via che il marito Ciccio era nisciuto di casa armato di fucile per andare a sparare a tale Armando Losurdo.

«Accriditimi: se lo dici, lo fa».

«Ma perché gli vuole sparare?».

«E chinni sacciu? Chi lu veni a cuntari a mia, mè maritu, 'u pirchì?».

«Vai a dare un'occhiata» ordinò Montalbano a Fazio.

Fazio niscì murmuriandosi e, a sua volta, ordinò a Galluzzo, che era appena arrivato in commissariato, di andare con lui.

La signora Agata De Dominici, cinquantina sicca sicca che pariva la personificazione della caristia, appena vitti i due addecise d'abbattersi in lagrime sul petto capace di Galluzzo. Contò ai due esausti rappresentanti della legge (contrada Cannatello si trovava allo sdirrupo, avevano dovuto farsi tri quarti d'ora di strata a piedi pirchì con la machina non ci si arrivava) che il marito, nisciuto di casa alle cinque e mezza del matino per badare alle vestie, era rientrato deci minuti doppo che pariva addivintato pazzo, una stampa e una figura con Orlando, quello dell'òpira dei pupi, aviva i capiddri dritti in testa, santiava che manco un turco arraggiato, dava tistate al muro. Lei gli andava appresso addimandandogli che era capitato, ma lui pariva addivintato surdo, non ci dava risposta. A un certo momento si mise a fare voci che lui stavolta ad Armando non gliela faciva passari in cavallaria, ci sparava, quant'era veru 'u Signuruzzu. E difatto aveva pigliato il fucile che teneva a capo di letto ed era nuovamente nisciuto.

«Stavolta l'incastro gli danno! Non nesci cchiù dal càrzaro! Pi sempri si consumò!».

«Signora, prima di parlare d'ergastolo» intervenne Fazio, che aveva la testa di tornare al più presto al commissariato, «ci dica chi è questo Armando e dove abita».

Risultò che Armando Losurdo era un tale che aviva qualiche sarma di tirreno in parte confinante con quello di De Dominici e non passava jornata che i due non si facessero una sciarriatina, ora uno tagliava i rami di un àrbolo all'altro con la scusa che invadevano il suo campo, ora l'altro s'impadroniva di una gallina che aveva casualmente sconfinato e se la faciva a brodo.

«Ma lei, signora, lo sa che è successo stavolta?».

«Non lo saccio! Non me lo disse!».

Fazio si fece spiegare dove abitava Armando Losurdo e partì, sempre a piedi, con appresso Galluzzo che la signora Agata aviva continuato ad abbrazzare vagnandogli la giacchetta di lagrime e mòccaro che le colava dal naso.

Quanno arrivarono sul posto, si vennero a trovare dintra a una scena di pillicola miricana di cobbois. Dall'unica finestra di una casuzza rustica, qualichiduno tirava revorbarate contro un viddrano cinquantino, chiaramenti Ciccio De Dominici, che, appostato darrè un muretto, ricambiava con fucilate le revorbarate sparate dalla finestra.

Troppo occupato nel duello, De Dominici non si addunò dell'arrivo alle sue spalle di Fazio che gli satò addosso arriniscendo macari, quando quello si voltò, a mollargli un gran cazzotto nella panza. Mentri tentava di ripigliare sciato, Fazio l'ammanettò.

Intanto Galluzzo faceva voci:

«Polizia! Armando Losurdo, non sparare!».

«Non mi fido! Jativìnni o sparu macari a vui!».

«Siamo della polizia, stronzo!».

«Giuralo sulla testa di tua matri!».

«Giura» gli ordinò Fazio, «altrimenti qua facciamo notte».

«Ma siamo pazzi?».

«Giura e non scassare!».

«Giuro sulla testa di mia madre che sono un poliziotto!».

Mentri dalla casuzza veniva fora Losurdo con le mani isate, Fazio spiò a Galluzzo:

«Ma tua madre non è morta da tri anni?».

«Sì».

«E allora pirchì la facevi tanto longa?».

«Non mi pareva giusto».

Appena De Dominici vide comparire Losurdo, con un ammuttuni si liberò di Fazio e, ammanettato com'era, si lanciò a testa vascia, una specie d'ariete, contro il suo nemico. Uno sgambetto di Galluzzo l'atterrò.

Intanto Losurdo gridava:

«Non lo saccio che gli pigliò a questo pazzo! S'appostò e accominzò a spararmi. Io nenti gli feci! Lo giuro sulla testa di mè matri!».

«Ma quest'omo è amminchiato con le teste delle madri!» commentò Galluzzo.

De Dominici si era intanto messo agginocchiuni, ma la raggia che aviva era tanta che non ce la faceva a parlare, le parole gli si affollavano nella vucca, gliela attuppavano e si trasformavano in bava. La faccia gli era addivintata di colore viola.

«'U sceccu! 'U sceccu!» arriniscì finalmente a dire con voci lamentiosa, a un passo dal pianto.

«Ma quali sceccu?» gridò Losurdo.

«'U mè, grannissimo cornuto!».

E poi, rivolto a Fazio e a Galluzzo, spiegò:

«Stamatina lo trovai a 'u mè sceccu! Mortu sparatu! Un colpo in testa! E fu iddru, 'stu garrusu e figliu di buttana, ad ammazzarimìllu!».

Alle parole «un colpo in testa», Fazio s'apparalizzò, appizzando le orecchie.

«Fammi capire» spiò lentamente a De Dominici, «ci stai dicendo che stamatina hai trovato il tuo asino ammazzato con un colpo in testa?».

«Sissi».

Sparì, letteralmente, alla vista di Galluzzo, De Dominici e Losurdo che impietrirono, come se era passato quell'angelo che dice «ammè» e ognuno resta accussì com'è.

«Pirchì scappò?» spiarono contemporaneamente De Dominici e Losurdo.

Fazio arrivò alla casuzza di De Dominici sudato e senza sciato. Lo sceccu stava ancora attaccato con una corda a un àrbolo nelle vicinanze, ma era stinnicchiato 'n terra, ammazzato. Un filo di sangue gli nisciva da un'orecchia. Trovò subito il bossolo, praticamente tra le zampe della vestia, e, a occhio, gli parse uguale ai precedenti. Ma del biglietto non c'era traccia. Mentri stava a circarlo nei paraggi, capace che il vinticeddro di primo matino se l'era portato appresso, a una finestra della casuzza s'affacciò la signora De Dominici.

«L'ammazzò?» spiò con voce potente.

«Sì» arrispunnì Fazio.

E si scatinò l'iradiddì, il quarantotto, il virivirì.

«Aaaaaaahhhhhh!» ululò la signora De Dominici scomparendo dal vano della finestra. Macari a distanza, Fazio percepì il botto del corpo che cadiva 'n terra. Si mise a curriri, trasì nella casuzza, acchianò una scala di ligno, trasì nell'unica càmmara sopraelevata che era quella di letto. La signora De Dominici stava sutta la finestra, sbinuta. Che fare? Fazio le si agginocchiò allato, le diede due schiaffetti leggeri:

«Signora! Signora!».

Nenti, nisciuna reazione. Allura scinnì la scala, andò al focolare, pigliò un bicchiere, lo inchì da un bummolo, risalì, assuppò d'acqua il fazzoletto, lo passò e lo ripassò sulla faccia della fimmina continuando a chiamarla:

«Signora! Signora!».

Finalmenti, come piacì a Dio, quella raprì l'occhi e lo taliò.

«L'arristastivu?».

«A chi?».

«A mè marito».

«E perché?».

«Ma comu? Non ammazzò ad Armando?».

«No, signora».

«Allura pirchì mi disse sì?».

«Ma io pinsavo che lei m'addumannava dello sceccu!».

«Quali sceccu?».

Mentri s'avventurava in una complessa spiegazione dell'equivoco, Fazio, dalla finestra, vitti arrivare a Galluzzo con De Dominici e Losurdo. Per evitare che i due si pigliassero a botte, Galluzzo li aviva ammanettati e li faciva caminare a cinque passi di distanza l'uno dall'altro. Lasciò perdiri la signora, che del resto pariva essersi ripresa benissimo, e raggiunse il trio.

Coll'aiuto dei due viddrani e di Galluzzo arriniscì a spostare la carcassa dell'asino. Sutta c'era un pizzino di carta a quadretti:

«MI CONTRAGGO ANCORA».

Quattro

Fazio s'arramazzò in commissariato per riferire della nuova impresa dell'ammazzatore d'armàli, ma non ebbero tempo di considerare bene la facenna e di ragionarci sopra tanticchia.

«Ah dottori dottori!» fece Catarella irrompendo nella càmmara. «Chi fici? Si lo sdimenticò?».

«Che cosa?».

«La rininione col signori e questori! Ora ora tilifonarono da Montelusa ca l'aspittano!».

«Minchia!» fece Montalbano niscenno fora di cursa.

Subito doppo rimise la testa dintra:

«Parlatene intanto voi».

«Grazie della gentile concessione» disse Mimì.

Fazio s'assittò.

«Se vogliamo parlarne...».

Lo disse di malavoglia, era cosa cògnita a tutti che non aviva granni simpatia per Augello.

«Bene» principiò Mimì, «il nostro anonimo nemico degli animali...».

Non arriniscì a finire la frase che nuovamenti comparse Catarella.

«C'è uno al tilefono che voli parlari col dottori.

49

Datosi che il dottori è asente, lo passo a lei di pirsona?».

«Pirsonalmenti» disse Mimì.

«Parlo col commissario Montalbano?» spiò una voce sconosciuta e chiaramente annoiata.

«No, sono Augello, il suo vice. Mi dica».

«Sono un vicino di casa del ragioniere Portera».

«Embè?».

«Il ragionier Portera, in questo preciso momento, sta di bel nuovo nuovamente sparando a sò mogliere. Ora io mi domando e dico: quando la farete finire questa grandissima camurrìa?».

«Arrivo subito».

La signora Romilda Fasulo in Portera era sissantina, nana, le gambe torte a cavaturacciolo, un occhio a Cristo e l'altro a san Giovanni, eppure sò marito era convinto che fosse una gran billizza e che avesse una quantità di spasimanti ai quali, di tanto in tanto, concedeva i suoi favori.

E quindi, in media una volta ogni quinnici jorna, al termine di una rituale sciarriatina che veniva sintuta macari nelle strate vicine, il ragioniere scocciava il revorbaro che teneva sempre in sacchetta e sparava tri o quattro colpi verso la consorte mancandola regolarmente. La signora Romilda manco si scansava, continuava a fare i fatti sò mentri i colpi rimbombavano limitandosi pacatamente a dire:

«Qualichi volta m'ammazzi supra u seriu, Giugiù».

Montalbano una volta aveva provato a farlo ragionare, ma non c'era stato verso.

«Commissario, mè mogliere è la reincarnazione prici-sa 'ntifica di quella grannissima buttana di Messalina!».

«Ma signor Portera, ci rifletta. Se macari la sua si-gnora è la reincarnazione di Messalina, mi spiega quan-do trova l'occasione, il tempo di metterle le corna? Mi risulta che non esce mai sola da casa, che lei non la mol-la di un passo, l'accompagna sempre, alla Messa, alla spesa... E inoltri lei stesso esce solo per cinque minu-ti, va ad accattare i giornali e torna. Allora, me lo di-ce quando e come s'incontra con i suoi amanti?».

«Eh, commissario mio, quanno che una fìmmina si mette in testa di fari una cosa, cridissi a mia, la fa».

Stavolta invece Augello, che era nirbùso per lo scec-cu ammazzato, non ebbe riguardi. Disarmò il ragionie-re (al quale del resto non passava manco per l'antica-mera del cervello d'opporre resistenza), sequestrò l'ar-ma e pigliò la decisione di ammanettare lo sparatore al-la testata del letto:

«Passo stasira a liberarla».

«E se mi scappa? Il diuretico pigliai!».

«Preghi sua moglie d'aiutarla. E se la signora non l'aiu-ta, come io le consiglierei di fare, vuol dire che si pi-scia addosso».

Bonetti-Alderighi, il questore, era di umore malo e non facìva nenti per ammucciarlo.

«Le premetto, Montalbano, che ieri ho tenuto una riunione sullo stesso argomento con i suoi colleghi de-gli altri commissariati. Ho preferito convocare lei da solo e dedicarle la mattinata».

«Perché a me da solo?».

«Perché lei, non se la prenda, certe volte mi sembra abbia serie difficoltà a capire il nocciolo dei problemi che le espongo. Non credo lo faccia in malafede, però».

Da tempo aveva sperimentato col questore che, fingendosi assolutamente incapace d'intendere e di volere, quello lo lasciava in pace, lo convocava solo quando non ne poteva fare a meno. Stavolta si trattava delle misure da pigliare in vista di nuovi sbarchi clandestini di extracomunitari. La parlata durò tri ore e passa, pirchì ogni tanto Montalbano si sentiva in dovere d'interrompere.

«Non ho capito bene. Se vuole usarmi la cortesia di ripetere...».

E quello gli usava la cortesia di ripigliare da capo.

Quando il questore, sconsolato, lo congedò, il commissario incontrò nel corridoio il dottor Lattes, il capo di Gabinetto, soprannominato «Lattes e mieles» per il suo modo di fare pericolosamente fàvuso. Lattes affirrò Montalbano per un braccio e se lo tirò sparte. Doppo si susì sulle punte dei piedi per sussurrargli all'orecchio:

«La sa la novità?».

«No» fece Montalbano usando macari lui un tono cospirativo.

«Ho saputo in alto loco che il nostro questore, che tanto ha ben meritato, sarà presto trasferito. Lei parteciperebbe a un bel regalo d'addio, un pensiero affettuoso che io credo potrebbe consistere in...».

«... in tutto quello che vuole» fece il commissario lasciandolo in tridici e ripigliando a caminare.

Niscì dalla questura cantando *La donna è mobile*, tanta era la contintizza per la notizia del prossimo trasferimento di Bonetti-Alderighi.

Festeggiò alla trattoria San Calogero con una gigantesca grigliata di pisci.

Poterono finalmenti tornare a riunirsi alle cinco di doppopranzo.

«Fino a questo momento quello ha scritto: "Ecco d...". Secondo me la frase intera sarà: "Ecco Dio"» disse subito Montalbano.

«Oh Madunnuzza santa!» esclamò Fazio.

«Perché ti squieti?».

«Dottore, a mia, quanno si cominciano a tirare in ballo motivazioni religiose, mi viene di scantarmi».

«Cosa ti fa supporre che la frase sia quella?» spiò Augello.

«Prima di chiamarvi ho fatto un'indagine telefonica e ho avuto alcune informazioni dal Comune. Ci sono cinque persone e precisamente D'Antonio, De Filippo, Di Rosa, Di Somma e Di Stasio che sono proprietari d'asini. Due li tengono alla periferia del paìsi. E invece il nostro omo se lo è andato a cercare allo sdirrupo, lo scecco da ammazzare. E perché? Perché il suo proprietario, De Dominici, ha un cognome che principia con due lettere *d*. Che equivalgono, volendo, a una *D* maiuscola».

«Il ragionamento fila» ammise Augello.

«E se il mio ragionamento fila» disse il commissario, «la cosa s'appresenta làida e pricolosa assà. Con i fanatici religiosi è meglio non averci a che fare, come dice Fazio, quelli sono capaci della qualunque».

«Se le cose stanno come dici» ripigliò Mimì, «meno ancora capisco che viene a significare quando scrive che si sta contraendo. Ho sempre letto e sentito dire che Dio si manifesta nella sua grandezza, nella sua potenza, nella sua magnificenza, mai nella sua piccolezza. Contrarsi, sino a prova contraria, significa rimpiccolirsi».

«Per noi ha questo significato» disse il commissario, «ma va' a sapere quale significato ha per lui».

«E poi si potrebbe dare un'altra interpretazione» ripigliò Mimì doppo una pausa meditativa.

«Dilla».

«Può darsi che voglia scrivere "Ecco", virgola, "Dio", dopo di che piglia la pistola, si spara e buonanotte ai suonatori».

«Ma come fa a fare la virgola?» obiettò timidamente Fazio.

«Fatti suoi» tagliò Augello.

«Mimì, tra tutte le stronzate che hai detto, l'altra volta una ne dicesti giusta. E cioè che ammazza in crescenza. Questo mi preoccupa. Un pesce, un pollo, un cane, una capra, un asino. E ora a quale armàlo tocca?».

«Beh» fece Mimì, «a un certo punto dovrà fermarsi per forza, dalle nostre parti non ci sono elefanti».

Rise solo lui della battuta.

«Forse sarebbe meglio avvertire il questore» disse Fazio.

«Forse sarebbe meglio avvertire la protezione animali» fece Mimì che, quando gli veniva lo sbromo, la gana di babbiare, non arrinisciva più a tenersi.

La matinata di lunedì 27 ottobriro s'appresentò veramente fitusa, vento, lampi e trona.

Montalbano, che aveva dormito malamente a causa di un eccesso di calamari e di purpitelli, una parte fritti e una parte a oglio e limone, decise di arristarsene corcato tanticchia più del solito. Gli era venuta una tale botta d'umore malo che se avesse incontrato qualichiduno che gli rivolgeva la parola, sarebbe stato capacissimo d'aggramparlo. Tanto, se c'erano novità, figurati se dal commissariato non si appriciptavano a scassargli i cabasisi.

S'appinnicò senza rendersene conto e s'arrisbigliò verso le nove. Possibile? Vuoi vedere che aveva il telefono staccato? Andò a taliare, tutto regolare. Vuoi vedere che dal commissariato l'avevano chiamato e non aveva sintuto gli squilli?

«Pronto, Catarella, Montalbano sono».

«Subito alla voci lo riconobbi, dottori».

«Ci sono state telefonate?».

«Per lei di pirsona pirsonalmente, nonsi».

«E per gli altri?».

«Quali sarebbiro gli altri, dottori, scusasse la dimanda?».

«Augello, Fazio, Galluzzo, Gallo...».

«Nonsi, dottori, per lori no».

«E per chi allora?».

«Per mia ci ne fu una, dottori, ma prima ero bisognevole di sapìri se macari io sono gli altri opuro no».

Appena arrivò in ufficio, Augello e Fazio trasirono nella càmmara: erano perplessi, non c'era stata nessuna segnalazione di ammazzatine né di òmini né d'armàli.

«Com'è possibile che ha saltato un lunedì?» fu la domanda di Fazio.

«Può darsi che sia stato impossibilitato a nesciri da casa, il tempo è stato tinto, macari non stava bene, gli è venuta la 'nfruenza, le ragioni possono essere tante» disse Mimì.

«O può essere che ha fatto quello che doveva fare, ma non se ne sono ancora addunati e quindi nessuno ci ha avvertito» fece Montalbano.

La matinata di quel lunedì Montalbano, Augello e Fazio la passarono praticamente a curriri dintra al centralino appena sintivano il primo squillo di telefonata, facendo ogni volta venire i sudori friddi a Catarella che non si accapacitava di tutto quell'interesse. Di ora in ora il nirbusismo dei tri crisciva tanto che, a scanso di qualiche feroce azzuffatina, il commissario decise di andare a casa a mangiare. A casa e non in trattoria perché il sabato passato aveva trovato un biglietto della cammarera Adelina:

«Totori, alluniddì ci apripparo la pasta 'ncasciatta».

La pasta 'ncasciata! Un piatto che uno gemeva di godimento a ogni forchettata, ma che Adelina gli faceva trovare raramente dato che ci voleva il tempo sò a prepararlo.

Visto che il vento si era abbacato, mangiò nella verandina in mezzo a lampi e trona. Ma, davanti a quella grazia di Dio che gustava non solo con il palato, ma con tutto il corpo, del malo tempo altamente se ne stracatafotteva. Poiché il signor ministro, bontà sua, permetteva al cosiddetto libero cittadino di fumare dintra alla sò casa, raprì il televisore sintonizzandolo su «Retelibera» che a quell'ora trasmetteva il notiziario, si stinnicchiò in poltrona e si addrumò una sigaretta.

Aviva gli occhi a pampineddra, pinsò che forse una mezzorata di sonno gli avrebbe fatto bene. Si allungò in avanti per astutare il televisore, stese il braccio e si paralizzò col culo a mezz'aria.

Sullo schermo c'era un elefante morto, la telecamera fece una lenta panoramica lungo la testa della vestia, zumò su un enorme occhio sgarrato da un proiettile. Aumentò il volume.

«... assolutamente inspiegabile» fece fuori campo la voce di Nicolò Zito, giornalista amico sò. «Il *Circo delle Meraviglie* è arrivato a Fiacca sabato mattina e la sera stessa ha dato il suo primo spettacolo. Nella giornata di domenica, oltri alla matinée per i bambini, ha effettuato una rappresentazione pomeridiana e una serale. Tutto si è svolto regolarmente. Verso le ore tri di questa mattina, il signor Ademaro Ramirez, direttore del circo, è stato svegliato da un inconsueto barrire proveniente dalla gabbia degli elefanti che è vicina alla sua roulotte. Alzatosi e recatosi alla gabbia, immediatamente ha notato che uno dei tri elefanti stava disteso su un fianco e in una posizione anormale, mentri gli altri due animali apparivano assai agitati. In quel momento sopraggiungeva la domatrice, anche lei svegliata dai barriti, la quale faticava molto a calmare i due animali pericolosamente innervositi. Quando riusciva a entrare nella gabbia, la domatrice si rendeva conto che l'elefante rimasto a terra, di nome Alacek, era stato ucciso da un solo colpo di pistola sparatogli con estrema precisione e freddezza nell'occhio sinistro».

Spuntò l'immagine della domatrice, una bella fìmmina bionda che chiangiva dispirata. Ripigliò, sempre fuori campo, la voce del giornalista mentri venivano inquatrati altri armàli del circo.

«Particolare inquietante: il maresciallo dei carabinieri Adragna, che conduce le indagini, ha rinvenuto, all'interno della gabbia, un pezzetto di carta quadrettata sul quale era stata scritta l'enigmatica frase: "Sto per terminare di contrarmi". Le indagini sul misterioso episodio...».

Astutò il televisore. La prima cosa che fece fu di telefonare a Mimì Augello.

«Lo sai che macari dalle parti nostri ci stanno gli elefanti?».

«Ma cosa?...».

«Poi te lo spiego. Tra un'ora al massimo al commissariato».

Quindi chiamò Fazio.

«È stato ammazzato un elefante».

«Babbìa?».

«Non ho gana di babbiare. A Fiacca, apparteneva a un circo. È stato trovato il pizzino. Tu mi pare che sei amico del maresciallo Adragna».

«Compare mio è».

«Bene, fai un salto a Fiacca e se il tuo compare ha trovato il bossolo, fattelo prestare per una giornata. Ah, e dato che ci sei, vedi se ti dà macari il pizzino».

Mentri in macchina si dirigeva al commissariato, pinsò che c'era qualichi cosa che non quatrava. Se la sua teoria era giusta, e lui sentiva che era giusta, all'ammazzatore d'armàli abbisognava un nome che iniziava con la vocale *i*. Allora che ci trasiva il *Circo delle Meraviglie*? E macari il nome dell'elefante principiava con la *a*. E allora?

La risposta l'ebbe quasi subito. Sulla facciata laterale di una delle prime case di Vigàta c'era un granni manifesto colorato. Con la coda dell'occhio gli parse di vedere il disegno di un clown. Fermò, scinnì, andò a taliare. Era la pubblicità del *Circo delle Meraviglie* e doveva trovarsi lì da qualche giorno perché era tanticchia strapazzata dal malottempo. Annunziava che il circo sarebbe stato a Vigàta il 20 ottobre. Troppo tardi per l'ammazzatore.

Però c'era il calendario della tournée in provincia e da lì quello che si credeva Dio, o che pinsava di averci a che fare, era venuto a canuscenza della data della rappresentazione di Fiacca. Nel manifesto faciva naturalmente spicco l'elenco delle attrazioni: al secondo posto c'era, a littri dorate, il nome di Irina Ignatievic, star del *Circo di Mosca*, domatrice di elefanti.

La littra *i* da mettiri doppo la *d*. A questo punto non c'era dubbio che la parola completa sarebbe stata «Dio».

L'uomo che si credeva Dio, o che pinsava di averci a che fare, aviva liggiuto il manifesto e aviva provveduto d'urgenza. Quale meglio occasione poteva capitargli?

Ma cogliere quell'occasione non doviva essere stata imprisa facile, i rischi che comportava erano enormi e tali da compromettere il progetto che aviva in testa. Bastava un guardiano notturno o un attacco di nirbùso degli armàli all'avvicinarsi di uno straneo. Eppure era andato lo stisso in un circo di notte, o almeno alle primissime ore del matino, ed era arrinisciuto ad ammazzare un elefante. Era un pazzo che agiva alla sprovveduta, alla comevieneviene, alla sanfasò o era uno altrittanto pazzo ma della categoria dei puntigliosi, dei metodici? Tutto faceva supporre che l'omo non lasciava mai spazio al caso.

E appresso c'era da considerare bene il progressivo aumento di stazza delle cosiddette vittime. Sicuramente veniva a significare qualichi cosa, c'era ammucciato un messaggio da decifrare. Doppo l'ammazzatina della capra, con una certa inquietudine lui aviva pinsato che ora doviva toccare a un omo. Invece al posto dell'omo il pazzo aviva ammazzato uno scecco. E quindi era passato a un elefante. Ora, tra una capra e un elefante c'era posto bastevole per il corpo di un omo. Non l'aviva fatto. Pirchì? Per scarsa considerazione degli òmini? No, agli òmini lasciava ogni volta un pizzino che dava lo stato della contrazione, qualisisiasi cosa essa significasse, e questo viniva a dire che gli òmini li considerava e come. Li avvertiva di un evento imminente. Poteva darsi che il pazzo avrebbe sparato a un omo il lunedì che veniva e questo pirchì metteva l'omo in cima alla piramide del regno animale. Doviva certamente essiri accussì: la prossima volta sarebbe toccato a un essere umano. L'omo infatti è, diversamente dagli altri armàli, dotato di ragione. E questo lo rende superiore. O almeno accussì si continua a cridiri, a malgrado di tutte le prove contrarie che gli òmini stessi non hanno mai mancato di esibire nel corso della loro secolare storia.

Cinque

La riunione principiò più tardo del previsto pirchì Fazio, sulla strata di ritorno da Fiacca, aviva incontrato trafico assà. Appena trasuto nella càmmara, pruì al commissario due bossoli.

«Questi li rimetta nel cascione con gli altri».

Montalbano parse strammato.

«Due bossoli? Sparò due colpi?».

«Nonsi, dottore, uno solo».

«E allora perché Adragna te ne ha dati due?».

«Dottore, questi due bossoli sono di quelli che avevamo noi. Vede, ho pensato che se io domandavo in prestito a mio compare il bossolo e il pizzino, quello appizzava le orecchie e si cominciava giustamente a spiare perché noi ci interessiamo tanto all'ammazzatina di un elefante. Gli ho invece contato che ero a Fiacca a trovare un amico e avevo approfittato per fargli un saluto. L'ho fatto parlare come per caso della facenna del circo e lui mi ha fatto vedere il bossolo e il pizzino. Siccome ha dovuto nesciri per tanticchia dalla sua càmmara, l'ho confrontato con quelli che mi ero portato appresso. Identici. Il pizzino stavolta dice: "Sto per terminare di contrarmi"».

«Sì, lo sapevo, l'ho sentito alla televisione».

«Io mi domando che minchia capiterà quando avrà finito di contrarsi» fece pinsoso Mimì.

«Adragna ti ha detto se qualcuno ha visto o sentito qualcosa di strammo nella nottata?» spiò Montalbano.

«Niente. Le gabbie degli armàli sono assistemate lontano dalle roulotte dove dormono gli inservienti e gli artisti. La domatrice ha detto che ha sentito dei cosi, quelli che fanno gli elefanti...».

«Barriti?».

«Sissi, ma siccome lo fanno spesso quando diventano nirbùsi perché macari qualcuno sta passando nelle vicinanze, non ci ha dato molta importanza».

«Nessuno ha sentito il colpo?».

«Nessuno, deve avere usato il silenziatore. E si deve essere portato appresso puro una torcia potente, perché Adragna mi ha detto che dalle parti delle gabbie c'era molto scuro».

«Ma come diavolo ha fatto?».

«Dottore, bisogna premettere che questo tipo tira bene. Siccome non poteva andare a sparare con una carabina da caccia grossa che avrebbe fatto un botto tale da arrisbigliare l'intero paìsi, si è arrampicato sulle sbarre della gabbia, arrivando praticamente all'altezza delle teste degli elefanti, e ha sparato alla vestia a mezzo metro di distanza».

«Come hanno fatto a saperlo?».

«Adragna ha trovato il fango lasciato dalle suole. Quindi ha acceso la torcia, l'ha puntata sull'occhio dell'elefante più vicino e ha sparato».

«Sparerà bene, ma ha macari molto culo» commentò Mimì.

E proseguì:

«A questo punto, gli manca solo la o di Dio».

Montalbano li taliò preoccupato.

«La volete sapere una cosa? Credo che abbiamo tempo fino a domenica sira per impedire un omicidio».

Da tri ore l'omo leggeva senza mai staccare gli occhi dal libro, ne girava le pagine con delicatezza, con trimore.

Congiunto è Egli alla Potenza sua siccome la fiamma è congiunta ai colori suoi; le forze sue promanano dalla sua Unità siccome dalla pupilla scura fuoriesce la luce dello sguardo.

Emanate son l'una dall'altra come il profumo da un profumo e la luce da una luce.

Nell'emanato vi è tutta la Potenza dell'Emanatore, ma l'Emanatore da questo non subisce diminuzione alcuna.

A questo punto, l'omo non ce la fece più a leggere. Aviva l'occhi pieni di lagrime. Di cuntintizza. Anzi, di gioia. Una gioia sovrumana. Taliò il ralogio, erano le tri del matino. Si lasciò andare a un pianto convulso, sopraffatto dall'emozione. Trimava come per frevi. Si susì reggendosi malamente sulle gambe, andò alla finestra, la raprì. Tirava un vento gelido. L'omo si inchì d'aria i purmuna e quindi gridò. Un grido talmente lungo che sonò come un ululato. Subito doppo, si sentì le gambe troncate di netto. Non ce la fece a reggersi addritta, s'agginocchiò, il davanti della cammisa assuppato di lagrime.

64

Solo sette giorni mancavano all'Apparizione.

Montalbano taliò il ralogio, erano le tri del matino. Che senso aviva continuare a starsene corcato senza arriniscìri in alcun modo a pigliare sonno? Si susì, andò in cucina, si priparò il cafè.

Tri domande continuavano a trapaniargli il ciriveddro:

Pirchì quello agiva sempre di lunedì, nelle primissime ore del matino, al principio del novo jorno?

Pirchì ci teneva tanto di fari sapìri all'urbi e all'orbo che in lui era in atto un movimento di contrazione? Che minchia si stava contraendo?

Che veniva a significare, per il pazzo, il verbo «contrarsi»? Aviva il senso di rattrappirsi, rimpicciolirsi, come diciva Mimì Augello, o aviva un senso convenzionale e spiegabile solo con quello che passava per la mente malata dello sconosciuto?

Montalbano sintiva che la giusta interpretazione di quel verbo sarebbe stata indispensabile per arrinèscriri a capire qual era l'intenzione ultima del pazzo, indovi voliva andare a parare.

C'era una risposta possibile? Non c'era.

L'indomani matina presto, ch'era martedì, s'appresentò in ufficio con gli occhi arrussicati per la mancanza di sonno e con un umore fituso già di suo, ma che viniva elevato al quatrato dalla jornata fridda e vintosa.

«Statemi a sentire» disse ad Augello e a Fazio. «Ci ho ragionato a lungo sopra questa storia. Praticamente tutta la notte. Il fanatico, perché ormai questo è certo, è inutile ammucciarcelo, è sicuramente uno che è nato e cresciuto a Vigàta».

«Perché?» spiò Augello.

«Mimì, rifletti. Intanto, conosce benissimo chi sono i proprietari di certi armàli e come fanno di cognome. Queste notizie o stanno scritte nei registri municipali o si sanno per conoscenza diretta».

«Rifletti tu» ribatté piccato Mimì Augello. «Che ci vuole a sapere che nel ristorante c'era la vasca dei pesci? O che in un allevamento di polli ci sono polli?».

«Ah, sì? E tu lo sapevi che il signor Ottone aveva una capra e De Dominici uno scecco?».

Augello non arrispunnì.

«Posso continuare?» fece Montalbano. «Ripeto: è uno di Vigàta e non deve essere tanto picciotto d'età».

«Perché?» spiò Mimì.

«Perché conosce pensionati, gente anziana...».

«Boh» fece ancora Mimì.

Montalbano non volle attaccare turilla, proseguì:

«Ed è pirsona istruita. Ha la grafia di chi è abituato a scrivere».

«Un momento» intervenne Fazio, «tanto anziano non può essere. Uno che ha gli anni suoi difficile che si mette a scassinare catenacci, a girare campagne campagne di notte, ad acchianare sulle gabbie...».

«Intanto è un fanatico, su questo non abbiamo dubbio».

«Sì, Salvo, ma la domanda di Fazio era...» intervenne Augello.

«L'ho capita benissimo, la domanda. E sto infatti rispondendo. Il fanatismo porta a fare cose impensabili, ti dà una forza che non sospettavi d'avere, un coraggio che manco te lo sognavi. E poi non è detto che agisca lui personalmente. Può mandare qualche altro fornito di pistola e biglietto. Un adepto».

«Eh?!» fece Fazio.

«Adepto viene a dire seguace, non è una parola vastasa. Adesso facciamo così. Tu, Mimì, vai all'ufficio anagrafe e ti fai dare l'elenco di tutti quelli il cui cognome principia con la vocale o. Non saranno centomila».

«Centomila no, ma tanti sì. Io, per esempio, conosco a Mario Oneto e a Stefano Orlando» ribatté Mimì.

«Io ne conosco tri» disse Fazio, «Onesti, Onofri, Orrico».

«Senza contare» rilanciò Mimì «che Stefano Orlando ha dieci figli, cinque màscoli e cinque fìmmine. E che tri dei cinque màscoli sono maritati e hanno a loro volta dei figli».

«Non me ne fotte niente di nonni, figli e nipoti, avete capito?» sbottò il commissario. «Voglio l'elenco completo per domani a matina, neonati compresi».

«E dopo che te ne fai?».

«Se entro domenica matina non abbiamo risolto la cosa, li raduniamo tutti in un posto e montiamo la guardia».

«Raduniamoli al campo sportivo come faceva il generale Pinochet» disse ironico Augello.

«Mimì, sono veramente ammirato. Che sei uno stronzo non avevo dubbi, ma non avevo mai supposto che potevi raggiungere livelli tanto elevati. Complimenti vi-vissimi. Ad maiora. E ora levati dalle palle».

Augello si susì e niscì.

«E io che faccio?» spiò Fazio.

«Ti metti a tambasiare pàisi pàisi. Vedi se la facenna dell'ammazzatina di questi armàli è trapelata e, in caso, che ne pensa la gente. Ah, un'altra cosa: metti uno dei nostri appresso a Ottone, quello della capra. Ha la disgrazia del cognome che principia con la o. Non vorrei che il fanatico torna da lui e l'ammazza, macari prima di lunedì, così risparmia tempo e fatica di cercare».

Tornò a Marinella che erano quasi le deci di sira. Non aviva nisciuna gana di mangiare, si sentiva la bocca dello stomaco inserrata. Prioccupato era, ma soprattutto scontento di sé. Certo, era arrinisciuto a scoprire il collegamento tra i fatti, era stato capace di prevedere (forse) la prossima mossa del fanatico, ma tutto questo non serviva a nenti se non ce la faceva a scoprire qual era l'idea maniacale, l'intendimento che aveva fatto nido nel ciriveddro bacato dello sconosciuto e che lo spingeva ad agire.

Non che lui fosse convinto che alla base di ogni delitto dovesse per forza esserci un movente preciso e razionale. Una volta, a questo proposito, aviva liggiuto un libretto di Max Aub, *Delitti esemplari*, che, passato il divertimento, gli era servito meglio di un trattato di psicologia. Però era altrittanto vero che più ne sai della pirsona che cerchi e più probabilità hai di trovarla.

Squillò il telefono.

«Allora, ce la fai a venire sabato?».

Con scuse varie e complesse, meritevoli di un istituendo premio Nobel per la farfantarìa, era arrinisciuto a rimandare il promesso viaggetto a Boccadasse di settimana in settimana, sentendo però che Livia si faciva sempre meno convinta. Forse la meglio era contarle tutta la verità. Tirò un respiro funnuto e si buttò in apnea tra le parole da dire.

«In tutta sincerità, Livia: non credo proprio di farcela».

«Ma posso almeno sapere che ti sta capitando?».

«Livia, non lo sai che mestiere faccio? Te lo sei scordato? Non posso avere gli orari e i tempi di un impiegato. Ho per le mani un'indagine molto, molto complessa. C'è stata tutta una serie di ammazzatine...».

«Un serial killer?» spiò sbalordita Livia.

Montalbano esitò.

«Beh, lo si potrebbe, in un certo senso, definire così».

«E chi ha ammazzato?».

«Beh, ha cominciato con un pesce, per la precisione un muletto».

«Cosa?!».

«Sì, un cefalo, ma d'acqua dolce. Poi ha fatto fuori un pollo e quindi...».

«Stronzo!».

«Livia, senti... Pronto? Pronto?».

Aveva riattaccato. Possibile che non veniva mai creduto, né quando diceva la verità né quando non la diceva? Forse avrebbe dovuto mettere le parole in un ordine diverso, usarne altre...

Le parole. Cristo, le parole!

Aveva scelto quelle giuste parlando dell'ammazzatore d'armàli, l'aviva definito un pazzo religioso, un fanatico, uno che si credeva Dio, o che perlomeno aviva rapporti diretti con lui, e non aviva saputo tirare le conseguenze delle sue stesse parole! Che imbecille che era stato! Quella era la strata che andava seguita senza perdiri altro tempo. Compose, nirbùso, un numero al telefono. Lo sbagliò per l'agitazione. Ce la fece al terzo tentativo.

«Nicolò? Montalbano sono».

«Che vuoi? Sto andando in trasmissione».

«Pochi secondi».

«Non li ho. Se mi prepari un piatto di pasta, ti vengo a trovare a Marinella passata mezzanotte, dopo l'ultimo notiziario».

Il giornalista Nicolò Zito si trovò davanti un piatto di spaghetti conditi con «oglio del carrettiere» e pecorino, per secondo dieci passuluna, ossia grosse olive nere, una fetta di caciocavallo e ti saluto e sono.

«Ti sei sprecato!» commentò.

«Nicolò, non ho pitìtto».

«E dato che non hai pitìtto, pensi che non l'abbia macari io? Che hai? Mi fai venire la preoccupazione se proprio tu mi vieni a dire che non hai gana di mangiare. Avanti, parla».

E Montalbano gli contò tutto. Via via che parlava, Zito si faciva sempre più attento.

«Questa storia» disse quando il commissario terminò di contare «non può che finire in due modi: o a farsa o a tragedia. Penso però che, al momento attuale, sia più probabile il secondo finale».

«Macari io» fece, nìvuro in faccia, il commissario.

«Perché mi hai chiamato?».

«Mi puoi essere d'aiuto».

«Io?!».

«Sì. Ho assoluto bisogno che tu mi metta subito in contatto con Alcide Maraventano».

L'omo che il commissario voleva incontrare era una pirsona d'incredibile erudizione, che qualche anno avanti gli aveva dato una mano d'aiuto nel caso che venne chiamato *Il cane di terracotta*. Abitava a Gallotta, un paisuzzo vicino a Montelusa, forse era stato un parrino o forse no, certo era che la testa gli funzionava a corrente alternata. Indossava sempri una specie di tonaca che da nìvura era col tempo addivintata virdastra come la muffa: essendo spaventosamente sicco, pariva uno scheletro nisciuto allura allura dalla tomba, ma misteriosamente vivente. La sua casa era un'enorme catapecchia cadente, priva di telefono e di luce elettrica, in compenso tanto stipata di libri che non c'era posto per assittarsi. Mentri parlava, usava ciucciare latte con un biberon da picciliddro.

A sentire quel nome, Zito fece una smorfia.

«Che c'è?».

«Mah, proprio aieri un mio amico mi ha contato che è andato a trovarlo, ma Alcide non gli ha voluto aprire, gli ha parlato attraverso la porta».

«E perché?».

«Gli ha detto che è in fin di vita epperciò non ha tempo da perdere. Quel poco sciato che gli resta dice che gli è necessario per permettergli di respirare per i giorni che mancano alla fine».

«È malato?».

A Montalbano i moribondi gli facevano scanto.

«Va' a sapìri. Certo che gli anni suoi ce l'ha. Deve essere più che novantino».

«Tu provaci lo stesso, fammi questo favore».

Verso la mezza del jorno appresso, non avendo avuto notizie da Zito, addecise di telefonargli.

«Nicolò, Montalbano sono. Te la scordasti quella prighera che ti feci aieri a sira?».

Nicolò Zito parse muzzicato da una vespa.

«Me la scordai?! Una matinata intera sto pirdendo! Non lo sai che Alcide non ha telefono e che bisogna mandare qualcuno a parlargli?».

«Embè?».

«Come, embè? Solo un quarto d'ora fa ho trovato a Gallotta un volontario. Aspetto risposta».

La risposta arrivò doppo una mezzorata. Alcide Maraventano era disposto a ricevere Montalbano. Ma la visita doviva essere breve. E inoltri il commissario doviva andarci da solo. In caso contrario la porta di casa non sarebbe stata aperta.

L'abitazione di Alcide Maraventano era come se la ricordava, le persiane scardinate, l'intonaco caduto a pezzi, le finestri coi vetri rotti sostituiti da cartoni e assi di legno, il cancello di ferro mezzo sdirrupato.

Solo quello che una volta era l'ammasso informe del

giardino del parrino (o forse no) era ora addivintato una specie di foresta equatoriale. Montalbano rimpianse di non avere portato con sé un machete. Si districò tra i rami e i rovi, si fece uno strappo nella giacchetta e santiando arrivò davanti alla porta che era chiusa. Tuppiò col pugno. Nisciuna risposta. Allura Montalbano rituppiò con due càvuci potenti.

«Chi è?» spiò una voce che pariva viniri dall'oltritomba.

«Montalbano sono».

Si sentì un curioso rumore come di ferro contro ferro.

«Spinga, entri e richiuda».

Il chiavistello era azionato da un filo metallico che, tirato da qualche parte all'interno della casa, lo isava.

Trasì nello stesso cammarone dell'altra volta, accuposo di libri messi dovunque, a pile fino al soffitto, per terra, sui mobili, sulle seggie. Il parrino (o forse no) era assittato al suo solito posto darrè un tavolo traballante, in bocca tiniva un termometro gigantesco.

«Mi sto misurando la febbre» disse Alcide Maraventano.

«E che termometro è?» non poté tenersi dallo spiare il commissario strammato.

«È un termometro da mosto. Poi faccio le proporzioni» disse il parrino (o forse no) levandolo per un momento dalla bocca e rimettendolo subito a posto.

Sei

«Non si sente bene?» spiò ancora il commissario.

«Dice per il termometro? No, quello è un controllino che faccio di tanto in tanto».

Arrispose sempre con il termometro in bocca e quindi gli venne fuori una parlata da 'mbriaco.

«Mi fa piacere. Siccome avevo saputo che...».

«Che ero in fin di vita? Ho detto così a un cretino che ha capito male. Però ho novantaquattro anni passati, amico mio. E quindi non è poi tanto sbagliato dire che sono in fin di vita. Solo che ormai per fin di vita intendiamo tutti una sorta di stadio agonico. Roba da chiamare il prete per l'ultima, estrema confessione».

Che c'era da ribattere? Niente, ragionamento perfetto. Maraventano si levò finalmente il termometro, lo taliò, lo posò sul tavolo, scuotì la testa, pigliò uno dei tri biberon pieni che erano davanti a lui e principiò a ciucciare.

«Non credo che lei sia venuto a trovarmi per informarsi del mio stato di salute. Le posso essere utile in qualcosa?».

E Montalbano gli contò tutto di filato, dal pisci all'elefante. Gli parlò macari del suo scanto per la prossima mossa dell'omo che si credeva Dio o che pinsava d'essiri in stritti rapporti con lui.

Alcide Maraventano lo stette a sèntiri senza interrompere mai. Solamente alla fine spiò:

«Ha con sé i bigliettini?».

Il commissario naturalmente se li era portati appresso e glieli pruì. Maraventano fece tanticchia di largo sul tavolo, li dispose in fila, li liggì, li riliggì e doppo taliò a Montalbano e si mise a ridacchiare.

«Che ci trova di tanto divertente?» si spiò strammato il commissario.

E dato che l'altro non si decideva a parlare, lo provocò.

«Difficile capirci qualcosa, eh?».

«Difficile?» fece Maraventano levandosi dalla bocca il biberon oramà vacante. «Ma è elementare, amico mio, come direbbe Sherlock Holmes al dottor Watson! Le è mai capitato di leggere uno dei *Sifre ha-'iyyun*?».

«M'è mancata l'occasione» fece imperturbabile Montalbano. «Che sono?».

«Sono i *Libri della Contemplazione*, probabilmente scritti attorno alla metà del Duecento».

Il commissario allargò le braccia in un gesto sconsolato. Non solo non li aviva liggiuti, ma non ne aviva mai sintuto parlare.

«Ma certamente avrà letto qualche pagina di Mosè Cordovero» disse, concessivo, Maraventano.

E cu era? Vai a sapìri pirchì, quel nome e quel cognome gli sonarono veneziani.

«Un doge?» azzardò all'urbigna.

«Non dica sciocchezze» replicò, severo, Maraventano.

Montalbano principiò a sentirsi impacciato e sudatizzo. Era tornato di colpo a essere il mediocre studente ch'era sempre stato, dalle elementari all'università. Non raprì più bocca, calò la testa e si mise a disegnare circoli sul pruvolazzo del tavolo col dito indice.

«Stavolta sono fottuto. Questo qui mi boccia» gli venne di pinsare.

«Via, via» fece conciliante Alcide Maraventano, «non mi dirà che il nome di Isacco Luria le è del tutto ignoto!».

Del tutto, professore, del tutto. E sulla punta della lingua gli assumò una risposta classica: «Nel mio libro non c'era».

«Sì» invece arriniscì a dire con la voce di un galletto al suo primo chicchirichì, «ma in verità ora come ora non...».

Alcide Maraventano lo taliò, sospirò, tistiò, principiò a susirisi dalla seggia. Si susì per un tempo che al commissario parse interminabile, tanto l'omo era longo. Alla fine, doppo essersi snodato come un sirpente, quella specie di asta che era un corpo e che terminava con una crozza cimiante si mise in camìno.

«Vado a pigliare un libro di sopra e torno» disse.

Il commissario lo sentì acchianare sulla scala perché a ogni gradoni emetteva un «ah» doloroso. Quasi s'affruntò d'aver dovuto sottoporre il poviro vecchio a quella faticata, ma Alcide Maraventano era l'unico a potergli spiegare qualichi cosa di un problema che pariva non aviri soluzione. Gli venne gana di addrumarsi una sigaretta, ma si scantò a farlo: con tutta quella carta in giro, sicca, gialluta, centenaria, a provocare un incendio bastava un nenti. Passarono una vintina di minuti. Per quanto appizzasse le orecchie, non sintiva nessuna rumorata viniri dal piano superiore. Forse il vecchio era andato a cercare il libro in una càmmara che non era proprio di supra a quella dove lui si trovava.

Tutto 'nzemmula ci fu un boato spavintoso, un'esplosione terrificante, la casa intera traballiò, qualche pezzo d'intonaco cadì dal soffitto. Una botta di tirrimoto? Una bombola del gas ch'era scoppiata? Montalbano, satato dalla seggia che a momenti sfondava il soffitto con una testata, vitti calare sulla porta che dava nella scala una specie di siparo bianco. Doviva essiri la polvere, il pruvolazzo dei calcinacci caduti al piano di supra. Forse la scala era pericolante. Ma il commissario si sentì in dovere di principiare ad acchianarla, cautamente, per andare in soccorso del parrino (o forse no). Il pruvolazzo denso gli trasì nei polmoni, cominciò a farlo tossire. L'occhi principiarono a lagrimigliargli. Fu allura che notò un certo movimento sul pianerottolo in cima alla scala.

«C'è qualcuno?» spiò mezzo assufficato.

«E chi ci deve essere? Io» fece la voce sirena e tranquilla di Alcide Maraventano.

Doppo, tra la nebbia, il parrino (o forse no) comparse con un librone sutta il braccio. Da verde muffa, la tonaca era addivintata bianco gesso per il pruvolazzo. Alcide Maraventano pariva lo scheletro di un papa che scinniva una scala.

«Ma che fu?».

«Niente. È caduta una scaffalatura che a sua volta ha fatto cadere tre o quattro pile di libri».

«E tutto questo pruvolazzo?».

«Non lo sa che i libri fanno polvere?».

Tornò ad assittarsi sulla sua seggia, tirò qualche ciucciata pirchì la gola gli si era siccata, scatarrò, raprì il librone, principiò a sfogliarlo.

«Questa» disse «è l'illustrazione che Hayyim Vital fa del pensiero del suo maestro Luria».

«Grazie per la precisazione» disse Montalbano. «Ma vorrei sapere di cosa stiamo parlando».

Maraventano lo taliò stupito.

«Non ha ancora capito? Stiamo parlando della Qabbalah e delle sue interpretazioni».

La Cabbala! Ne aveva inteso parlare, certo, ma sempre come qualcosa di misterioso, di segreto, di esoterico.

«Ah, ecco» fece Maraventano fermandosi su una pagina del librone «senta qui. "Quando l'*En sof* concepì di creare i mondi e produrre l'emanazione, per fare uscire alla luce la perfezione delle sue azioni si concentrò nel punto di mezzo, posto al centro esatto della sua luce. La luce si concentrò e si ritrasse tutta attorno a quel punto centrale...". Ora le è chiaro?».

«No» disse Montalbano ammammaloccuto.

Certo, il significato delle parole lo capiva, ma non gli arrinisciva la connessione tra una parola e l'altra.

«Mi rifaccio a Cordovero» spiegò Maraventano, «il quale afferma che l'*En sof*, l'entità suprema, affinché gli uomini possano, almeno in parte, comprenderne la grandezza, è costretta a contrarsi».

«Comincio a capire» disse finalmenti il commissario.

«E quando avrà finito di contrarsi, apparirà agli uomini in tutta la sua luce, in tutta la sua potenza».

«Madunnuzza santa!» balbettò Montalbano.

Aveva tutto 'nzemmula intuito indovi quel pazzo che si credeva Dio voleva andare a parare.

«Quest'imbecille non ha capito niente della Qabbalah» disse conclusivo Maraventano.

«Quest'imbecille» aggiunse Montalbano «non sta pinsando di ammazzare un solo omo, ma sta preparando una strage».

Maraventano lo taliò.

«Sì» fece, «ritengo molto plausibile la sua ipotesi».

Montalbano si sentì la gola arsa, fu tentato di pigliare un biberon e di tirare due ciucciate.

«Perché dice che quello non ha capito niente della Cabbala?».

Maraventano sorrise.

«Le faccio un solo esempio. Il punto di maggiore concentrazione della luce, il punto centrale, è il luogo della creazione, non della distruzione, sempre secondo Luria e Vital. Quello, invece, si è fatto persuaso del contrario. Bisogna che lei lo fermi. Con qualunque mezzo».

«Mi sa spiegare perché agisce sempre nelle prime ore di ogni lunedì?».

«Posso azzardare un'ipotesi. Perché il lunedì è il principio della luce, il giorno nel quale si crede che il Creatore abbia iniziato la sua opera».

«Senta» incalzò Montalbano capendo che ogni secondo d'informazione in più addivintava tutto guadagno, «lei conosce qualcuno che a Vigàta o nei dintorni si sia occupato di queste cose? Ci pensi bene. Non devono essere tante le persone che si sono dedicate, o si dedicano, a studi così difficili e complessi».

Alcide Maraventano circò nel pozzo senza fondo della sua memoria e qualichi cosa, alla fine, attrovò.

«C'era uno, ma tantissimi anni fa. Qualche volta veniva a discutere con me. Si chiamava Saverio Ostellino, era più grande di me di qualche anno. È morto da tanto tempo. Abitava a Vigàta. Mi ricordo di essere andato al suo funerale, è sepolto lì».

«Nel camposanto di Vigàta?» si stupì Montalbano.

«E perché no?» fece Alcide Maraventano. «Si occupava della Qabbalah non per fede, ma perché era uno studioso».

«Aveva figli?».

«Di sé non mi parlò mai».

Detto questo, il vecchio s'appoggiò con la schina alla spalliera del seggiolone, reclinò la testa narrè e arristò accussì. Montalbano aspittò tanticchia e doppo, appizzando le orecchie, sintì un leggerissimo runfuliare. Maraventano si era addrummisciuto. O faciva finta? Ad ogni modo, quel sonno vero o finto stava a significare una sola cosa, che la visita era finita.

Il commissario si susì e niscì dalla càmmara in punta di pedi.

Mimì Augello gli sbattì sulla scrivania, con un'ariata sdignosa, una decina di fogli scritti fitti fitti.

«Questo è l'elenco di tutti quelli il cui cognome principia per *o*. Per tua conoscenza, si tratta di quattrocentodue persone, tra màscoli, fìmmine, picciotti, picciotteddre, vecchi, picciliddri e neonati».

«Stanno tutti qua?».

«Sì, sono tutti in quest'elenco».

«Mimì, non ti mettere a fare Catarella».

«Che significa?».

«In questo momento, stanno tutti qua a Vigàta? Sono presenti? O qualcuno di loro è fora di casa?».

«E che ne saccio io?».

«Lo devi sapere. Quando decideremo di raggrupparli, voglio essere veramente sicuro che ci siano tutti. Voglio sapere chi è fora paìsi per affari, studio, malatìa e cose accussì. Devo macari sapere se qualcuno ha in mente di partire entro lunedì prossimo o se c'è qualcuno che invece torna, sempre entro lunedì. Chiaro?».

«Chiarissimo. Ma come faccio?».

«Mettiti d'accordo con Fazio, impiegate tutti gli uomini che vi servono. Andate case case e fate una specie di censimento».

«E se si mettono a fare domande?».

«Gli rispondi con qualche minchiata. Non manca a te, Mimì, d'inventare minchiate».

Appena Mimì fu nisciuto, pigliò in mano l'elenco. Come aviva detto Maraventano che si chiamava lo studioso della Cabbala? Ah, sì: Saverio Ostellino. Sull'elenco ne risultavano tri: Francesco, Tiziano e, appunto, Saverio. Certamente un nipote. Che forse non aviva nenti a che fare con tutta la facenna. Il suo cognome, principiando per *o*, lo includeva tra le probabili vittime e quindi lo escludeva dalla possibilità che fosse lui il pazzo fanatico. Ma era tutto da controllare.

Passò una mala nottata, in pratica ore e ore ad arramazzarsi nel letto. Troppe le domande, i dubbi, le incertezze che gli trapaniavano il ciriveddro.

Doviva avvertire il questore di quello che stava succedendo? Era suo dovere, sicuro. E se l'altro non gli avesse creduto, poteva fare lo stesso di testa sua? Che il pazzo pensava di fare una strage ne era certo come se quello glielo avesse comunicato di pirsona pirsonalmente, per dirla con Catarella.

E di prepotenza ogni tanto si facevano largo alcune parole di Alcide Maraventano: «... perché il lunedì è il principio della luce, il giorno nel quale si crede che il Creatore abbia iniziato la sua opera». Queste parole lo squietavano, ma non arrinisciva a capiri pirchì.

In qualche parte della casa doveva esserci una Bibbia che una volta si era fatto prestare e che non aveva mai restituito. Ci mise tempo, ma la trovò. Tornò a corcarsi e principiò a leggere. «Avendo Iddio ritenuta finita, al settimo giorno, l'opera che aveva compiuto, il giorno settimo cessò da ogni opera da lui fatta...». In altri parole, «il settimo si riposò». E con ciò? Che importanza aveva quella frase nell'indagine che stava facendo? Non sapiva pirchì o pircome, ma sintiva, a pelle, che qualche cosa significava, quel giorno di riposo, e di molto importante.

L'omo caminava a passo lento, la testa vascia come a taliare indovi metteva i pedi data la scarsa luce che facivano i lampioni, alcuni dei quali erano macari astutati. Non passava un cane, tutti erano andati a dormiri, almeno accussì cridivano, mentri invece erano andati a fare la prova generale del sonno eterno nel quale, da lì a qualche giorno, sarebbero precipitati per opera sò. Tutti, vecchi che già sintivano allato il sciato della morti e picciliddri appena nasciuti che ancora non avivano rapruti l'occhi, anziani e picciotti, màscoli e fìmmine. All'idea della vicinanza di quel giorno, del Giorno, un brivido violento gli partì dall'inguine, acchianò come una scossa elettrica lungo la spina dorsale, gli arrivò al ciriveddro dandogli una specie di 'mbriacatura improvvisa, tanto violenta che le ùmmire della casa principiarono a firrigliargli torno torno. Inserrò gli occhi, ansimando e gemendo di piaciri. Dovette starsene qualche minuto fermo, doppo la 'mbriacatura passò e fu nuovamente in grado di ripigliare la passiata. Si mise a cantare senza voce, dintra di sé: «Dies irae, dies illa...».

La matina appresso, sul tardo, arrivò Mimì Augello dicendo che l'elenco si era ridotto di trentacinque persone.

«Se vuoi ti faccio la specifica. Quattro sono emigrati in Belgio, sei in Germania, tri stanno studiando a Palermo...».

«Sei sicuro che non rientrano prima di lunedì?».

«Sicurissimo».

Poi, dopo una pausa:

«M'hanno assubissato di domande».

«E tu?».

«Ho detto che si trattava di una legge, nova nova, dell'Unione europea. Un censimento sugli spostamenti interni ed esterni degli abitanti di alcune città campione».

«E ci hanno creduto?».

«Alcuni sì e altri no».

«E quelli no che ti hanno detto?».

«Niente. Probabilmente santiavano dintra di loro».

«Ma allora perché hanno risposto?».

«Perché rappresentiamo la legge, Salvo».

«Il che viene a significare che, in nome della legge, noi abbiamo il potere di fare qualisisiasi minchiata?».

«E te ne stai accorgendo ora?».

Montalbano preferì non continuare sull'argomento.

«Quindi ora voi sapete dove abitano. Mimì, ti devi mettere a un'opera fina, ma camurriosa. Fai un segno di croce, sullo stradario di Vigàta, per indicare dove stanno di casa questi che hanno il cognome che principia con la o. Quindi traccia un percorso ideale, il più breve, perché al momento opportuno noi possiamo avvertire tutti nel minor tempo possibile».

«D'accordo».

«Se non arrinisciamo a individuare e a fermare il pazzo prima, bisognerà pigliare tutte queste persone, macari la domenica sera subito dopo mangiato, e trasfe-

84

rirle al cinema Mezzano. Ho già parlato col proprietario, il locale ha cinquecento posti».

Mimì si fece pinsoso.

«Che hai? Capisco che sarà complicato pirsuadiri questa gente a nesciri di casa, macari hanno qualche vecchio difficile da trasportare...».

«Il problema è un altro» disse Mimì.

Di subito, Montalbano si sentì arraggiare. Odiava quella frase. La sentiva pronunziare sempre più spisso in qualisisiasi riunione e chi la diceva aviva la 'ntinzioni, più o meno ammucciata, di sviare il discorso che si stava facendo. Si tenne, non fece catùnio pirchì la facenna che stavano trattando era troppo importante.

«E qual è quest'altro problema?».

«Una volta che siamo riusciti ad avere tutta questa gente dentro al cinema, che gli facciamo fare? Tu ti rendi conto? Ci saranno picciliddri che piangono, altri che giocano facendo battarìa, vecchi che vogliono riposare, òmini che litigano...».

«Questo non è un problema. Gli facciamo proiettare una bella pellicola. Una di quelle che possono vedere tutti. E tu, che hai una voce passabile, gli puoi macari cantare qualche canzonetta».

Pigliò in mano l'elenco di quelli che erano fora Vigàta, lo taliò. I tri Ostellino, Francesco, Tiziano e Saverio, non vi comparivano. Lo pruì ad Augello.

Mimì glielo strappò dalla mano e niscì dalla càmmara senza manco salutarlo.

L'indomani a matino s'appresentò in commissariato che era ancora presto, e presto assà.

«Ah dottori dottori, ancora nisciuno c'è, fattasi cizzioni di Fazio» disse Catarella appena lo vitti.

«Digli di venire da me».

«Dottori, il suddetto dormi nella càmmara del dottori Augello» l'avvertì Catarella.

Fazio infatti era calato in un sonno profunno, la testa appuiata sulle braccia conserte a loro volta appuiate sulla scrivania.

«Fazio!».

«Eh?» fece quello isando la testa ma tenendo ancora l'occhi chiusi.

«Perché, dato che ci sei, non ti porti il letto da casa?».

Fazio satò addritta, vrigognoso.

«Mi perdoni, dottore, ma è che stanotte ho dovuto dare il cambio a Gallo e allora...».

«Perché tu? Non lo potevi dire a Galluzzo? A proposito, sono due giorni che non lo vedo, il signor Gallo!».

Fazio lo taliò strammato.

«Ma come, dottore, nisciuno le disse nenti?».

«No. Che mi dovevano dire?».

«Che passannaieri morì la matri di Gallo».

«E che minchia! Potevate degnarvi di farmelo sapere! Quando ci sono i funerali?».

Fazio taliò il ralogio.

«Fra tre ore».

«Corri subito dal fioraio, voglio una corona. Digli che lo pago quello che vuole, ma la voglio».

Tri ore appresso ascutò la Missa funebre, seguì il corteo fino al camposanto. Stava per andarsene, doppo avere abbracciato Gallo, quando gli venne di fari una pinsata. S'avvicinò a un custode.

«Saprebbe dirmi dov'è sepolto Saverio Ostellino?».

«Nella tomba sò» fece il custode il quale, seguendo la tradizione letteraria, era macari un filosofo spiritoso.

Il commissario, che non aviva gana di babbiare, lo taliò malamente. A quella taliata, tutta la filosofia del custode scomparse.

«Lei piglia questo vialetto e se lo fa fino in fondo. Poi gira subito a mano manca e si viene a trovare davanti alla chiesa che c'è al centro del cimitero. Darrè la chiesa, quasi attaccata, ci sta la tomba che cerca».

La tomba non era una tomba qualisisiasi, ma una vera e propria cappella gentilizia, una costruzione piuttosto imponente. In alto c'era un ampio fregio, una specie di cartiglio, sul quale c'era scritto a caratteri di bronzo dorato «Famiglia Ostellino». Era ben tenuta. Infilò la testa tra le sbarre di ferro battuto del cancello che faceva da porta, ma i vetri spessi e colorati in grigio che c'erano darrè gli impedirono la vista dell'interno. Rivolse una breve preghiera mentale al cabbalista Saverio Ostellino perché dall'aldilà gli desse una mano d'aiuto e niscì dal camposanto.

Andò alla trattoria San Calogero ma, con grande costernazione del proprietario, non fu capace di mangiari nenti di nenti. Si sentiva la vucca dello stomaco stritta e persino il sciàuro del pisci gli dava fastiddio.

Si fece una lunga passiata al molo, ma era allascato e stanco. Stanco e umiliato per la sua impotenza, la sua incapacità di fermare il piano dell'omo che si credeva Dio. Capiva lucidamente di essere costretto ad andare a rimorchio appresso alla follia dello sconosciuto. Non arriniscìva a farsi venire in testa qualichi cosa che gli poteva permettere di mettersi, se non un passo avanti, almeno a paro del suo avversario. Poteva solo giocare in difesa. E per lui questa era una novità che lo pigliava assolutamente spriparato.

Il peggio era che non arriniscìva a cangiare in raggia il senso di frustrazione che provava. La raggia, per lui, era un motore potente.

Si era appena assittato che la porta sbattì con violenza contro il muro. Apparse, naturalmente, Catarella.

«Mi scusasse, dottori, mi scappò».

«Che c'è?».

«C'è uno chi voli parlari con lei di pirsona pirsonalmente. Dice accussì che lui devi avere la pripiorità soluta! Dice che è cosa urgentissimamenti urgenti!».

88

«Ti ha detto come si chiama?».

«Sissi. Algida».

«Come il gelato?».

«Priciso come il gilato, dottori».

«Te l'ha detto il cognome?».

«Sissi, dottori. Parapettàno».

Alcide Maraventano! Se telefonava, la cosa doveva essere grossa assà e veramente urgentissima.

«Glielo passo, dottori?».

«No, vengo da te».

Si scantava che Catarella, coi suoi complicati maneggi al centralino, finiva col far cadere la linea. Agguantò la cornetta con le mano già sudatizze per la tensione.

«Montalbano sono. Da dove telefona, signor Maraventano?».

«Da casa mia».

«Ha il telefono?!».

«Manco per sogno. È venuto a trovarmi un amico che ha uno di quei cosi, come si chiamano...».

«Cellulari?».

«Sì, e ne ho profittato. Le voglio dire che ho riflettuto a lungo su tutto quello che lei mi ha raccontato e sono pervenuto a una conclusione».

Montalbano sentì all'altro capo un rumore strammo che non tardò a identificare. Maraventano si stava facenno una ciucciata. Addivintò nirbùso, quello se la stava pigliando commoda.

«Vuol dirmi la sua conclusione, per favore?».

«È questa, carissimo: il prossimo evento, quale esso

sia, non può assolutamente accadere, come gli altri, nelle primissime ore di lunedì perché...».

«... perché il ciclo deve terminare per forza sabato» gli venne di concludere a Montalbano.

In un fiat, era arrinisciuto a capire quello che non aviva capito quanno aveva liggiuto la Bibbia. Il lunedì, giorno che segnava il principio della creazione, non poteva essere lo stesso della fine!

«Bravo!» fece Alcide Maraventano. «Vedo che ha perfettamente capito. Si ricordi: di qualsiasi cosa si tratti, accadrà sicuramente entro la mezzanotte di sabato, perché la domenica il nostro imbecille dovrà riposare. Assieme a molte altre persone, temo. E attento: la fine della contrazione, nella confusione mentale di quest'individuo, coinciderà necessariamente con il tornare a essere luce accecante, inguardabile. Mi sono spiegato?».

Si era spiegato benissimo. Montalbano, sentendosi acchianare una specie di frevi, non lo ringraziò, non lo salutò, riattaccò semplicemente e si mise a fare voci senza manco rendersene conto.

«Che giorno è, ah? Che giorno è?».

Aveva un calendario enorme, offerto dal panificio Foderaro & Vadalà, proprio davanti al naso e non arrinisciva a vederlo.

«Il primo del mesi» spiccicò Catarella, contagiato dal panico che trapelava dalla voce del commissario.

E quindi il giorno appresso era il 2 novembre, il giorno dedicato ai morti. Non si stavano sbagliando, lui e Maraventano. Ne ebbe chiara, immediata, assoluta certezza. Come diceva la preghiera che aveva sentito in chiesa durante il funerale? Ecco, era il «Credo»:

... di là ha da venire a giudicare i vivi e i morti...

E il 2 novembre, al camposanto, quel pazzo li avrebbe avuti tutti sottomano, i vivi e i morti! E l'ultima cosa che i vivi avrebbero visto sarebbe stato il manifestarsi della luce assoluta.

«Come capitò a quelli di Hiroshima» gli venne di pinsari.

E di colpo l'agitazione scomposta gli passò, rimase una tensione razionale. Aviva finalmenti intravisto il modo di pigliare l'iniziativa, spiazzando l'avversario. Non era più a rimorchio. Toccava a lui fare la mossa giusta.

«Mandami subito Augello e Fazio» disse a Catarella tornandosene nella sua càmmara.

«Che fu?» fece Mimì trasendo di corsa seguito dall'altro. «Catarella si è messo a fare voci che tu...».

Vitti a Montalbano giarno come un morto e si scantò, ammutolì.

«Statemi a sentire bene. Contrordine. Qualsiasi cosa deve capitare, capiterà domani, sabato, e non lunedì».

«Come l'hai saputo?» spiò Augello.

«Non me l'ha detto nessuno. Ci avevo già pensato, a questa possibilità, e qualcuno proprio ora me l'ha confermata. Fazio, ricordati che appena finiamo qua, mandi Gallo ad avvertire Mezzano che il suo cinema deve restare a nostra completa disposizione dalle ventuno alle ventiquattro di oggi».

I due si taliarono strammati.

«Di oggi?!» spiò Augello. «Ma se tu stesso hai detto che la storia dovrebbe concludersi sabato!».

«Mimì, è l'unico modo che abbiamo di tagliargli la strada. Una volta tanto, se la mia supposizione è giusta, lo precediamo. Ma è cosa troppo longa spiegarvi il mio ragionamento. Meno tempo perdiamo e meglio è, credetemi. E tempo ce ne resta picca assà. Precipitatevi con gli altri ad avvertire le famiglie. Dite di presentarsi alle nove precise. Hanno cinque ore per prepararsi. Se c'è qualche malato ce lo facciano sapere, mandiamo a pigliarlo con un'ambulanza. Mimì, tu ti metti alla porta del cinema con l'elenco e spunti i nomi di quelli che entrano. Se qualcuno non si è presentato, avverti Fazio che provvederà a farlo ricercare e prelevare. D'accordo?».

«D'accordo» fecero i due in coro.

«Ripeto: voglio avere la certezza assoluta che alle nove e mezza di stasira tutte le persone interessate sono dintra a quel locale».

«Che gli contiamo stavolta?» spiò Fazio.

«La verità».

«E cioè?».

«Che se non fanno quello che gli diciamo, corrono un pericolo mortale. Vedrai, si precipiteranno».

«Mi permetti un'osservazione?» spiò Mimì.

«Certo».

«Questa storia dell'anticipo a sabato è il risultato di un tuo ragionamento. È così?».

«Sì».

«Ora metti caso che il tuo ragionamento sia sbagliato. Ne consegue che il pazzo farà quello che ha in testa di fare il lunedì che viene, come i lunedì passati» continuò Augello. «In questo caso, come facciamo a persuadere la gente a tornare al cinema lunedì?».

«Gli diciamo che abbiamo cangiato pellicola» disse Montalbano. «E che c'è macari l'avanspettacolo».

Il tenente dei carrabinera Cesare Romitelli ascutò in perfetto silenzio la storia che gli contò Montalbano e subito appresso si dedicò a una sistematica quanto inutile opera di messa in ordine di tutto quello che aviva sulla scrivania. Doppo, isò l'occhi e taliò il commissario.

«Lei mi mette in una situazione imbarazzante» disse spostando una cartella dal lato mancino al lato di dritta.

«Perché?» spiò Montalbano.

«Commissario, io credo alla storia che mi ha raccontato. Veramente. E sono pronto a collaborare con lei. Ma devo informare i miei superiori e lei questo non lo vuole, come non vuole informare i suoi. È così?».

«Sì».

«Ma noi siamo militari, commissario».

«Capisco» disse Montalbano.

Stettero muti per tanticchia.

«La cosa sarebbe assolutamente diversa» ripigliò Romitelli «se una mia pattuglia, passando nei pressi del cinema Mezzano, nota, per caso, un assembramento. Allora ha il dovere d'intervenire, anche chiedendo

93

rinforzi, per mantenere l'ordine pubblico. Mi sono spiegato?».

«Si è spiegato benissimo» disse Montalbano susendosi e stringendo la mano al tenente.

Niscì dalla caserma dei carrabinera sollevato. Aviva macari ottenuto, dal sindaco, l'invio di una decina di guardie municipali. Da solo, con i sò òmini, non ce l'avrebbe fatta a contenere le centinara di curiosi che avrebbero scasato appena la notizia si veniva a sapere.

La trasuta al cinema delle famiglie convocate avvenne tra due ali di folla rumoreggiante a malappena trattenuta da carrabinera e vigili urbani. Tutta la facenna, va' a sapìri pirchì, aviva pigliato un tono allegro, di sfottò reciproco tra quelli che trasivano e quelli che li taliavano trasiri.

Ma, tra i convocati, ci furono macari proteste e murmurii, soprattutto da parte dei più anziani. Un picciotto, capelli lunghi, orecchino, barba, si piazzò davanti al commissario e gli fece il saluto fascista. Fazio gli mollò un poderoso càvucio in culo e quello scomparse tra la folla.

Mentri la gente trasiva, il cinema si andava trasformando in qualichi cosa di mezzo tra il nido d'infanzia e l'ospizio dei vecchi.

Finalmente il commissario poté acchianare sul palco seguito da Mimì Augello. Sapiva di non essiri assolutamente capace di parlari in pubblico, era rosso in faccia e si sentiva la vucca tutta allappusa come quanno si mangia il limone.

«Il commissario Montalbano sono. Scusatemi per il disturbo, ma l'ho fatto nel vostro stesso coso, come si dice...».

«Interesse» gli suggerì Augello.

«... interesse. C'è uno che... ci sta una situazione che... insomma, passo la parola al mio vice dottor Augello».

Scinnì dalla scaletta assuppato di sudore. Mimì fu rapido ed efficace, spiegò quello che doviva spiegari, rassicurò i presenti che niente potiva loro accadere all'interno del cinema, presidiato dintra e fora. Annunziò che sarebbe stato fatto l'appello per maggiore sicurezza. Acchianò Fazio con l'elenco in mano e gli si mise allato.

Si sentirono risatine, commenti, la tensione era di molto calata. L'appello era arrivato quasi alla fine quanno ci fu un intoppo.

«Ostellino Francesco».

«Presente».

«Ostellino Saverio».

Nisciuno arrispose.

«Ostellino Saverio?» ripeté Fazio.

Manco stavolta venne risposta.

«Mi chiamo Ostellino Tiziano» fece allora un sittantino susendosi. «Francesco che ha appena risposto e Saverio sono miei figli».

Intanto macari Francesco Ostellino si era susuto e si taliava torno torno alla cerca del fratello.

«Non lo vedo» disse.

«Era con me» ripigliò il padre. «Siamo arrivati tutti e tri davanti al cinema, eravamo appena trasuti quanno mi disse che faceva un salto fora per accattare le sigarette».

Un brivido violento, peggio della fevri tirzana, scosse il commissario dalla testa ai piedi. No, l'assenza di Saverio Ostellino non era un caso: ebbe la certezza d'essere arrinisciuto a far fare il primo passo falso all'avversario.

Scattò come una saitta verso il sittantino.

«Suo figlio Saverio vive da solo o con lei?».

«Da solo nella casa che...».

«Ce l'ha per caso le chiavi?».

«Sì».

«Me le dia e macari l'indirizzo» gli intimò.

E mentri quello obbediva senza sciatari, continuò rivolto a Mimì e a Fazio ch'erano sul palco:

«Voi due venite con me. Gallo continui l'appello».

Niscirono di corsa dal cinema, fora adesso non ci stavano più curiosi o sfacinnati. A pochi passi c'era l'insegna di un sale e tabacchi. Lo spaccio aviva la saracinesca abbassata a metà. Si calarono e trasirono.

«Ora è chiuso!» vociò il proprietario a vederseli comparire davanti tutti e tri all'improviso.

«Polizia! Lei conosce un tale che si chiama Saverio Ostellino?».

«Sì, qualche volta se le accatta qua le sigarette».

«L'ha visto un'oretta, un'oretta e mezza fa?».

«Non lo vedo da aieri».

«Ci sono altri tabaccai qua vicino?».

«Sissi, ce n'è un altro nel vicolo appresso».

Nella prescia, Mimì Augello non calcolò bene l'altizza della saracinesca e ci desi una gran craniata. Si esibì in una litania di santioni. Arrivarono all'altra tabaccheria che il proprietario stava inserrando una vetrinetta piena di pipe che c'era allato alla porta.

«Lei conosce Saverio Ostellino?» gli gridò Fazio alle spalle.

Il tabaccaio fece letteralmente un salto in aria e si voltò scantato.

«Ma che minchia di modo è?».

Fazio non aviva tempo di discutere di galateo. Lo pigliò per i risvolti della giacchetta e l'impicciccò contro la vetrinetta.

«Polizia. Lo conosci a Saverio Ostellino, sì o no?».

«No» fece atterrito il tabaccaio.

«Quanti clienti sono entrati nell'ultima ora e mezza?».

«Qua... quattru».

«Ti ricordi cosa hanno accattato?».

«Aspittassi. Una fìmmina un pacchetto di cirina, il ragiuneri Anfuso dù fogli di carta bollata, una picciotta una busta e un francobollo e mè cuscino Filippu si jocò una schedina».

Dunque, sino a prova contraria, Saverio Ostellino non era nisciuto dal cinema per andarsi ad accattare le sigarette, come aviva detto al patri.

«Dobbiamo agguantarlo prima che possiamo» fece Montalbano.

Si misero a curriri verso il cinema, indovi il commissario aviva lasciato la sò machina. Fazio si sentiva il cori stritto: mai, avanti, aviva visto il suo capo accussì prioccupato.

Otto

A malgrado che il villino degli Ostellino era all'estrema periferia del paìsi che già pariva campagna, ci arrivarono in un vidiri e svidiri, prima d'allura il commissario non aviva provato a curriri tanto e tutto si potiva dire di lui eccetto che era uno che sapiva tiniri il volante in mano. Un cane randagio se la scansò per un pilo, l'autista di una Cinquecento, che veniva in senso inverso, vitti la morte con l'occhi.

Montalbano fermò proprio davanti alla porta del villino. Scinnirono e lo taliarono dall'esterno. Nisciuna luce trapelava dalle pirsiane, la casa era allo scuro completo. Poteva darsi che Saverio Ostellino sinni stava appostato darrè a una finestra ad aspittarli col revorbaro in mano e potiva darsi che no. L'unica era provare. Il commissario pruì le chiavi a Fazio e questi raprì la porta. Montalbano trasì per primo e addrumò le luci.

Si trovarono dintra a una gran càmmara di ricevere, bene arredata con mobili ottocenteschi, di gusto tanticchia funereo.

«Saverio!» chiamò Montalbano.

Nisciuna risposta. Per il sì o per il no, Augello e Fazio quasi in contemporanea scocciarono le pistole.

Taliarono accuratamente al pianoterra che era fatto dal grannissimo salone, e po' da una cucina, una piccola càmmara-studio, un bagno. Nenti, non solo non c'era anima criata, ma le càmmare, per quanto pulitissime, davano l'impressione di non essere state abitate da tempo.

Acchianarono quatelosamente al piano di sopra: tri càmmare da dormiri, tri bagni. Raprirono gli armuàr, si calarono a taliare sutta ai letti. Nisciuno.

Una solamenti delle tri càmmare di letto, dal grande disordine che c'era, si vidiva che era normalmente usata. L'istisso per uno dei tri bagni. Restava l'ultimo piano ch'era composto da un unico grannissimo cammarone, uno studio con al centro un tavolo. Migliaia di libri dovunque, nelle scaffalature, 'n terra, a mucchi, a pile. Di subito, al commissario parse una replica della càmmara di Alcide Maraventano. Gli bastò una taliata per capire che si trovava davanti a una biblioteca specializzata: libri esoterici, di magia, di filosofia, di storia delle religioni e via di questo passo. La cosa curiosa era che non parivano libri accattati di recente, il più novo doviva risalire a una quarantina d'anni avanti.

Ad ogni modo, non c'era più motivo di dubitare: l'ammazzatore d'armàli, l'omo che si cridiva Dio, finalmente aveva nome e cognome. Montalbano si sintì per mità soddisfatto e per l'altra mità, se possibile, ancora più scantato. Era arrinisciuto sì a fargli fare la mossa sbagliata, ma la partita non era finita. Anzi, era ancora da principiare.

«È lui» disse Montalbano. «E meno male che non è restato nel cinema, avrebbe avuto a disposizione tutte le *o* che voleva».

In quel momento Fazio, che rovistava nei cascioni della scrivania, fece una scoperta.

«Ha lasciato qua la pistola. Questa è una 7,65».

Per tutta risposta, Montalbano si diede una gran manata sulla fronti.

«Che stronzo!» sclamò.

Mimì e Fazio si voltarono a taliarlo con l'occhi sbarracati.

«Dici a me?» spiò Augello.

«Dice a me?» spiò Fazio.

Il commissario non chiarì che l'aviva detto a se stesso.

«Chiudete 'sta casa e venite con me, presto!».

Obbedirono non osando spiare il pirchì. Senza che ci fosse stato accordo preventivo, stavolta al volante ci si mise Augello. Ne avivano viste troppe durante il viaggio d'andata e il commissario non protestò.

«Dove andiamo?».

«Al camposanto».

Augello, che stava pigliando una curva praticamente su due ruote, a quella risposta sbandò tanticchia.

«Mimì, non hai capito: al camposanto ci dobbiamo arrivare vivi».

«Posso sapìri che ci andiamo a fare?» spiò Fazio mettendo nella voci tutto il rispetto possibile.

«Dovete sapere che il giorno che sono venuto al funerale della madre di Gallo...».

S'interruppe.

«Beh?» fece Mimì.

Ma Montalbano stava seguendo un suo pinsero.

«Fazio, tu lo conosci a questo Saverio Ostellino?».

Di molti abitanti di Vigàta Fazio sapeva vita, morte e miracoli. Aviva quello che Montalbano chiamava il complesso dell'anagrafe.

«Ha quarantadue anni. Ha insegnato al liceo di Montelusa. Una vita metodica. Ma tri anni fa la sua esistenza cangiò».

«Pirchì?».

«Restò vidovo. In un colpo solo perse la mogliere e la figlia che andava alla prima elementare. Fu un incidente d'auto. Guidava la mogliere, lui non c'era. Da allora è andato a vivere da solo in una casa che gli aveva lasciato sò nonno. Questa dove siamo appena stati, credo. Ha smesso di travagliare, non gli spercia di fare più nenti. Non nesci quasi mai».

Il cancello del camposanto era chiuso. Tuppiarono alla porta della casa del custode ch'era allato.

«Aprite. Polizia!».

Il custode che s'appresentò santianno era quello che Montalbano già accanosceva.

«Ci apra».

«Benvenuti» fece l'omo raprendo il cancello e tirandosi di lato.

«Venga con noi» fece Montalbano che non aveva gana d'attaccare turilla. E seguitò: «Saverio Ostellino s'è visto in questi ultimi tempi?».

«Sissi. Praticamente, da quando gli sono morte la mogliere e la figlia, viene tutti i giorni. È il primo a trasire e l'ultimo a niscire. Mah! Povirazzo, non ci sta più con la testa».

«E che fa?».

«Si inserra dintra la tomba di famiglia e prega. Almeno accussì ha detto a mia e ai miei aiutanti. Porta sempre una valigetta di media grannizza. Dintra ci ha spiegato che ci sono i libri di preghiere».

«Però quando lui sta dintra alla tomba, voi non lo sapete quello che fa realmente».

«Nonsi, commissario, ci sono i vitra colorati. Ma che vuole che fa 'sto poviro 'nfilici? Prega. Una volta mi parlò. Mi spiegò che aviva attrovato, seconno lui, il modo di far risuscitare la mogliere e la picciliddra. Pazzu completu. Che ci possiamo fare? Disgrazie granni, sono».

Erano arrivati davanti alla cappella degli Ostellino.

«Ha una chiave?».

«Nonsi, ma ci voli picca e nenti per raprire. Se me lo permettono e si fanno di lato un mumentu...».

Pur nello scuro del camposanto, Montalbano e Fazio si taliarono ammaravigliati: il custode stava addimostrannosi scassinatore valentissimo. Ma in quel momento avivano altri pinseri per la testa.

Alla luce, l'interno della tomba si rivelò pulitissimo e in perfetto ordine. C'erano sciuri freschi davanti ai loculi della mogliere e della figlia di Saverio Ostellino. Forse il povirazzo ci veniva col simplice scopo di prigari e basta. Ma in quel momento il commissario s'addunò che 'n terra, allato all'altare, c'era una specie di rettangolo scuro. S'avvicinò: era una botola aperta, la spessa lastra che serviva da chiusura stava appoggiata al muro. Si calò a taliare, ma c'era troppo scuro.

«E da qui dove si va?».

«Nella purpània» rispose il custode «dove si mettono i vecchi tabbuti o i morti freschi in attesa di collocazione. Però mi fa miraviglia».

«Perché?».

«Non me l'aspittavo da lui: per raprire la purpània ci voli l'autorizzazione. E il signor Ostellino non ce l'ha domandata. E po' non si lassa aperta».

«C'è la luce, sotto?».

Senza rispondergli, il custode girò un interruttore vicino all'entrata.

«L'ha fatta mettere il signor Ostellino una para d'anni fa».

Scinnero in fila, in testa il commissario. La purpània era granni quanto la tomba di sopra. Non era intonacata. Tri vecchi tabbuti erano assistimati al centro. Erano stati spostati per lasciare libere le pareti. Infatti tutte e quattro le pareti, fino ad altizza d'omo, erano letteralmente rivestite da candelotti di dinamite, sistemati a gruppi in un ordine perfetto. Le micce dei candelotti erano legate tra loro e congiunte a una miccia più grossa e più lunga di tutte. Abbastava addrumare questa per far saltare tutto.

«Minchia!» disse quasi senza voce Augello.

«Ecco che si portava nella valigetta! Quali libri di preghiere!» fece il custode, asciucandosi la fronti con una mano.

«Siamo arrivati appena a tempo. Domani, giorno dei

morti, nel momento in cui il camposanto era più affollato, avrebbe dato fuoco alla miccia. Usciamo».

Risalirono in silenzio, ognuno perso darrè un suo pinsero. Fora della tomba, Montalbano disse a Fazio:

«Chiamami Gallo al telefonino».

«Pronto? Montalbano sono. Come vanno le cose lì?».

«Tutto relativamente tranquillo, dottore».

«Senti, manda qua, al camposanto, Imbrò o chi vuoi tu. Il custode gli spiegherà a quale tomba deve montare la guardia senza cataminarsi di un passo».

«Lo mando subito, dottore. Ah, le volevo dire una cosa: guardi che quel tizio, Saverio Ostellino, è tornato, è assittato in platea. Ha domandato scusa, ha detto che prima di chiudersi nel cinema aveva dovuto sbrigare un affare urgente».

Montalbano aggelò.

Appena li vitti scìnniri dalla macchina che era arrivata con la velocità di una pallottola, Gallo si fece loro incontro.

«Dov'è? Dov'è?» spiò Montalbano col sciato grosso come se fosse stato lui a farsi la curruta e non l'auto.

Gallo lo taliò imparpagliato, era all'oscuro di tutto.

«Si è assittato all'ultima fila. C'è solo lui, gli altri posti della fila sono vacanti. Ma che succede?».

«Stammi a sentire e rispondimi dopo averci pinsato. Ti è parso, che so, agitato, strammo?».

«Beh, tanticchia sì. Però tutti sono agitati, là dintra».

«Si è portato appresso qualcosa?».

«Sissi, un borsone grosso come a quello che usano le fìmmine per fare la spisa».

«Madunnuzza santa!» si lasciò sfuggire Mimì.

«Ma che succede?» arrispiò Gallo apprioccupandosi sempri di più a vidiri la prioccupazioni degli altri.

«Voi restate qua nell'atrio» disse il commissario.«Io vado dintra a dare un'occhiata».

Tutto s'aspettava, trasendo, tranne che il signor Mezzano aveva avuto l'alzata d'ingegno di mettersi a proiettare cartoni animati che il pubblico commentava ridendo. Qualche anziano durmiva.

Montalbano vitti subito a Saverio Ostellino: stava solo, la testa calata, assorto nei pazzi pinseri che gli firriavano testa testa. Gli si avvicinò a lento, Ostellino manco se ne addunò, restò nell'istissa posizione. Montalbano taliò attentamente per terra allato all'omo, ma non vitti quello che cercava. Allora si calò come per allacciarsi una scarpa. Ne fu sicuro, il borsone non c'era.

Niscì dalla sala.

«Ha ammucciato il borsone da qualche parte prima di andare ad assittarsi. Bisogna trovarlo».

Cercarono dovunque nell'atrio, tra le tende, darrè i vasi di fiori, nel bancone del botteghino. Nenti. Il commissario taliò il ralogio: mezzanotte e un minuto.

Era già il giorno dei morti. Non gli restava più tempo da spardare, doviva agire subito. Capace che Saverio Ostellino aviva in sacchetta un comando a distanza che poteva fare esplodere quello che c'era nel borsone, dovunque l'avesse ammucciato.

«Dobbiamo arrestarlo» disse. «Ma bisogna andarci con cautela. Tu, Fazio, entri in sala e ti metti nel corridoio darrè a lui. Controlla che non abbia qualcosa in mano. Se ce l'ha, dagli un colpo in testa che lo metta fora combattimento. Se non ce l'ha, agguantalo e fai in modo che non riesca a mettere le mano in sacchetta. Chiaro?».

«Chiarissimo» disse Fazio.

«Appresso a te entra Mimì che ti darà una mano d'aiuto. Subito dopo entro io. Bisogna che l'arresto avvenga con il minore scarmazzo possibile. Se qualcuno se ne adduna e si mette a fare voci, è possibile che succeda panico. La cosa peggiore che ci possa capitare. E ora, forza!».

Fazio trasì, cinco secondi appresso Augello lo seguì. Quanno macari il commissario trasì nella sala, si fermò di botto. Saverio Ostellino non era più al suo posto e Fazio e Augello lo taliavano imparpagliati.

A un cenno di Montalbano, Fazio percorse rapidamente il corridoio centrale, taliando a dritta e a mancina.

«Non c'è» disse tornando allato al commissario.

Ma Montalbano un'idea se l'era fatta e sapeva che aveva ancora, sì e no, qualche minuto di tempo.

«Tu» disse a bassa voce, affannato, a Mimì «fai sospendere la proiezione, ringrazi tutti per avere collaborato e li rimandi a casa più presto che puoi. Gli dici che il pericolo è passato. Che non facciano casino, voglio il cinema sgombro in cinque minuti».

Mimì partì di corsa.

«Tu vieni con me» fece il commissario a Fazio.

Si avviò, risoluto, verso una porta, coperta da una tenda spessa, supra la quali c'era una scrittura al neon:

«Gabinetti». Trasirono prima nella càmmara riservata alle fìmmine, le porte dei quattro bagni erano aperte, dintra non c'era nisciuno. Nella càmmara degli òmini, la porta di un bagno era chiusa dall'interno.

Montalbano taliò Fazio e si capirono: sicuramenti Saverio Ostellino stava darrè quella porta. Nel silenzio, arrivò distintamente il suo sciatare affannoso, una specie di rantolo.

Il commissario sentì in bocca il sapore del sangue, doviva essersi muzzicato la lingua. Le mascelle gli facivano mali, tanto teneva i denti serrati.

A gesti, Montalbano spiegò il suo piano. Avrebbe contato con le dita fino a tri, quindi Fazio avrebbe dovuto sfondare la porta con una spallata. Fazio fece 'nzinga con la testa che aviva capito e pruì al commissario la sua pistola. Montalbano la rifiutò e cominciò a contare.

La spallata di Fazio fu tanto violenta che la porta si scardinò e il commissario fu pronto a tirarsela verso l'esterno. Il quatro che gli s'apprisintò fu peggio di un incubo.

Saverio Ostellino teneva in mano, addrumata, una fiaccola a pitrolio. Ai suoi piedi, una trintina di candelotti di dinamite. Il borsone, vacante, era in un angolo. Ostellino non si cataminava, era immobile, l'occhi sgriddrati che forse manco vidivano i due òmini che gli stavano davanti.

Fu allora che Fazio, completamente pigliato dai turchi, vitti il suo superiore inchinarsi profondamente, le mano sul petto.

«Vostra immensità, vi supplico di perdonare il mio ardire e di ascoltarmi. Degnate di volgere il vostro sguardo su di me!».

L'occhi di Saverio Ostellino persero la fissità, si posarono sul commissario, faticosamente lo misero a fuoco.

Montalbano avanzò lentissimo di due passi, la testa vascia, si calò su un ginocchio.

«Immensità, lasciate che sia il vostro umile servo a compiere l'opera! Concedetemi la grazia d'accendere la fiamma!».

Macari Fazio cadì agginucchiuni, le braccia allargate in un gesto di devota supplica.

Ostellino li contemplò. E doppo, con un movimento che pareva al rallentatore, mentri la sua faccia si apriva a un sorriso felice, allungò il vrazzo e pruì la fiaccola a Montalbano.

Fazio scattò, agguantò l'omo per le braccia. Allora la faccia di Saverio Ostellino si stravolse.

«Mi avete ingannato! Mi avete ingannato!».

Non si dibatteva per liberarsi dalla presa. Grosse lagrime principiarono a rigargli il volto.

«Potevo resuscitarle, capite? Potevo riaverle con me! Ancora con me! Nella mia luce! Per l'eternità!».

E Montalbano capì. Il senso di quelle parole disperate lo scosse, lo turbò. Gettò la fiaccola dintra a un lavabo, niscì, tornò nella sala che oramà era vacante.

Assittato, restò a taliare lo schermo bianco. Si sentiva assufficare da una pisante, densa cappa di sconfortata malinconia.

Doppo un certo tempo, Fazio venne ad assittarglisi nella poltrona allato.

«Il dottor Augello lo sta accompagnando in una clinica di Montelusa. Ho parlato col padre e col fratello».

«Che ti hanno detto?».

«Manco ci credono a quello che è capitato. Non sapevano che Saverio nisciva di notte, sapevano solo che stava a leggere tutta la jornata i libri di suo nonno. Che libri erano?».

«I libri di un cabbalista».

«Di uno che smorfiava i numeri al lotto?» si stupì Fazio.

«No, un'altra cosa. E leggi oggi, leggi domani, finì col nesciri completamente fora di testa, testa che aveva già avuto una bella botta con la morte di mogliere e figlia. Finché un giorno si fece pirsuaso che, se arrinisciva a divintari Dio, poteva far risuscitare le pirsone che amava».

«Sì, ma quella facenna della contrazione?».

«Beh, vedi, Dio è tanto grande che, per immaginarlo, noi lo dobbiamo rimpiccolire e allora...».

«Nonsi, dottore, si fermasse qua. Mi viene il malo di testa. Ha ordini da darmi?».

«Sì. Stanotte stessa deve essere sgombrata la tomba degli Ostellino. Non mi fido a lasciare l'esplosivo lì con tutta la gente che ci sarà al camposanto. Domani a matino accatta due mazzetti di fiori e mettili...».

«Ho capito. Sarà fatto» disse Fazio.

Tornato a Marinella, non ebbe gana di lavarsi e di cangiarsi. Aviva pigliato la sua decisione. C'era un aereo che partiva alle sette e nel quale s'attrovava sempri posto. Aviva bisogno di Livia, per le dieci al massimo sarebbe stato a Boccadasse.

Ma ora non aviva pititto, non aviva sonno. Andò ad assittarsi nella verandina. La nottata era tiepida, non c'era una nuvola. Si mise a taliare un punto del cielo che lui sapeva.

Proprio in quel punto, da lì a qualche ora, il principio della luce del giorno avrebbe cominciato a farsi largo in mezzo allo scuro.

La prima indagine
di Montalbano

Uno

Della sua prossima promozione a commissario, a Montalbano ne venne fatta una specie di predizione, per strate del tutto traverse, esattamente dù misi avanti della comunicazione ufficiale con tanto di timbro.

In ogni ufficio statale che si rispetta infatti la predizione (o previsione, se meglio vi piace) del futuro, più o meno prossimo, di ogni componente di quell'ufficio – e degli uffici limitrofi – è esercizio quotidiano, banale, ovvio; non c'è bisogno, presempio, di taliare le viscere di un armàlo squartato o di stare a vidiri la direzione di volo degli storni come facivano gli antichi. E non c'è manco nicissità di ricorrere alla lettura dei fondi di cafè, come si usa fare in tempi più moderni. E dire che di cafè, in quegli uffici, ogni jorno se ne beve un mare. No, per una predizione (o previsione, se meglio vi piace) basta meno di mezza parola, un accenno di taliata, un murmurio a vucca chiusa, un avvio d'isata di sopracciglio. E queste predizioni (o previsioni, se ecc.) non riguardano solo le facenne delle carriere dei burocrati, trasferimenti, promozioni, richiami, note di merito o di demerito, ma spisso e vulanteri ne investono la vita privata.

«Massimo massimo tra una simanata la mogliere del collega Falcuccio gli metterà le corna col perito Stracuzzi» dice a voce bassa il ragioniere Piscopo al geometra Dalli Cardillo taliando l'ignaro collega Falcuccio che sta andando al retrè.

«Davero?» fa tanticchia strammato il geometra.

«La mano sul foco».

«E come fa a saperlo?».

«Si lasci prigare» dice il ragioniere Piscopo con un mezzo sorriso mentre cala la testa supra una spalla e posa la mano dritta sul cori.

«Ma lei l'ha mai vista la signora Falcuccio?».

«No, io mai. Pirchì mi fa questa domanda?».

«Pirchì io la conosco».

«Embè?».

«Vede, ragioniere, è grassa, pilosa e mezza nana».

«E che viene a dire? Forse che le fìmmine grasse, pilose e mezze nane non ci hanno macari loro quella cosa in mezzo alle gambe?».

E il bello è che, passati sette jorna da quella conversazione, la signora Falcuccio puntualmente si viene a trovare a rantuliare di piaciri («Maria! Morta sugnu!») nell'ampio letto vidovile del perito Stracuzzi.

E se questo capita in ogni ufficio normale, figurarsi quale altissima percentuale di riuscita hanno le predizioni (o previsioni, se ecc.) nei commissariati e nelle questure, dove tutto il pirsonale, senza distinzione gerarchica, viene appositamente allenato, istruito a cogliere il minimo indizio, il più leggero cangiamento del vento, e a trarne le dovute conseguenze.

La notizia della promozione a Montalbano non lo pigliò alla sprovista, era un atto dovuto, come appunto si diceva in quegli uffici, lui il suo periodo di apprendistato come vicecommissario l'aveva abbondantemente superato a Mascalippa, sperso pàisi degli Erei, agli ordini del commissario Libero Sanfilippo. Ma la cosa che preoccupava Montalbano era indovi che l'avrebbero mandato, la cosiddetta destinazione. Che è parola, destinazione, vicina assà a un'altra parola, destino. Perché promozione veniva macari a significare trasferimento. E quindi cangiamento di casa, di abitudini, di amicizie: un destino tutto da scoprire. Francamente di Mascalippa e dintorni lui si era abbuttato, non degli abitanti che non erano né peju né megliu di altri, con la giusta percentuale di sdilinquenti e di pirsone perbene, di cretini e d'intelligenti, no, sinceramente non ne poteva più del paesaggio. Intendiamoci bene, se c'era una Sicilia che gli faciva piaciri a taliarla era proprio quella Sicilia fatta di terra arsa e riarsa, gialla e marrò, indovi tanticchia di virdi testardo arrisaltava sparato come una cannonata, indovi i dadi bianchi delle casuzze in bilico sulle colline pariva dovissiro sciddricare abbascio a una passata più forte di vento, indovi persino alle lucertole e alle serpi alla controra gli veniva a fagliare la gana d'infrattarsi dintra a una macchia di saggina o d'ammucciarsi sutta a una petra, rassegnate inerti al loro destino, quale che era. E soprattutto gli piaceva taliare i letti di quelli che una volta erano stati fiumi e torrenti, almeno accussì si ostinavano a chiamarli i cartelli stratali, Ipsas, Salsetto, Kokalos, mentre adesso non erano altro che una fila di pietre bianche calcinate, di giammarite 'mpruvolazzate. Taliare il paesaggio gli piaciva, certo: ma camparci dintra, viverci jornata appresso jornata, era cosa da nesciri pazzi. Pirchì lui era omo di mare. A Mascalippa, certe matine all'alba, raprenno la finestra e tiranno un respiro funnuto, inveci di aviri i polmoni inchiuti, se li sintiva svacantati, l'aria gli viniva a mancare come doppo una lunga apnea. Di sicuro l'aria di prima matina di Mascalippa era bona, spiciali, sapiva di paglia e d'erba, sapiva di campagna aperta, ma a lui non bastava, anzi rischiava d'assufficarlo. Aviva bisogno d'aria di mari, aviva bisogno di gudìrisi il sciàuro delle alghe, aviva bisogno di liccarisi le labbra e sentirle tanticchia salate. Aviva nicissità di farisi lunghe passiate di prima matina a ripa di mare, con le onde di risacca che gli vinivano a carizzare i pedi. Una destinazione a un pàisi di montagna come Mascalippa era peju di una cunnanna a deci anni di galera.

Quella istissa matina nella quale un tale che non ci trasiva pi nenti con questure e commissariati, ma che era uno statale (cioè a dire il direttore del locale ufficio postale), gli aviva vaticinato il trasferimento, Montalbano venne chiamato dal suo capo, il commissario Libero Sanfilippo. Il quale era uno sbirro vero, di quelli che si addunavano a prima botta se la pirsona che avivano davanti diciva la verità o sparava farfantarìe. E già all'epoca, vale a dire nel 1985, apparteneva a una razza in via d'estinzione. Come i medici che una volta avivano il cosiddetto occhio clinico e diagnosticavano la malatia del paziente solo a taliarlo e che oggi invece se prima non hanno tra le mani decine e decine di analisi fatte da machine all'avanguardia tecnologica non riescono a capirci un'amata minchia, manco di una semplici e tradizionali 'nfruenza. Anni appresso, quanno a Montalbano capitava di ripercorrere con la testa ai primi anni sò di carriera, al primo posto ci assistimava Libero Sanfilippo che, con l'ariata di non volergli insignare nenti, gli aviva invece insignato tante cose. In prìmisi, come raggiungere l'equilibrio interiore a petto di un fatto grave e sconvolgente.

«Se ti lasci pigliare da qualisisiasi reazione, sgomento, orrore, indignazione, pietà, sei completamente fottuto» gli ripeteva Sanfilippo a ogni occasione. Ma questo insegnamento Montalbano non seppe seguirlo che solo in parte, pirchì certe volte veniva sopraffatto, a malgrado di ogni resistenza, dai sentimenti e dalle emozioni.

In secùndisi, gli aviva spiegato come si coltivava quell'occhio clinico che il suo vice gli invidiava assà. Ma macari di questo secondo insegnamento Montalbano pigliò quel tanto che poteva: evidentemente quel tipo di taliata a raggi X come Superman era in gran parte dono di natura.

Il lato negativo del commissario Sanfilippo – almeno agli occhi del suo vice ex sissantottino – era la sua totale, cieca divozione a ogni Ordine meritevole della O maiuscola. L'Ordine costituito. L'Ordine pubblico. L'Ordine sociale. Nei primi tempi di Mascalippa Montalbano si spiò strammato come mai un galantomo bastevolmente colto avesse una tale ferrea fiducia in un concetto astratto che appena ti trovavi a trasportarlo nella realtà assumeva la sgradevole forma di un manganello e di un paro di manette. La risposta l'ebbe un giorno che per caso gli capitò tra le mano la carta d'identità del suo superiore. Il suo nome completo faceva Libero Pensiero Sanfilippo. Madonna santa! Ma Libero Pensiero, Volontà, Libertà, Palingenesi, Vindice erano i nomi tipici che una volta gli anarchici davano a figli e figlie! Sicuramente il padre del commissario era stato un anarchico e il figlio, per polemica, non solo si era fatto sbirro, ma gli era macari venuta la fissa dell'Ordine, in un tentativo estremo d'annullare l'eredità genetica paterna.

«Buongiorno, dottore».

«Buongiorno. Chiuda la porta e s'accomodi. Fumi pure, se vuole. Ma mi raccomando la cenere».

Già. Pirchì oltre all'Ordine con la O maiuscola, Sanfilippo amava macari l'ordine con la minuscola. Se tanticchia di cìnniri cadiva fora dal posacìnniri, Sanfilippo si agitava sulla seggia, si stracangiava in faccia, ci pativa.

«Come va il caso Amoruso-Lonardo? Procede?» attaccò il commissario.

Montalbano strammò. Quali caso? Filippo Amoruso, pinsionato sittantino, rifacendo il limmito del suo orto, l'aveva leggermente spostato mangiandosi deci centimetri scarsi del confinante orto di Pasquale Lonardo, pinsionato ottantino. Il quale, addunatosi del fatto, aviva sostenuto, in presenza di terzi, di essersi più volte carnalmente congiunto con la defunta madre dell'Amoruso, nota all'urbi e all'orbo come grannissima troia. Al che l'Amoruso, senza dire ai né bai, aveva infilato nella panza del Lonardo deci centimetri di serramanico, non calcolando però che il Lonardo in quel preciso momento teneva in mano uno zappone col quale, prima di stramazzari 'n terra, gli aviva spaccato la testa. Ora stavano tutti e dù allo spitali, denunziati per rissa e tentato omicidio. La domanda del commissario, nella sua totale inutilità, viniva a rappresentare una sola cosa: che Sanfilippo stava pigliando alla larga il discorso che aviva in mente di fargli. Montalbano s'inquartò a difisa.

«Procede» disse.

«Bene, bene».

Calò silenzio. Montalbano spostò la natica mancina di qualichi centilimetro in avanti e accavallò le gambe. Non si sentiva a suo agio. C'era nell'aria qualichi cosa che gli dava il nirbùso. Sanfilippo intanto aviva cavato dalla sacchetta dei pantaloni il fazzoletto e lo passava sul piano della scrivania per farlo sbrilluccicare di più.

«Ieri pomeriggio, come lei saprà, sono stato a Enna. Il signor questore voleva parlarmi» disse tutto 'nzemmula.

Montalbano scavallò le gambe e non sciatò.

«Mi ha comunicato la promozione a vicequestore e il trasferimento a Palermo».

Montalbano si sentì la vucca arsa.

«Congratulazioni» arriniscì ad articolare.

E l'aviva chiamato solo per contargli una cosa che da una misata sapivano macari porci e cani? Il commissario si levò l'occhiali, taliò le lenti controluce, l'inforcò nuovamente.

«Grazie. Mi ha detto che tra due mesi al massimo anche lei avrà la promozione. Ne aveva sentito dire qualcosa?».

«Fì» esalò Montalbano.

La littra esse non la poté formulare, la lingua gli si era come indurita, era tutto tiso e pronto a scattare come una corda d'arco.

«Il signor questore mi ha domandato se non era una buona idea che lei pigliasse il mio posto».

«Qua?!».

«Certo. Qua a Mascalippa. E dove sennò?».

«Mamamama...» fece Montalbano.

E non si capì se invocava la mamà o se si era impuntato sul *ma*. Se l'aspittava! Dal momento che era trasuto nella càmmara del commissario s'aspittava la malanova! Che era puntualmente arrivata. In un vidiri e svidiri vitti passari davanti ai sò occhi il paesaggio di Mascalippa e dintorni. Splendido, certo, ma per lui non era propio cosa. Per buon peso, vitti macari quattro vacche che pascolavano erba stenta. Ebbe un frisone di friddo, come un attacco di malaria.

«Io gli ho risposto che non ero d'accordo» fece Sanfilippo che lo taliava con un surriseddro.

Ma quel grandissimo cornuto del suo superiore voliva fargli viniri un sintòmo, un infarto? Voleva vidirlo stramazzare boccheggiante dalla seggia? A malgrado si trovasse a un passo da una crisi di nerbi, l'istinto polemico di Montalbano ebbe la meglio.

«Mi spiega perché secondo lei non è una buona idea che io faccia il commissario a Mascalippa?».

«Perché lei è assolutamente incompatibile con l'ambiente».

Fici una pausa, accentuò il surriseddro.

«Più precisamente: è l'ambiente che non è compatibile con lei».

Che gran sbirro che era Sanfilippo!

«Quando se ne è accorto? Io non ho fatto nulla per...».

«No, lei faceva, eccome faceva! Non parlava, non diceva niente, questo sì. Ma per fare, faceva! Dopo una quindicina di giorni che lei era stato mandato qua, avevo capito tutto».

«Ma che ho fatto, santo Iddio?».

«Le porto un solo esempio. Si ricorda quella volta che andammo a interrogare i contadini di Montestellario e accettammo di mangiare con una famiglia di pecorari?».

«Sì» disse Montalbano a denti stritti.

«Prepararono il tavolo all'aperto. Era una giornata splendida, le cime erano ancora innevate. Ricorda?».

«Sì».

«Lei stava a testa bassa, non voleva guardare il paesaggio. Le misero davanti la ricotta fresca. E lei mormorò che non aveva appetito. Allora il capofamiglia disse che quel giorno si vedeva il lago e indicò un punto in basso. Io guardai. Un gioiello che brillava al sole. La invitai ad ammirare quella meraviglia. Lei obbedì, ma subito chiuse gli occhi e impallidì. Non toccò cibo. E quell'altra volta che...».

«Basta, per carità».

Il commissario se la stava scialando a jocari con lui a gatto e surci. Tant'è vero che non gli aviva detto nenti di come era andato a finire l'incontro col questore. Ancora scosso dal ricordo di quella jornata da incubo passata a Montestellario, venne pigliato dal sospetto che Sanfilippo non aviva ancora trovato il coraggio di dirgli la verità. E cioè che il questore era rimasto amminchiato nell'idea sò: Montalbano avrebbe fatto il commissario a Mascalippa.

«E il signor questore?...» azzardò.

«Il signor questore cosa?».

«Che ha risposto alla sua osservazione?».

«Che ci avrebbe pensato. Ma se vuole sentire il mio parere...».

«Certo che lo voglio sentire!».

«Secondo me, si è convinto. Lascerà che la trasferiscano dove decideranno i nostri capi».

Quale sarebbe stata l'inappellabile decisione dei Capi, dei Numi Superni, delle Divinità che, come tutte le divinità che si rispettano, avevano sede a Roma? Quest'assillante domanda non gli fece gustare come meritava il maialino da latte che il trattore Santino gli aveva già gloriosamente annunziato il giorno avanti.

«Lei oggi non mi ha dato satisfazioni» fece, tanticchia offiso, Santino che l'aviva visto mangiari senza gana.

Montalbano allargò le vrazza in un gesto di rassegnazione:

«Scusami, Santì, ma non mi sento bono».

Niscì dalla trattoria e si trovò di colpo perso a brancolare nel nulla. Quanno era trasuto per mangiari c'era il sole, tempo un'orata abbondante era calata una neglia fitta e accuposa. Mascalippa era fatta accussì.

Si diresse verso casa col cori stritto, scansando all'ultimo secondo scontri frontali con altre ùmmire umane. Scuro di jorno e scuro dintra di lui. E mentre caminava pigliò una decisione che sapiva ferma, indiscutibile: se per caso l'assignavano a un pàisi tipo Mascalippa, avrebbe presentato le dimissioni. E si sarebbe messo a fare l'avvocato, o l'aiuto avvocato, o il custode di uno studio d'avvocato purché in un posto di mare.

Aviva affittato un quartino di dù càmmare, bagno e cucina propio in centro al pàisi, in modo che, affacciandosi, colline e montagnole non se ne vidissero pi nenti. Non c'era riscaldamento e a malgrado delle quattro stufe elettriche sempre addrumate certe sirate di 'nvernu l'unica era di andarsene a corcari e, incuponato, tenere fora dalle coperte un vrazzo solo a reggere un libro. Leggiri e ragionare supra a quello che aviva leggiuto gli era sempri piaciuto, per questo le dù càmmare traboccavano di libri. Era capace di attaccarne uno alla sira e finirlo all'alba, senza interruzione. E fortunatamente non c'era piricolo che lo vinissero a chiamari di notte per qualichi fatto di sangue. Va' a sapìri pirchì, le ammazzatine, le sparatorie, le azzuffatine violente capitavano sempre di jorno. E non c'era praticamente da fa-

123

re indagini, erano tutti delitti senza mistero: Tizio aviva sparato a Filano per una facenna d'interessi e aviva
confessato; Caio aviva accoltellato a Martino per una
facenna di corna e aviva confessato. Se voliva impegna-
re il ciriveddro, Montalbano era costretto a risolvere i
rebus della «Settimana Enigmistica»: ad ogni modo, i sò
anni a Mascalippa, allato a uno come a Sanfilippo, non
erano stati tempo perso, anzi.

Quel jorno però la prospettiva di passare la sirata corcato a leggiri o a taliare qualiche minchiata televisiva
non gli parse cosa sopportabile. A quell'ora sicuramente Mery era tornata a la sò casa dalla scola indovi in-
segnava latino. Si erano canosciuti all'università negli
anni della contestazione, erano coetanei, per la verità
lei era più nica di quattro mesi. Subito, a prima vista,
si erano fatti sangue e presto dalla simpatia erano passati a una specie di amicizia amorosa assolutamente libera: quanno avivano voglia l'uno dell'altra si telefo-
navano e s'incontravano. Doppo si persero di vista. A
metà degli anni Sittanta Montalbano vinni a sapìri
che Mery si era maritata e che il matrimonio era dura-
to meno di un anno. L'incontrò per caso a Catania, in
via Etnea, nella sua prima simana di servizio a Mascalippa. Dispirato, aviva pigliato la machina e doppo
un'orata era arrivato a Catania con l'intenzioni di vidiri una pellicola di prima visione: quelle che proietta-
vano nell'unico cinema di Mascalippa risalivano minimo minimo a tri anni avanti. E lì, dintra al cinema, mentre faciva la fila per il biglietto, si era sentito chiamare. Era lei, Mery, che stava niscenno dalla sala. Se pri-

ma era una bella prorompente ragazza, ora la maturità e l'esperienza l'avevano fatta diventare di una bellezza raccolta, come segreta. Era andata a finire che Montalbano non aviva visto la pellicola, era andato a casa di Mery che viveva sola e che non aviva 'ntinzione di maritarsi mai più. Quell'unica esperienza matrimoniale le era bastata e superchiata. Montalbano passò la nottata con lei e all'indomani matina alle sei ripigliò la strata per Mascalippa. Da allora diventò una specie d'abitudine, almeno due volte a simana Montalbano andava a Catania.

«Ciao, Mery. Salvo sono».

«Ciao. La sai una cosa?».

«No».

«Stavo per chiamarti io».

Montalbano avvilì: vuoi vidiri che Mery voliva fargli sapìri che quella sera era impegnata e non avrebbero potuto vidirisi?

«Perché?».

«Volevo domandarti se potevi venire un po' prima del solito, così possiamo andare a cena assieme. Ieri sera un collega mi ha portata in un ristorante che...».

«Alle sette e mezzo sarò a casa tua, va bene?» tagliò Montalbano quasi cantando per la cuntintizza.

Il ristorante, con scarsa fantasia, si chiamava Il Delfino. Ma la fantasia che fagliava nell'insegna abbondava invece nella cucina: gli antipasti, tutti rigorosamente di pesce, erano una decina e uno più celestiale dell'altro. I polipetti alla strascinasale si squagliavano prima di toccare il palato. E che dire della cernia cucinata in una salsetta angelica della quale Montalbano non arriniscì a identificare tutti i componenti? E poi c'era Mery che in quanto a mangiare era gagliarda quasi quanto lui. E se mentre mangi con gusto non hai allato a tia una pirsona che mangia con pari gusto allora il piaciri del mangiare è come offuscato, diminuito. Non parlavano. Ogni tanto si taliavano occhi nell'occhi e si sorridevano. Alla fine, doppo la frutta, le luci del locale prima s'abbassarono e doppo s'astutarono. Qualichiduno dei clienti protestò. Ma dalla porta della cucina trasì un cammareri che ammuttava un carrello supra il quale c'era una torta con una candelina addrumata e un secchiello con una bottiglia di sciampagna. Strammato, Montalbano vitti che il cammareri si firmava al loro tavolo. Tornarono le luci e tutti i clienti applaudirono mentre qualcuno diciva a voce alta:

«Auguri! Auguri!».

Sicuramente era il compleanno di Mery. E lui se n'era completamente scordato. Che vastaso che era! Che testa persa! Però non c'era nenti da fari: non arrinisciva a tenere a menti nessuna data.

«Pepepe… perdonami, non ricordavo che oggi era… era il tuo…» fece vrigognoso pigliandole una mano.

«Il mio cosa?» spiò divertita Mery con l'occhi sparluccicanti.

«Non è il tuo compleanno?».

«Il mio? Oggi è il *tuo* compleanno!» fece Mery scoppiando a ridere senza potersi tenere.

Montalbano la taliò ammammaloccuto. Vero era!

Appena a casa, Mery raprì l'armuàr e ne tirò fora un pacco confezionato in quel modo che i commercianti chiamano «da regalo» e che è un tripudio di nastri colorati, di fiocchi e di cattivo gusto.

«Con tanti auguri».

Montalbano lo scartò. Il regalo di Mery consisteva in un maglione pisanti, da montagna, molto elegante.

«Ti servirà per i tuoi inverni a Mascalippa».

Appena finito di dire la frase s'addunò che Salvo aviva fatto una faccia stramma.

«Che c'è?».

E Montalbano le disse della promozione e del colloquio col commissario.

«... e perciò non so dove mi manderanno» concluse.

Mery se ne restò silenziosa. Poi taliò il ralogio, erano le deci e mezza, si susì di scatto dalla poltrona.

«Scusami, devo fare una telefonata».

Andò nella càmmara da letto e chiuì la porta per non farsi sèntiri. Montalbano ebbe una leggera fitta di gelosia. Ma del resto non poteva pretendere che Mery non avesse una storia sò con qualichi altro omo. Doppo tanticchia si sentì chiamare. Quanno trasì nella càmmara da letto, Mery si era già corcata e l'aspittava.

Più tardi, mentre sinni stavano abbrazzati, Mery gli disse all'orecchio:

«Ho tclefonato a zio Giovanni».

Montalbano stunò.

«E chi è?».

«Il fratello minore di mamma. Mi adora. È uno importante al Ministero dal quale dipendi. Gli ho domandato d'informarsi sulla tua destinazione. Ho fatto male?...».

«No» disse Montalbano baciandola.

Mery gli telefonò in ufficio alle sei di doppopranzo del giorno appresso.

Disse una sola parola.

«Vigàta».

E riattaccò.

Due

A pronunziare quelle tre sillabe, Vi-gà-ta, dunque era stato, nell'alto dell'Olimpo romano, nell'Empireo dei Palazzi del Potere, non un divinatore qualisisiasi, ma un Nume supremo, un Dio di quella religione che si chiamava Burocrazia, uno di quelli la cui parola tracciava un destino irrevocabile. Che, debitamente supplicato, aveva dato un responso chiaro e priciso, meglio assà di quelli della Sibilla cumana o della Pizia o del dio Apollo a Delfi, in quanto i responsi della Sibilla o della Pizia o del dio Apollo abbisognavano sempre dell'interpretazione dei sacerdoti e quasi mai le diverse interpretazioni combaciavano tra loro. «Ibis redibis non morieris in bello» faciva la Sibilla al soldato che stava per partire per la guerra. E ti saluto e sono. Ma era necessario mettere una virgola o prima o doppo di quel *non* pirchì il soldato sapesse se ci lasciava la pelle in battaglia o se se la scapolava. E indovi andava la virgola era compito dei sacerdoti che davano la loro interpretazione a secondo dell'abbondanza dell'offerta. Qui non c'era nenti da interpretare. Vigàta aviva detto il Nume e Vigàta sarebbe stata.

Montalbano, arricivuta la telefonata di Mery, non ce la fece a restarsene assittato darrè la scrivania del sò ufficio. Murmuriando una frase incomprensibile al piantone, sinni niscì e si mise a passiare strati strati. Doviva tenersi a fatica, mentre caminava, dal mettersi a ballari il boogie-woogie, che in quel momento era il ritmo col quale il sangue sò girava. Maria, che bello! Vigàta! Cercò di riportarsela alla memoria e per prima cosa gli venne di rappresentarsi una specie di cartolina postale che mostrava il porto con tre moli e, a mano dritta, la sagoma massiccia di una grossa torre. Poi s'arricordò del corso principale a metà del quale c'era un grande cafè che aviva macari una sala con dù bigliardi. Ci trasiva, in quella sala, per accompagnare sò patre che ogni tanto si faciva una partita. E mentre sò patre jocava lui si sbafava un enorme pezzo triangolare di gelato, in genere un «pezzo duro» – accussì lo chiamavano – di cioccolato e panna. O di cassata. Lì facivano gelati che non ne aviva più trovato d'eguali. Ne risentì il sapore tra lingua e palato. E col sapore il nome del cafè gli tornò nitido: Castiglione. Vai a sapìri se esistiva ancora e se faciva sempre gli stessi gelati impareggiabili. Appresso davanti all'occhi gli lampeggiarono dù colori accecanti come la luce di un flash: giallo e azzurro. Il giallo della rina finissima e l'azzurro dell'acqua di mari. Senza addunarisinni era arrivato a una specie di belvedere dal quale s'ammirava un'ampia vallata e le cime dei monti. Certo, non si trattava delle Dolomiti, ma sempre cime di montagna erano. E per lui erano più che bastevoli a farlo precipitare nella malinconia più accuposa, in una sensazione d'esilio insostenibile. Stavolta ce la fece a taliare il paesaggio, e persino tanticchia a goderselo, confortato però dalla certezza che presto non l'avrebbe più visto.

La sira telefonò a Mery per ringraziarla.

«L'ho fatto nel mio interesse» disse Mery.

«Quale interesse? Non capisco».

«Se ti trasferivano ad Abbiategrasso o a Casalpusterlengo sarebbe stato impossibile vederci. Mentre da Vigàta a Catania ci vogliono poco più di due ore. Ho guardato la carta».

Montalbano non seppe che dire, commosso.

«Credevi che ti mollavo tanto facilmente?» continuò Mery.

Risero.

«Uno di questi giorni ci voglio fare un salto, a Vigàta. Voglio vedere se è rimasta come me la ricordo. Naturalmente non dirò a nessuno che...».

S'interruppe. Un serpente di ghiaccio gli passò velocissimo lungo la spina dorsale, lo paralizzò.

«Salvo, che c'è? Sei ancora in linea?».

«Sì. No, è che mi è venuto un pensiero...».

«Quale?».

Montalbano esitò, temeva di portare offisa a Mery. Ma il dubbio fu più forte di qualisisiasi convenienza.

«Mery, ci possiamo fidare dello zio Giovanni? Siamo assolutamente certi che...».

All'altro capo del filo risonò una risata.

«Me l'aspettavo!».

«Che t'aspettavi?».

«Che prima o poi mi avresti fatto questa domanda. Lo zio mi ha detto che la tua destinazione è già stabilita, già scritta. Puoi stare tranquillo. Anzi, facciamo una cosa. Quando decidi di andare a Vigàta, avvertimi con un po' d'anticipo. Così mi faccio dare un giorno di permesso e ci andiamo insieme. Ci vediamo domani?».

«Naturalmente».

«Naturalmente cosa? Che andiamo a Vigàta insieme o che ci vediamo domani?».

«Tutt'e due le cose».

Ma seppe subito d'avere detto una farfantarìa. O almeno, una mezza farfantarìa. L'indomani sera sarebbe certamente partito per Catania a passari la sirata con Mery, ma a Vigàta era deciso ad andarci da solo. La presenza di lei l'avrebbe certamente distratto. Per la virità, il primo verbo che gli venne a mente non fu «distrarre», ma «disturbare». E di quel verbo se ne era tanticchia vrigognato.

Vigàta era suppergiù come si era stampata nella sò mimoria, c'era qualichi costruzione nova sul Piano Lanterna, si trattava di orrendi grattacieli nani di una quinnicina o vintina di piani, mentre erano del tutto scomparse le casuzze a ridosso della collina di marna ammassate l'una sull'altra e l'una allato all'altra a formare un intrico di vicoli pulsanti di vita. Erano perlopiù catoj, vale a dire abitazioni fatte di una sola càmmara che di jorno pigliavano aria solamente dalla porta d'ingresso di nicissità tenuta aperta. E accussì, mentre passavi per quei vicoli, potevi assistere a un parto,

a una sciarriatina familiare, a un parrino che dava l'E-
strema unzione a un moribondo, ai preparativi per un
matrimonio o per un funerale. Tutto a vista. E tutto
in una babele di voci, di lamenti, di risate, di prighe-
re, di biastemie, d'insulti. Spiò a un passante come mai
fossero sparite le casuzze e quello gli arrispunnì che se
le era portate via, a mare, qualichi anno avanti, uno spavintoso alluvione.

S'era scordato, invece, dell'odore del porto. Un misto d'acqua di mare ferma, di alghe marcite, di corda-
me infraciduto, di catrame cotto al sole, di nafta, di sarde. Ogni elemento che componeva quell'odore, pigliato a sé, forse non costituiva un gradito omaggio all'o-
dorato, ma l'insieme finiva col formare un sciàuro gra-
devolissimo, misterioso e inconfondibile. S'assittò supra una bitta. Non si addrumò manco la sigaretta per
evitare che quel sciàuro ritrovato venisse inquinato
dall'odore del tabacco. E sinni stette accussì a longo,
a taliare i gabbiani, fino a quanno un brontolio alla vucca dello stomaco non gli fece presente che era arrivata l'ora di mangiari. L'aria di mare gli aviva fatto smor-
care il pititto.

Tornò al corso, che si chiamava via Roma, e subito
vitti un'insegna sulla quale ci stava scritto «Trattoria
San Calogero». Raccomandandosi al Signuruzzu, trasì. Tutti i tavoli erano vacanti, di certo non era l'orario giusto, troppo presto.

«Si può mangiari?» spiò a un cammareri coi capelli
bianchi che, sentendolo trasire, era nisciuto dalla cucina e lo taliava.

«Non c'è bisognu di pirmissu» arrispunnì asciutto l'altro.

S'assittò, arraggiato con se stesso per la domanda cretina.

«Abbiamo antipasto di mare, spaghetti al nìvuro di siccia, o alle vongole o ai ricci di mare».

«Gli spaghetti ai ricci di mare bisogna saperli fare» fece dubitativo Montalbano.

«La laurea in ricci di mare mi pigliai» fece il cammareri.

Montalbano avrebbe voluto mangiarsi la lingua a muzzicuna. Dù a zero.

Dù frasi 'mbecilli sò e dù risposte intelligenti.

«E per secondo?».

«Pisci».

«Che tipo di pisci?».

«Quello che vuole lei».

«E com'è cucinato?».

«A secunno del pisci che sceglie».

Megliu cucirisi la vucca.

«Mi porti quello che vuole».

Capì d'aviri pigliato la decisione giusta. Quanno niscì dalla trattoria s'era mangiato tre antipasti, un piatto di spaghetti ai ricci di mare bastevole per quattro pirsone e sei triglie di scoglio fritte al millimetro, eppure si sentiva lèggio lèggio, pervaso da un benessere tale da stampargli un sorriso ebete sulla faccia. Si fece assolutamente pirsuaso che, una volta a Vigàta, quello sarebbe stato il suo ristorante d'elezione.

Si erano fatte le tri di doppopranzo. Per un'orata tambasiò pàisi pàisi, doppo decisi di farisi una lunga passiata al molo di livanti. Se la fece, un pedi leva e l'altro metti. Il silenzio era rotto solo dalla risacca tra i frangiflutti, dai versi dei gabbiani e, ogni tanto, dal borbottio del diesel di un motopescereccio che provava il motore. Proprio sotto al faro c'era uno scoglio piatto. S'assittò. La jornata era di una chiarezza che quasi faciva male, ogni tanto arrivava un refolo. Appresso si susì, era venuto il momento di mettersi in machina e tornari a Mascalippa. A metà del molo si fermò di colpo. Davanti agli occhi gli era comparsa un'immagine: una specie di collina di una bianchezza accecante che dall'alto scinniva a gradoni fino a infilarsi nel mare. Cos'era? Dov'era? La Scala dei Turchi, ecco cos'era! E doveva trovarsi da quelle parti.

Arrivò sparato al cafè Castiglione che stava sempre al solito posto, l'aviva controllato in precedenza.

«Mi sa dire come si fa ad arrivare alla Scala dei Turchi?».

«Certo».

Il cammareri gli spiegò la strata.

«Mi porti un pezzo duro di là, ai bigliardi».

«Che gusto?».

«Cassata».

Trasì nella seconda càmmara. Dù giocatori stavano facendosi una partita, assistiti da dù amici. S'assittò a un tavolino, si mangiò lentamente la cassata gustandosi cucchiarata appresso cucchiarata. Tutto 'nzemmula scoppiò una discussione tra i dù giocatori. Intervennero gli amici.

135

«Facciamo giudicare al signore» disse uno.

E un altro, volgendosi a Montalbano:

«Lei sa giocare a bigliardo?».

«No» fece Montalbano 'mpacciato.

Lo taliarono sdignusi e ripigliarono a discutere. Montalbano finì il gelato di cassata, pagò alla cassa, niscì, pigliò la machina che aviva lasciata poco distante e partì verso la Scala dei Turchi.

Seguendo le istruzioni del cammareri, a un certo punto girò a mancina, fece qualche metro di strata asfaltata in discesa e si fermò. La strata non proseguiva, abbisognava caminare sulla rina. Si levò le scarpe e le quasette che lasciò in machina, la chiuì, si rimboccò l'orlo dei pantaloni e raggiunse la ripa del mare. L'acqua era frisca, ma non fridda. Passato un promontorio, la Scala dei Turchi gli apparse 'mprovisa.

Se l'arricordava assai più imponenti, quanno si è nichi tutto ci appare più granni della realtà. Ma anche accussì ridimensionata conservava la sua sorprendente billizza. Il profilo della parte più alta della collina di marna candida s'incideva contro l'azzurro del cielo terso, senza una nuvola, ed era incoronato da siepi di un verde intenso. Nella parte più bassa, la punta formata dagli ultimi gradoni che sprofondavano nel blu chiaro del mare, pigliata in pieno dal sole, si tingeva, sbrilluccicando, di sfumature che tiravano al rosa carrico. Invece la zona più arretrata del costone poggiava tutta sul giallo della rina. Montalbano si sentì sturduto dall'eccesso dei colori, vere e proprie grida, tanto che dovette per un attimo inserrare l'occhi e tapparsi le orecchie con le mano. C'era ancora un centinaro di metri per arrivare alla base della collina, ma preferì ammirarla a distanza: si scantava di venirsi a trovare nella reale irrealtà di un quadro, di una pittura, d'addivintare lui stesso una macchia – certamente stonata – di colore.

S'assittò sulla sabbia asciutta, affatato. E accussì stette, fumandosi una sigaretta appresso all'altra, perso a taliare le variazioni della tinteggiatura del sole, via via che andava calando, sui gradoni più bassi della Scala dei Turchi. Si susì al tramonto e pigliò la decisione di tornare di notte a Mascalippa, valiva la pena di farsi un'altra mangiata alla trattoria San Calogero. Rifece la strata verso la machina a lento e ogni tanto si voltava a taliare, non aviva gana di lasciare quel posto. Guidò verso Vigàta a deci chilometri orari, cummigliato da insulti e male parole dagli automobilisti che dovevano sorpassarlo sulla strata stritta. Non reagì mai, era nelle condizioni di spirito che se qualichiduno gli dava una timpulata, avrebbe offerto l'altra guancia. Alle porte del paìsi si fermò da un tabaccaro e si rifornì di sigarette per il viaggio di ritorno. Doppo andò a un distributore di benzina, fece il pieno e il controllo delle gomme e dell'olio. Taliò il ralogio, doviva ancora perdiri una mezzorata. Parcheggiò la machina e, a pedi, tornò al porto. Ora attraccato alla banchina c'era un grosso traghetto.

Una filata d'automobili e di camion aspittava d'acchianarvi.

«Dove va?» spiò a uno che passava.

«È il postali pi Lampedusa».

Finalmenti si fici un'ura decenti. E difatti, quanno trasì nella trattoria, tri tavolini erano già occupati. Il cammareri ora aviva un aiutante più picciotto. S'avvicinò a Montalbano con un surriseddru.

«La servo io comu a mezzujornu?».

«Sì».

Il cammareri si calò verso di lui.

«Ci piacì la Scala dei Turchi?».

Montalbano lo taliò imparpagliato.

«Chi le ha detto che...».

«Le cose qua si sanno».

E capace che sapivano già che era uno sbirro!

Una simanata appresso, mentre stavano ancora corcati, Mery sinni niscì con una domanda.

«Ci sei andato poi a Vigàta?».

«No» mentì Montalbano.

«Perché?».

«Non ho avuto tempo».

«Non hai curiosità di vedere com'è? M'hai detto che ci sei stato da ragazzo, ma non è la stessa cosa».

Bih, che camurrìa! Se non pigliava una subitanea decisione quella storia va' a sapìri quanto sarebbe durata.

«Ci andiamo domenica prossima, va bene?».

Si misero d'accordo che Mery sarebbe partita con la sua machina e l'avrebbe aspittato al bar che c'era al bivio per Caltanissetta. Lì, al posteggio, Mery avrebbe lasciato la sua auto e avrebbero proseguito con quella di Montalbano.

E accussì gli toccava di tornare a Vigàta facendo finta di non esserci stato qualche jornata avanti.

Montalbano scarrozzò Mery prima al porto e doppo alla Scala dei Turchi.

La picciotta restò ingiarmata. Ma siccome che era fìmmina, vale a dire appartenente a quelle creature che sanno coniugare le cime più aeree della poesia con le più ruvide concretezze, a un certo momento taliò Montalbano che a sua volta non arrinisciva a staccari l'occhi da tutta quella billizza e disse, in dialetto:

«Pititto mi vinni».

E questo era il busillisi shakespeariano che Montalbano doviva affrontare. Andare alla trattoria San Calogero, a rischio d'essere riconosciuto dal cammareri, o sperimentari un nuovo ristorante con buona probabilità di mangiare malissimo?

All'idea di farisi la strata del ritorno con lo stomaco cunsumato da un pasto che avrebbero arrefutato macari i cani, non ebbe più dubbio. Tornato in paìsi, fece in modo che, come per caso, lui e Mery si venissero a trovare sotto all'insegna della trattoria cògnita.

«Vogliamo provare qua?».

Appena trasuto, cercò d'incontrare, arriniscendoci, l'occhi del cammareri.

Abbastò che si taliassero per un attimo.

«Tu non mi hai mai conosciuto» dissero l'occhi di Montalbano.

«Io non ti ho mai conosciuto» arrisposero l'occhi del cammareri.

Doppo aviri mangiato in modo celestiale, Montalbano portò Mery da Castiglione, le consigliò di pigliarisi un pezzo duro.

Finito il gelato, Mery disse che aviva bisogno di andare in bagno.

«Ti aspetto fuori» disse Montalbano.

Niscì sul marciapedi. Il corso era praticamente deserto. Davanti a lui c'era il palazzo del municipio con il suo piccolo colonnato. Appujato a una colonna, un vigile urbano parlava a dù cani randagi. Da mano manca, arrivava lenta una machina. Tutto 'nzemmula spuntò a gran velocità un'auto sportiva. Proprio davanti a Montalbano, l'auto sportiva sbandò leggermente e strisciò, superandola, contro la machina che andava lenta. I due guidatori fermarono e scinnero. Quello che portava la machina lenta era un signore anziano, con l'occhiali. L'altro era un giovinastro alto e baffuto. Mentre il signore anziano si calava a vidiri il danno della sò vettura, il giovinastro gli posò una mano sulla spalla e appena l'anziano si raddrizzò a taliarlo, quello gli mollò un gran cazzotto in piena faccia. La cosa fu fulminea. Mentre l'anziano cadiva 'n terra, dall'auto sportiva scinnì un omo grosso, con una voglia sulla faccia, che affirrò il giovinastro e lo fece trasire a forza nella machina che un attimo doppo partì sgommando.

Montalbano raggiunse l'anziano che aviva la faccia 'nsanguliata e non arrinisciva manco a parlari. Oltre che dal naso, il sangue gli nisciva macari dalla vucca. Il vigile arrivava intanto a pedi lento. Montalbano fece assittare l'aggredito al posto del passeggero, chiaramente non era in condizione di guidare.

«L'accompagni al pronto soccorso» disse al vigile.

Il vigile pariva fare movimenti al rallentatore.

«Ricorda il numero di targa dell'altra macchina?» gli spiò Montalbano.

«Sì» disse il vigile cavando dalla sacchetta una biro e un blocchetto.

Si appuntò il numero. Montalbano, che a sua volta l'aviva memorizzato, si addunò che era scritto sbagliato.

«Guardi che le ultime due cifre non sono giuste. Io le ho viste bene. Non sono 58 ma 63».

Il vigile corresse il numero di targa di malagrazia e ingranò la marcia.

«Aspetti. Non vuole le mie generalità?» spiò.

«E perché?».

«Come perché? Sono un testimone».

«Va bene, va bene. Se ci tiene».

Scrisse il nome, il cognome e l'indirizzo di Montalbano come se fossero cose offensive. Doppo chiuse il libretto, taliò malamente Montalbano e partì senza manco salutare.

Quanno macari Mery apparse sul marciapedi, il vigile stava mettendo in moto la machina dell'anziano per accompagnarlo allo spitali.

«Mi sono data una rinfrescata» disse Mery che non si era addunata di nenti. «Vogliamo andare?».

Passò una misata e mezza senza che foglia si cataminasse. Dalle Superne Sfere non arrivavano messaggi né di promozione né di trasferimento. Montalbano accominciò a fissarsi che si era trattato di una babbiata, che qualichiduno l'avissi voluto sconcicare. E il suo carattere divenne malo, dava càvuci metaforici a dritta e a mancina, come un cavaddro assugliato dalle mosche cavalline.

«Cerca di ragionare» cercava di calmarlo Mery che era diventata il bersaglio principale degli sfoghi dell'amico sò, «ma perché avrebbero dovuto farti uno scherzo simile?».

«E che ne so io? Forse il perché lo sai tu e tuo zio Giovanni!».

E finiva immancabilmente a sciarriatina.

Poi, una bella matina, il commissario Sanfilippo lo chiamò nella sò càmmara e, con un sorriso che gli spaccava la faccia, gli consegnò finalmente il responso del concilio degli Dei. Commissario a Vigàta.

La faccia di Montalbano prima addivintò giarna, poi passò al rosso peperone e quindi cominciò a virare in verde. Sanfilippo si scantò che a quello gli viniva un sintòmo.

«Montalbano, si sente male? Si segga!».

Inchì un bicchiere dalla bottiglia di minerale che sempre teneva sul tavolo e glielo pruì.

«Beva!».

Montalbano obbedì. A causa di quella reazione, Sanfilippo si fece errato concetto.

142

«Che c'è? Non le va Vigàta? Io la conosco, sa? È una deliziosa cittadina, vedrà che ci si troverà benissimo».

Nella deliziosa cittadina – come l'aviva definita il commissario – Montalbano ci tornò quattro jorna appresso. E questa volta in forma ufficiale, per presentarsi al collega Locascio che doviva sostituire. Il commissariato era allocato in una costruzione decente, una casetta a tri piani che si trovava propio all'inizio del corso per chi veniva dalla strata di Montereale e alla fine per chi invece arrivava dalla strata di Montelusa, il capoluogo indovi ci stavano prefettura, questura e tribunale. Locascio, che abitava al terzo piano nell'alloggio di servizio con la mogliere, gli disse subito che, prima di lasciarlo, avrebbe fatto ripulire l'appartamento.

«Perché?».

«Come perché? Tu non hai intenzione d'usare l'alloggio di servizio?».

«Io no».

Locascio equivocò.

«Ci tieni a non essere controllato, eh? Beato te che la notte puoi avere traffico!» fece, dandogli una gomitata in un fianco.

Il jorno del passaggio delle consegne, Locascio gli presentò, uno a uno, tutti gli òmini del commissariato. C'era un ispettore tanticchia più granni d'età che a Montalbano fece subito simpatia, si chiamava Fazio.

L'appartamento indovi andare ad abitare l'avrebbe circato con calma.

Intanto pigliò un bungalow in un albergo che c'era a dù chilometri fora pàisi. I libri e le scarse cose di sua proprietà l'aviva fatto mettiri in un magazzino a Mascalippa e là potevano aspittare.

Tre

Il secondo jorno ch'era arrivato a Vigàta pigliò la machina e andò a Montelusa per prisintarsi al questore che di nome faciva Alabìso. Di lui i divinatori predicevano che, al primo movimento deciso dal Ministero, avrebbe avuto il foglio di via: a longo era stato capo della squatra politica (che c'era sempre macari se ogni tanto le davano un nome diverso) e oramà sapiva troppe cose. Il carrico da undici era inoltre rappresentato dal suo carattere certo non flessibile e lontanissimo dai compromessi. Insomma ci sono uomini di qualità che, messi in certi posti, risultano inadatti proprio per le loro qualità all'occhi di gente che qualità non ne ha, ma in compenso fa politica. E Alabìso era oramà considerato un inadatto pirchì non taliava in faccia a nisciuno.

Il questore l'arricivitte subito, gli pruì la mano, lo fece assittare. Ma era come distratto, ogni tanto s'imparpagliava mentre parlava e taliava fisso Montalbano. Tutto 'nzemmula sbottò:

«Mi levi una curiosità. Ma noi ci siamo conosciuti?».

«Sì» disse Montalbano.

«Ah, ecco! Mi pareva proprio d'averla già vista! Ci siamo incontrati per servizio?».

«In un certo senso, sì».

«E quando è stato?».

«All'incirca diciassette anni fa».

Il questore lo taliò strammato.

«Ma a quell'epoca lei era un ragazzino!».

«Non precisamente. Avevo diciotto anni».

Il questore visibilmente s'inquartò. Cominciava ad aviri qualichi sospetto.

«Nel '68?» azzardò.

«Sì».

«A Palermo?».

«Sì».

«Io allora ero commissario».

«E io studente universitario».

Si taliarono in silenzio.

«Che le ho fatto?» spiò il questore.

«Mi ha dato un calcio nel sedere. Così forte che mi ha spaccato il fondo dei pantaloni».

«Ah. E lei?».

«Sono riuscito a darle un cazzotto».

«L'ho arrestata?».

«Non ce l'ha fatta. Abbiamo avuto una breve colluttazione, ma io sono riuscito a scappare».

E qui il questore disse una cosa incredibile, a voce tanto vascia che Montalbano pinsò di non aviri capito bene.

«Bei tempi!» sospirò.

A mettersi a ridere per primo fu Montalbano, il questore lo seguì immediatamente. S'arritrovarono abbrazzati in mezzo alla càmmara.

146

Doppo parlarono seriamente. Soprattutto della guerra tra la famiglia Cuffaro e la famiglia Sinagra per il controllo del territorio, guerra che faciva almeno dù morti l'anno per parte. Secondo il questore, le dù famiglie avivano ognuna un santo in paradiso.

«Quale paradiso, mi scusi?».

«Un paradiso parlamentare».

«E sono due onorevoli di partiti diversi?».

«No, dello stesso partito di maggioranza e della stessa corrente. Vede, Montalbano, si tratta di una mia idea. Ma è difficilissima da comprovare».

«Ed è per questa tua idea che ti vogliono fottere» pinsò Montalbano.

«Forse è campata in aria. Chissà» continuò il questore. «Ma ci sono certe coincidenze che... forse varrebbe la pena».

«Mi scusi, ma ne ha parlato con il mio predecessore?».

«No».

Senza spiegazioni.

«E perché invece ne parla con me?».

«Il commissario Sanfilippo è un mio fraterno amico. Mi ha detto di lei quello che c'era da dire».

Ogni matina che dall'albergo si partiva per il commissariato, doviva percorrere in machina, doppo una serie di curve, un rettifilo parallelo alla spiaggia, lunghissima e profonda. Era una zona che si chiamava Marinella. Costruite propio sulla rena c'erano in tutto tre o quattro villette, assai distanti l'una dall'altra. Niente di pretenzioso: nessuna aviva un piano rialzato, si sviluppavano solo in orizzontale, le càmmare dovivano allinearsi l'una appresso all'altra. E tutte con le immancabili gigantesche tanghe sul tetto per la raccolta dell'acqua. In dù di esse le tanghe erano poste invece ai margini di una sorta di terrazzo che faciva da tetto e da solario e al quale si arrivava attraverso una scala esterna in muratura. Ogni villetta aviva inoltre, sul davanti, un piccolo terrazzino indovi la sira si poteva macari mangiare taliando il mare. Ogni volta che ci passava davanti, ci lassava il cori: se arrinisciva a trasire in una di quelle villette, non ne sarebbe nisciuto mai più. Maria, che sogno! Susirisi la matina presto e caminare a ripa di mare! E macari, se il tempo si isava, farisi una longa nuotata!

Montalbano odiava i saloni di barbiere. Quando era costretto ad andarci pirchì i capelli gli arrivavano sulle spalle, quella era una jornata d'umore nìvuro.

«Dove posso farmi tagliare i capelli?» spiò a Fazio una matina col tono di chi domanda dov'è il più vicino ufficio di pompe funebri.

«Il meglio per lei è il salone di Totò Nicotra».

«Che significa il meglio per me? Intendiamoci bene, Fazio. Io non metterò mai piede in un salone tutto specchi e dorature, in una cosa di lusso, io cerco...».

«... un salone discreto, un poco all'antica» concluse Fazio.

«Esatto» confermò Montalbano taliandolo tanticchia ammirato.

«E perciò le dissi Totò Nicotra».

Quel Fazio era uno sbirro vero: gli abbastava picca e nenti per conoscere il dintra e il fora d'una pirsona.

Quanno arrivò al salone di Nicotra, non c'erano clienti. Il varberi era un ultrasissantino mutanghero, tanticchia ammalanconuto. Fino a metà del taglio, non raprì vucca. Doppo s'addecise a spiare:

«Come si trova a Vigàta, commissario?».

Oramà l'accanoscevano tutti. E accussì, parlanno parlanno, vinni a sapìri che uno dei villini di Marinella era vacante in quanto il figlio di Nicotra, Pippino, si era maritato a Novaiorca con una miricana che gli aviva macari procurato un travaglio bono.

«Ma verrà d'estate a passare qua le vacanze!».

«Nonsi. Mi ha già fatto sapìri che la 'stati la passa a Miami. E ti saluto, figlio! E io la fici imbiancari e puliziare ammàtula!».

«Beh, può sempre andarci lei».

«A Miami?!».

«No, dicevo nel villino».

«A mia non mi piaci l'aria di mari. Mè mogliere è di Vicari, la conosce?».

«Sì, è alta».

«Ecco, mè mogliere tiene una casuzza là. Ogni tanto ci andiamo».

Montalbano si sentì acchianari in cori la spiranza. Inserrò l'occhi e si ittò cavaddro e carretto:

«Suo figlio sarebbe disposto ad affittarmela per tutto l'anno?».

«Che ci trase mè figlio? Le chiavi mi dette e mi disse di farinni quello che io voliva».

«Mery, la sai la novità? Ho trovato casa!».
«In paese?».
«No, un poco fuori. Una villetta di tre camere, cucina e bagno. Sulla spiaggia di Marinella, a pochi metri dal mare. Ha un solario e una verandina sul davanti dove la sera si può cenare. Una meraviglia».
«Ci abiti già?».
«No, da dopodomani. Ho telefonato a Mascalippa perché mi mandino le mie cose».
«Ho voglia di vederti».
«Anch'io».
«Senti, sabato prossimo potrei venire a Vigàta nel pomeriggio. E tornare a Catania domenica sera. Che ne dici? Vuoi ospitarmi?».

Il giorno appresso era giovedì. Una bella jornata che lo fece allegro. Trasenno nella sò càmmara al commissariato, vitti sul tavolo una specie di cartolina intestata «Tribunale di Montelusa» e a lui indirizzata. La data era di quinnici jorna avanti. Ci aviva impiegato quinnici jorna a percorrere i sei chilometri che c'erano tra Vigàta e Montelusa. Lo convocavano per il lunedì che veniva, alle ore nove. L'alligria gli passò di colpo, non gli piacìva avìri a chi fari con giudici e avvocati. Che minchia volìvano da lui? Nella cartolina non c'era scritto nenti, salvo la sezione indovi doviva appresentarsi, la terza.

150

«Fazio!».

«Ai comandi, dottore».

Gli pruì la convocazione del tribunale. Fazio la liggì e doppo taliò interrogativo il commissario.

«Puoi vedere di cosa si tratta?».

«Certamente».

Si ripresentò doppo un dù orate.

«Dottore, lei prima di pigliare servizio qua si trovò a passare da queste parti, non è così?».

«Sì» ammise Montalbano.

«E fu presente a una sciarra tra automobilisti?».

Vero era! Se ne era completamente scordato!

«Sì».

«La chiamano a testimoniare».

«Bih, chi camurrìa!».

«Dottore, si vede che lei è un bravo cittadino. E i bravi cittadini che testimoniano in genere vanno incontro a camurrìe. Almeno dalle nostre parti».

Che per caso Fazio lo stava piglianno per il culo?

«Allora sarebbe meglio non testimoniare?».

«Dottore, che domande mi fa? Se devo parlare da poliziotto, testimoniare è un dovere. Se devo parlare da semplice cittadino, dico che è sempre una gran camurrìa».

Fece una pausa.

«E certe volte una camurrìa tira l'altra, come le cirase».

«Ma guarda che si tratta di una stronzata! Per un incidente banale, un prepotente ha rotto il naso a un...».

Fazio isò una mano a interromperlo.

«La facenna la conosco perché me l'ha contata il vigile».

«Quello che ha preso la targa?».

«Sissignore. Mi ha detto che lui aveva pigliato il numero sbagliato e lei glielo ha fatto correggere».

«Embè?».

«Se non era per lei, che era la seconda volta che veniva a Vigàta e che tutti sapevano che era un commissario, quel numero sbagliato era stato scritto giusto».

Montalbano lo taliò 'ntronato.

«Ma che minchia dici?».

«Dottore, il vigile dice che era giusto che quel numero venisse scritto sbagliato».

Montalbano si sentì pigliare dal nirbùso.

«Fazio, tu mi stai facendo un discorso a trasi e nesci. Puoi parlare chiaro, per favore?».

Fazio arrispunnì con una domanda.

«Posso chiudere la porta?».

«Chiudila» assentì Montalbano imparpagliato.

Fazio chiuì la porta e s'assittò supra una delle dù seggie che c'erano davanti alla scrivania.

«Mentre accompagnava l'anziano al pronto soccorso, il vigile ha tentato di persuaderlo a non presentare denunzia. Ma l'anziano, che abita a Caltanissetta, si è incaponito».

«Scusami, Fazio. Ma questo vigile è un frate francescano? Uno che vuole la pace universale?».

«Vuole la pace, questo sì, ma non la pace eterna».

«Fazio, noi due ci conosciamo poco. Ma se entro tre minuti non mi hai spiegato tutto chiaramente io ti piglio per le spalle e ti butto fuori da questo ufficio. E fai rapporto a chi vuoi tu, al sindacato, al questore, al papa!».

Con calma, Fazio infilò una mano in sacchetta, cavò fora un pizzino piegato in quattro, lo spiegò, l'allisciò, liggì.

«Cusumano Giuseppe di Salvatore e di Cuffaro Maria, nato a Vigàta il 18 ottobre del...».

Montalbano l'interruppe.

«Chi è?».

«Quello che ha dato il cazzotto».

«E che me ne fotte delle sue generalità?».

«Dottore, la madre, Cuffaro Maria, è la sorella minore di don Lillino Cuffaro e Giuseppe è il nipotino prediletto del nonno, don Sisìno Cuffaro. Mi spiegai?».

«Perfettamente».

Ora capiva tutto. Il vigile si scantava a mettersi contro il rampollo di una famiglia mafiosa come quella dei Cuffaro e per questo a bella posta aveva trascritto sbagliato il numero di targa. Accussì l'aggressore non si sarebbe mai potuto identificare.

«Va bene, grazie, puoi andare» disse asciutto a Fazio.

Il venerdì a matino fece la valigia, per la verità erano tri e piuttosto granni, le mise in machina, pagò il conto e sinni partì per la sò casa di Marinella. Non gli pariva vero. La sira avanti il varberi Nicotra gli aviva consegnato le chiavi e lui non aviva resistito e ci era passato prima di tornare a dormiri, per l'ultima volta, in albergo. La villetta era ammobigliata in modo decenti, non c'erano mobili pisanti da gattopardi o da emirati arabi, anzi tutto era di un certo gusto. Il telefono era stato già allacciato, si vede che avivano avuto un occhio di riguardo pirchì era un commissario. In cucina il frigorifero, vacante, funzionava. La bombola del gas era nova. Alla verandina, capiente abbastanza per una panchina, dù seggie e un tavolino, si accedeva direttamente da una porta-finestra nella càmmara di mangiari. Tri gradini collegavano la verandina alla spiaggia. Montalbano s'assittò sulla panchina e stette un'orata a godersi l'aria di mari. Si sarebbe volentieri addrummisciuto accussì.

Lassate le valigie, si rimise in machina e andò in commissariato per avvertire Fazio che aviva da fare e che sarebbe tornato nella tarda matinata. In un negozio accattò linzola, fodere di cuscini, asciucamani, tovaglie e tovaglioli; in un supermercato fece incetta di pignate, tagani, taganeddri, posate, piatti, bicchieri e tutto quello che poteva servire. In più s'accattò qualichi cosa di mangiari da tenere in frigo. Quanno si diresse novamenti a Marinella, la sò machina pariva quella di un venditore ambulante. Scarricò tutta la roba e si addunò che mancavano ancora una quantità di cose. Allura si fici un altro viaggio. Arrivò in commissariato che era passato mezzojorno.

«Ci sono novità?» spiò a Fazio che, in attesa dell'arrivo di un vicecommissario, ne aviva provvisoriamente il compito.

«Nessuna. Ah, ha telefonato due volte l'onorevole Torrisi, da Roma. La cercava».

«E chi è questo onorevole Torrisi?».

«Dottore, è uno degli onorevoli eletti qua».

«Quanti sono questi onorevoli?».

«In provincia tanti, ma quelli che hanno raccolto più voti a Vigàta sono due, Torrisi e Vannicò».

«Sono di due partiti diversi?».

«Nonsi, dottore. Sono tutti e due della stessa parrocchia, democristiani».

Sgradevolmente, gli tornarono in testa le parole dette dal questore nel loro unico incontro.

«Ha detto che voleva?».

«No, dottore».

Passò la sirata e parte della nottata a dare una sistemata alla casa, spostando macari qualche mobile. Prima di tornare a Marinella era andato a mangiari alla trattoria San Calogero come oramà regolarmente faciva. Al principio del suo travaglio casalingo si era sintuto perfettamente in forze, ma quanno andò a corcarsi aviva le gambe e la schina spezzate. Dormì un sonno di chiummo, pisante e denso. S'arrisbigliò poco appresso l'alba, si priparò la napoletana, se ne bevve mezza, si mise in costume da bagno, raprì la porta-finestra, andò sulla verandina. Quasi quasi gli venne da chiàngiri: per misi e misi, a Mascalippa, aviva sognato una vista simile. E ora se la poteva godiri a volontà! Scinnì sulla spiaggia, si mise a caminare a ripa di mari.

L'acqua era fridda, non era cosa ancora di farisi il bagno. Ma s'arricreò il corpo e lo spirito. Finalmenti s'addecisi di tornare alla villetta e di pripararisi per la jornata.

Arrivò in commissariato tanticchia tardo, prima di nesciri dalla villetta aviva fatto una specie di ricognizione generale e si era scritta una nota di quello che ancora abbisognava. Doppo era passato da un falignami, indicatogli naturalmente da Fazio, e aviva pigliato con lui un appuntamento per farisi cummigliare una parete intera da scaffalature per i libri che sarebbero arrivati da Mascalippa e per quelli che aviva 'ntinzione d'accattare.

Stava assittato darrè la sò scrivania da un'orata, quanno Fazio s'apprésentò dicenno che c'era l'onorevole Torrisi.

«Passamelo» disse Montalbano sollevando il ricevitore del telefono.

«No, dottore. È di là. Dice che è arrivato iersera da Roma».

Allora ci si era messo di bona gana, l'onorevole, per scassargli i cabasisi!

Non c'erano vie di fuga, l'unica era nesciri dalla finestra a pianoterra. Per un attimo fu tentato, doppo si disse che non era dignitoso. E po' pirchì tutta questa 'ntipatia se manco ancora lo conosceva all'onorevole e non sapiva quello che voliva da lui?

«E va bene, fallo passare».

L'onorevole era un cinquantino corto e grasso, trasandato, un faccione atteggiato al sorriso che non arriniscíva ad ammucciare la taliata gelida e sirpintina dell'occhi. Montalbano si susì e gli andò incontro.

«Carissimo! Carissimo!» fece l'onorevole agguantandogli la mano e agitandogli il vrazzo su e giù con tanta forza che il commissario pinsò di restare con la spalla slogata vita natural durante.

Lo fece assittare in una delle dù poltrone di una specie di salottino che c'era in un angolo della càmmara.

«Prende qualcosa?».

«Niente! Niente! Non posso pigliare niente per ancora due mesi: ho fatto un fioretto alla Madonna. Sono passato solo per conoscerla e scambiare qualche parola con lei. Sa, qua a Vigàta ho raccolto una larga messe di voti e sento come mio dovere morale...».

«Anche l'onorevole Vannicò è andato bene da queste parti» l'interruppe Montalbano carognescamente, facendo però una faccia di fissa nato e inguaribile.

L'atmosfera cangiò, parse che sul soffitto si formasse una lastra di ghiaccio.

«Beh, sì, anche Vannicò...» ammise a mezza vuci Torrisi.

E po' improvvisamente preoccupato:

«L'ha già conosciuto?».

«Non ho avuto ancora il piacere».

Torrisi parse più sollevato.

«Sa, commissario, io mi occupo molto dei problemi, del disagio dei giovani d'oggi. E devo constatare con dispiacere, con rammarico, che anche qua a Vigàta le cose non vanno al riguardo tanto bene. Sa cosa manca?».

«No. Che manca?» spiò il commissario con la faccia di chi aspetta una rivelazione che gli cangi la vita.

«Questo» fece l'onorevole toccandosi con la punta dell'indice il lobo dell'orecchia destra.

Montalbano strammò. Che veniva a dire? Che bisognava diventare froci per capire il disagio giovanile?

«Mi scusi, onorevole, ma mi sfugge quello che manca».

«L'orecchio, carissimo. Noi non ascoltiamo, non porgiamo orecchio alle voci dei giovani. Per esempio, siamo portati a giudicarli affrettatamente e irrevocabilmente per qualche gesto magari sbagliato che compiono...».

Fiat lux e la luce fu! In un lampo, Montalbano capì lo scopo della visita dell'onorevole, indovi voleva andare a parare.

«E questo è un errore» disse facendo un'ariata severa mentre dintra di sé se la scialava.

«Un gravissimo errore!» rincarò l'onorevole cascandoci vistuto com'era. «Vedo che lei, commissario, è uno che capisce! Certamente è stato il Signore a mandarla qua!».

L'onorevole parlò per una mezzorata, tenendosi sempre sulle generali. Ma 'u sucu del suo sottodiscorso fu: nella testimonianza che farai in tribunale, cerca di non calcare troppo la mano. Cerca di capire il disagio di un giovane macari quanno è ricco, macari quanno appartiene a una famiglia potente, macari quanno spacca la faccia a un vecchio. La famiglia Cuffaro aviva mandato il suo ambasciatore plenipotenziario. Si vede che l'altro onorevole, Vannicò, era il plenipotenziario della famiglia Sinagra. Il questore aviva visto giusto.

L'umore malo che gli era vinuto per la visita dell'onorevole gli passò alle quattro di doppopranzo, quanno arrivò Mery. La quale purtroppo domenica sira sinni dovette tornare a Catania, ma aviva avuto bastevole tempo per arrizzittare la villetta e l'animo (e il corpo) del commissario.

158

Quattro

Naturalmente l'umore malo gli tornò lunedì matina, appena arrisbigliatosi, all'idea di dovirisi prisintari in tribunale. Una volta aviva canusciuto una pirsona che faciva il sovrintendente alle antichità: ebbene, questa pirsona pativa un male scògnito, vale a dire che i musei gli facivano scanto, da solo non ci arrinisciva a stari, la vista di una statua greca o romana a momenti lo faciva sveniri. Lui non arrivava a tanto, ma aviri a chi fari con judici e avvocati era cosa che gli faciva viniri il nirbùso. Manco la passiata a ripa di mari lo sbariò.

A Montelusa ci andò con la sò machina e per dù ragioni. La prima era che s'apprisentava in tribunale non come commissario ma come privato cittadino e quindi farisi accompagnare dalla machina di servizio era un abuso. La seconda era che l'autista del commissariato addetto alla guida della machina, quanno ci acchianava lui, era un agente simpatico, che di nome faciva Gallo, ma che caminava su ogni strata, macari sulla più spersa trazzera di campagna, come se s'attrovasse sulla pista d'Indianapolis.

Nel tribunale di Montelusa non aviva mai avuto occasione d'andarci. Era un palazzone di quattro piani, sgraziato ed enorme, dintra al quale si trasiva da un grande portone. Superato il portone, c'era una specie di breve corridoio dal soffitto altissimo, affollato di pirsone vocianti che pariva un mercato. A mano manca ci stava il posto di guardia dei carrabinera, a mano dritta una càmmara piuttosto nica supra la quale c'era scritto «Ufficio informazioni». Qui, a fare confuse domande e a ricevere altrettanto confuse risposte dall'unico impiegato c'erano cinque òmini prima di lui. Montalbano aspittò il turno sò e po' mostrò la convocazione all'addetto. Quello la pigliò, la taliò, consultò un registro, taliò nuovamente la cartolina, riconsultò il registro, isò l'occhi sul commissario e finalmente disse:

«Dovrebbe essere al terzo piano, aula cinque».

Pirchì quel «dovrebbe»? Forse in quel tribunale si tenevano udienze mobili, macari su pattini a rotelle? Oppure perché l'impiegato era pirsuaso che niente fosse certo nella vita?

E fu allora, niscenno dall'ufficio informazioni, che la vitti per la prima volta. Una sidicina, un'adolescente che portava un vistito di cotonina da quattro soldi e in mano tiniva una grossa borsa a sacco consunta dall'uso.

Stava appuiata al muro allato al posto di guardia dei carrabinera. E non si poteva non taliarla per i grandissimi occhi nìvuri, sbarracati e fissi sul nulla, e per il contrasto tra il viso ancora quasi da picciliddra e le forme del corpo già aggressive e piene. Non si cataminava, pariva una statua. Il corridoio d'ingresso portava a un vasto cortile-giardino molto curato. Ma come si faciva ad arrivare al terzo piano? Montalbano vitti un gruppo di pirsone sul lato manco e si avvicinò. C'era un ascensore. Ma allato, scritto a pennarello su un foglio di carta impicciccato al muro, ci stava un avvertimento: «L'ascensore è riservato ai signori giudici e avvocati». Montalbano si spiò quanti fossero giudici e avvocati tra la quarantina di pirsone che aspittavano l'arrivo dell'ascensore. E quanti gli sperti che si fingevano giudici e avvocati. Decise d'iscriversi alla seconda categoria. Ma l'ascensore non arrivava e la gente cominciò a murmuriare. Doppo, un tale s'affacciò da una finestra del secondo piano.

«L'ascensuri si ruppi».

Santianno, lamentiannosi, gastimiando, tutti si dirossero verso un'alta arcata attraverso la quale si vidiva l'inizio di una scala larga e commoda. Il commissario se la fece fino al terzo piano. La porta dell'aula cinque era aperta e dintra non c'era nisciuno. Montalbano taliò il ralogio, erano già le novi e deci. Possibile che tutti erano in ritardo? Gli venne un sospetto e cioè che l'addetto alle informazioni aviva ragione ad essere dubitoso e che l'udienza forse si stava tenendo in un'altra aula. Il corridoio era affollatissimo, le porte si raprivano e si chiuivano in continuazioni, arrivavano folate d'eloquenza avvocatisca. Passato un quarto d'ora s'addecise di spiare a uno che passava ammuttando un carrello sovraccarico di faldoni e carpette.

«Scusi, mi sa dire...».

E gli pruì la cartolina. L'altro la taliò, la restituì a Montalbano e ripigliò a caminare.

161

«Non ha visto l'avviso?» spiò.

«No. Dove?» fece il commissario andandogli appresso a passettini.

«Nella bacheca. L'udienza è rimandata».

«A quando?».

«A domani. Forse».

In quel palazzo regnavano evidentemente non ferree certezze. Scinnì le scale, rifece la fila all'ufficio informazioni.

«Non lo sapeva che l'udienza all'aula cinque è stata rinviata?».

«Ah, sì? E a quando?» s'informò l'addetto all'ufficio informazioni.

E la rivitti per la seconda volta. Era passata circa un'orata e la picciotta era esattamente nella stessa posizione di prima. Doviva aspittare qualichiduno, certo, ma quell'immobilità era quasi innaturale, mittiva a disagio. Per un momento Montalbano fu tentato di avvicinarla e di spiarle se aviva bisogno di qualichi cosa. Ma ci ripensò e niscì dal tribunale.

Appena arrivato in commissariato l'avvisarono che avivano telefonato da Mascalippa che il camioncino con le casse della robba sarebbe arrivato a Marinella alle cinque e mezza del doppopranzo. Naturalmente fece in modo di essere a Marinella alle cinque e un quarto, ma il camioncino portò dù ore di ritardo, arrivò che già scurava. Per di più l'autista si era fatto male a un vrazzo e quindi non era in condizione di scaricare le casse. Santianno come un turco, Montalbano se le incollò una appresso l'altra e alla fine s'arritrovò con una spalla slogata e una fitta d'ernia bilaterale. In compenso, l'autista pretese diecimila lire di mancia, non si sa bene a che titolo, forse come risarcimento morale per essere stato impossibilitato allo scarrico. Montalbano raprì solo una cascia, quella che conteneva il televisore. Nell'appartamento c'era già la presa dell'antenna ch'era installata sul tetto-solario, la collegò e addrumò, sintonizzandosi sul primo canale. Niente, pagliuzze bianche e una rumorata di friggitoria. Cercò gli altri canali, variava solo la quantità di pagliuzze e certe volte la friggitoria addivintava risacca o altoforno. Allora acchianò sul tetto-solario e si addunò che l'antenna era stata spostata, forse da qualche colpo di vento. Faticando, arriniscì a girarla tanticchia. Quindi scinnì di cursa a taliare il televisore: ora le pagliuzze si erano cangiate in ectoplasmi, fantasmi in una friggitoria. Facendo zapping disperatamente, finalmente vitti chiara la faccia di uno speaker. Parlava arabo. Astutò la televisione e si andò ad assittare sulla verandina per farsi passare il nirbùso. Doppo decise di mangiare qualcosa, il pane scongelato l'infilò in forno per quadiarlo, e doppo si mangiò una scatola di tonno di Favignana con oglio e limone.

Pinsò che doviva assolutamente trovare qualichi fìmmina per tenere in ordine la casa, puliziare la biancheria e fargli da mangiare. Ora che aviva casa, non potiva arrangiare sempre da solo. Corcatosi, scoprì che non aviva nenti da leggere. Tutti i sò libra stavano in due casse ancora chiuse, le più pesanti. Si susì, raprì la prima cassa e, naturalmente, non trovò quello che circava, il romanzo giallo di un francisi che si chiamava Magnan, intitolato *Il sangue degli Atridi*. L'aviva già liggiuto, ma gli piaciva per come era scritto. Raprì macari la seconda cassa. Il libro era propio in funno in funno. Taliò la copertina e lo posò in cima all'ultima pila: gli era pigliata una gran botta di sonno.

Arrivò tanticchia in ritardo, le nove e deci, pirchì non era arrinisciuto a trovare un posto per parcheggiare. Lei era lì, lo stisso vistito di cotonina, la stissa borsa, lo stisso sguardo sperso nei grandi occhi nìvuri. Esattamente indovi l'aviva già vista dù volte, né un centimetro in più a dritta né un centimetro in meno a manca. Come uno di quelli che addimannano la limosina, che si scelgono un luogo d'elezione e lì stanno fino a quanno morino o qualichiduno non li porta in un ricovero. 'Stati o 'nvernu li vedi sempre lì. E macari lei addimannava qualichi cosa, la limosina no, questo era evidente, ma che cosa? Sulla porta dell'ascensore ci stava impiccicato un foglio a pennarello: «rotto». Acchianò i tre piani e quanno trasì nell'aula nummaro cinco, che era una càmmara chiuttosto nica, la trovò china di gente. Nisciuno gli spiò chi era e che veniva a fare.

S'assittò nell'ultima fila, allato a un tipo rosso di capelli che aviva in mano un quaterno e una pinna biro e che ogni tanto pigliava appunti.

«È da molto che è incominciato?» gli spiò.

«Il sipario si è alzato da dieci minuti. Sta recitando l'accusa».

Che modo retorico d'esprimersi! Sipario! Recitare! Eppure, dall'aspetto, l'omo pariva un tipo concreto e asciutto.

«Scusi, perché ha detto che il sipario si è alzato? Non siamo a teatro».

«Non lo siamo? Ma questo è tutto un teatro! Da dove viene lei, dalla luna?».

«Montalbano mi chiamo. Sono il nuovo commissario di Vigàta».

«Piacere. Mi chiamo Zito e sono un giornalista. Ascolti l'accusa, la prego, e poi mi dirà se è teatro o no».

Doppo una decina di minuti che quel signore con la toga parlava, al commissario venne un dubbio.

«Ma lei è sicuro che sia il Pubblico ministero?».

«Che le dicevo?» fece, trionfante, il giornalista Zito.

L'accusa aviva parlato preciso 'ntifico come se era la difesa. Aviva sostenuto che l'aggressione da parte di Cusumano Giuseppe c'era stata, è vero, ma bisognava considerare il particolare stato emotivo del giovane e il fatto che l'aggredito, il signor Melluso Gaspare, scendendo dalla macchina, aveva dato del cornuto al Cusumano. Domandò il minimo della pena e una caterva di attenuanti. A questo punto venne chiamata la guardia comunale.

Ma come si svolgeva quel processo? Quale ordine seguiva? La guardia disse di non avere visto praticamente niente perché era intento a parlare con dù cani randagi che gli facivano simpatia. Si era addunato della cosa quanno il Melluso era caduto a terra. Aviva pigliato il numero di targa della macchina che poi era risultata di proprietà del Cusumano e quindi aviva accompagnato al pronto soccorso il Melluso. A domanda del difensore, che altri non era che l'onorevole Torrisi, ammise di aver sentito distintamente la parola «cornuto» aleggiare da quelle parti, ma in coscienza non era in grado di dire da chi era stata detta. Con sua somma sorpresa, Montalbano si sentì chiamare. Finito il rituale delle generalità e dell'assicurazione di dire la verità, s'assittò ma, prima che potesse raprire vucca, si sentì rivolgere una domanda dall'onorevole Torrisi:

«Lei naturalmente ha udito il Melluso dare del cornuto al Cusumano?».

«No».

«No? Come no? Ma se quella parola l'ha udita la guardia comunale che si trovava assai più distante da lei!».

«La guardia l'ha sentita e io no».

«Ha l'udito debole, dottor Montalbano? Ha sofferto di otite da piccolo?».

Il commissario non arrispunnì e venne immediatamente licenziato. Poteva andarsene, ma volle ascutare l'arringa dell'onorevole. E fece bene, pirchì ebbe la rivelazione del «particolare stato emotivo» del picciotto. Dunque, tri anni avanti il Cusumano si era maritato con l'amata zita Lo Cascio Mariannina. Ebbene, alla nisciuta della chiesa, propio sul sagrato, era stato ammanettato da dù carrabinera per una cunnanna passata in giudicato. Insomma, quel fatale jorno della sciarra col Melluso, il Cusumano era appena nisciuto dal carcere e stava letteralmente volando tra le braccia della sua

166

sposina per consumare quel matrimonio che fino ad allora era stato solo «rato». Al sentirsi dare del cornuto, il giovane, che ancora non aveva colto il fiore che la Lo Cascio Mariannina aveva solo a lui dedicato...

E qui Montalbano, che non ne poteva più, e si tratteneva a malappena dal mettersi a vummitare, salutò il giornalista Zito e sinni niscì. Tanto, era sicuro che Cusumano se la sarebbe scapolata e che era grasso che colava se al suo posto non andava in càrzaro Melluso.

All'imbocco del corridoio che portava all'uscita, si bloccò. La picciotta si era spostata di dù passi in avanti e parlava con un quarantino sicco e capelluto, vistuto alla sanfasò, con un cravattino di quelli che usano solo certi avvocati. Il quarantino scosse la testa facendo 'nzinga di no e si diresse verso il giardino. La picciotta tornò al solito posto, alla solita immobilità. Montalbano le passò davanti, si trovò fora dal palazzo. Era inutile farsi domande, spirciarsi la testa sul pirchì e sul pircome, certamente quella picciotta non avrebbe avuto più modo d'incontrarla. E quindi tanto valiva scordarsela.

Ammàtula tentò di far partire la machina per tornarsene a Vigàta. Provò e riprovò, ma non ci fu verso. Che fare? Chiamare il commissariato e farsi veniri a pigliari? No, la facenna per la quali s'attrovava a Montelusa era facenna privata. S'arricordò che sulla strata del tribunale aviva visto un'autofficina. Ci andò a pedi e spiegò al capofficina la situazione. Questi fu gentile assà e fece accompagnare il commissario da un meccanico. Esaminato il motore, il meccanico diagnosticò un guasto al circuito elettrico. Nel tardo pomeriggio, e non prima, poteva passare dall'officina e ripigliarsela riparata. Montalbano gli consegnò le chiavi.

«C'è un autobus per Vigàta?».

«Sì. Parte dal piazzale della stazione».

Si fece una lunga caminata, fortunatamente tutta in discesa, per il corso e, arrivato al piazzale, dal tabellone degli orari apprese che un autobus era già partito, il prossimo ci sarebbe stato un'orata appresso.

Tambasiò lungo un viale alberato dal quale si vidiva nella sua interezza la Valle dei Templi e, in fondo, la linea del mare. Tutt'altra cosa dei paesaggi quasi svizzeri di Mascalippa! Quanno tornò nel piazzale della stazione vitti che c'era un autobus fermo, su una fiancata la scritta: «Montelusa-Vigàta».

Le portiere erano aperte. Acchianò da quella di davanti e sul primo gradino, dal quale si potiva vidiri l'interno, si fermò. A fermarlo non fu il fatto che l'autobus fosse vacante ad eccezione di una passeggera, ma che quella passeggera era propio la picciotta del tribunale.

Si era assittata in uno dei dù posti darrè all'autista, quello più vicino al finestrino, ma non taliava fora, taliava fisso davanti a sé e manco parse addunarsi della presenza di un passeggero che stava fermo sulla scaletta. Infatti Montalbano si stava spiando se non era il caso di ricorrere a una provocazione per cangiare in effettiva presenza la presenza-assenza della picciotta, vale a dire andare ad assittarsi nel sedile allato a lei, quando nell'autobus c'erano quarantanove posti liberi.

Ma che motivo aviva per agire accussì? Che faciva quella di malo? Nenti, faciva. E allura?

Acchianò e si andò ad assittare in uno dei dù posti ch'erano sulla stessa linea di quelli darrè all'autista: macari se di profilo, potiva continuare a vidiri la faccia della picciotta. Immobile, lei tiniva la borsa, appuiata sulle ginocchia, con le dù mano.

L'autista andò a pigliare posto, addrumò il motore. E proprio in quel momento si sentì un vocìo:

«Ferma! Ferma!».

Una quarantina e passa di giappunisi, tutti con gli occhiali, tutti sorridenti, tutti con la machina fotografica a tracolla, preceduti da un'affannata guida, andarono all'arrembaggio dell'autobus e occuparono tutti i posti vacanti.

Però nessun giappunisi s'assittò né allato a Montalbano né allato alla picciotta. L'autobus partì.

Alla prima firmata non ci furono scinnute e non ci furono acchianate. I giappunisi si contendevano i finestrini per scattare le foto in una guerra senza esclusione di colpi fatta con le armi di una cortesia letale. Alla secunna firmata, l'autista dovette isarisi dal suo sedile per aiutare una coppia di quasi centenari ad acchianare.

«Lei si segga qua» intimò l'autista a Montalbano indicandogli il posto allato alla picciotta.

Il commissario obbedì e i dù vecchi poterono accussì assittarsi l'uno vicino all'altra e compatirsi a vicenda.

La picciotta non si era spostata pi nenti, Montalbano, nel pigliare posto, dovette di necessità sfiorarle la gamba, ma lei non reagì al contatto, semplicemente

169

la lasciò dov'era. Impacciato, il commissario orientò il suo corpo verso il corridoio centrale.

Con la coda dell'occhio le taliò le minne sode che s'alzavano e s'abbassavano sutta al vestitino di cotone al ritmo del respiro, e su quel movimento sintonizzò l'udito. Era un trucco che gli aviva insegnato il commissario Sanfilippo: arrinèsciri a percepire un rumore accordando l'udito alla vista. E infatti, lentamente, supra al parlottìo dei giappunisi, supra al rumore del motore, cominciò a percepire sempre più nitido il respiro di lei. Che era lungo e regolare, quasi una sciatata da sonno. Ma come accordare quel respiro alla domanda disperata, sì, disperata, che si leggeva nei sò occhi? Le mano che tenevano ferma la borsa avevano dita lunghe, affusolate, eleganti, ma erano di pelle martoriata da travagli pisanti di campagna; le unghie qua e là spezzate avivano ancora tracce di smalto rosso. Era evidente che la picciotta da qualichi tempo si trascurava. E un'altra cosa notò il commissario, un'altra contraddizione all'apparente compostezza di lei: il pollice della mano dritta ogni tanto si metteva a trimare senza che la picciotta se ne rendesse conto.

Alla firmata dei templi la comitiva giappunisa rumorosamente scinnì. Il commissario avrebbe potuto cangiare di posto, mettersi più commodo, ma non si cataminò. Passato di picca il cartello stratale che indicava il comincio del territorio di Vigàta, la picciotta si susì addritta.

Stava tanticchia curva per non sbattere con la testa contro la reticella portabagagli. Evidentemente doviva scinniri, ma restò a taliare Montalbano senza domandargli primisso, senza raprire vucca. Il commissario ebbe la sensazione che la picciotta lo taliasse non come un omo, ma come un oggetto, un indefinito ostacolo. Ma indovi aviva la testa?

«Vuole passare?».

La picciotta non disse né sì né no. Allura Montalbano si susì e si spostò nel corridoio per farle spazio. Lei arrivò all'altizza dei gradini e lì si fermò, una mano a tenere la borsa, l'altra a reggersi alla sbarra metallica che correva davanti ai dù posti indovi stava assittata la coppia d'anziani.

Fatti pochi metri, l'autista fermò, azionò la porta automatica, la picciotta scinnì.

«Un momento!» fece Montalbano a voce accussì acuta che l'autista si voltò a taliarlo sorpreso. «Non chiuda, devo scendere».

La decisione l'aviva pigliata improvisa. Ma che minchiata stava facenno? Pirchì si era accussì fissato? Si taliò torno torno, era alla periferia vecchia di Vigàta indovi non sorgevano palazzi novi o grattacieli nani, c'erano solo case sdirrupate o che ancora si reggevano addritta sostenute da travi, case abitate da gente che campava poveramente non col porto o con traffici cittadini, ma coltivando ancora la campagna stenta del retroterra del paìsi.

La picciotta era davanti a lui. Caminava con lintizza, quasi che non aviva gana di tornare. Ora tiniva la testa vascia, pariva che taliasse attentamente la terra sulla quale posava i pedi. Ma la vidiva la terra che taliava? Che cosa vidivano realmenti l'occhi sò?

La picciotta svoltò a mano dritta, imboccando una specie di vicolo che di notti doviva essere una scenografia ideale per una pellicola di fantasimi. Da un lato una fila di magazzini senza porte, i tetti sfondati; dall'altro una serie di casuzze disabitate e agonizzanti. Non passava, letteralmente, manco un cane.

«Ma che sto a fare qua?» si spiò il commissario come arrisbigliandosi da un sogno tinto.

E fece per tornare. Propio in quel momento però la picciotta variò, parse perdere l'equilibrio, lasciò cadiri la borsetta, fu costretta ad appuiarsi al muro di una casa. In prima, il commissario non seppe che fare. Ma subito doppo gli parse chiaro che la picciotta doviva aviri avuto un giramento di testa o qualichi cosa di simile, non aviva né truppicato né era inciampata contro una petra. Comunque era bisognevole d'aiuto e il suo intervento ora era più che giustificato. Le si avvicinò.

«Si sente male?».

L'urlo altissimo che fece la picciotta a sèntiri la sò vuci fu accussì improviso e lacerante che Montalbano, pigliato alla sprovista, fece un salto narrè, scantato. La picciotta non l'aviva sintuto arrivare e le sue parole l'avevano riportata di colpo alla realtà. Ora taliava Montalbano con l'occhi sbarracati e lo vidiva per quello che era, un omo, uno sconosciuto che le aviva appena detto qualichi cosa.

«Si sente male?» ripeté il commissario.

La picciotta non arrispunnì. Principiò a calarsi in avanti, come al rallentatore, il vrazzo stiso, la mano aperta a ripigliare la borsa da terra.

Montalbano fu più lesto di lei, affirrò la borsa per primo. La sò 'ntinzioni era quella di fari un gesto di cortesia, perciò strammò alla reazione della picciotta che, stavolta usando le dù mano, cercò di strappargliela via.

Istintivamente, Montalbano la trattenne con forza. La picciotta incrociò i sò occhi ed egli vi liggì una disperazione addirittura sarbaggia. Per tanticchia stettiro a fari un assurdo, ridicolo tira e molla senza parole. Po', com'era prevedibile, la cucitura laterale della borsa si spaccò e tutto quello che c'era dintra cadì 'n terra. Un oggetto assà pisante colpì il dito grosso del pedi mancino del commissario che calò la testa a taliare. Intravide un grosso revorbaro, ma la picciotta, che era addivintata velocissima nei movimenti, arrivò prima a pigliarlo. Montalbano le agguantò il polso, glielo turcì, ma il revorbaro restò saldo in mano alla picciotta. Allura il commissario, con tutto il piso del corpo, la spinse contro il muro, ve la impiccicò, in modo che la mano con il revorbaro e la sò mano che le teneva il polso si venissero a trovare strette tra il muro e la schina della fìmmina. La picciotta reagì con la mano libera, graffiando la faccia di Montalbano. Il commissario arrinscì a pigliarle macari questa per il polso e la tenne alta forzandola contro il muro. Ansimavano tutti e dù come amanti che facivano l'amuri, Montalbano con la parte vascia del corpo tra le gambe divaricate della picciotta premeva forte il ventre di lei, il petto di lei, e l'odore tanticchia asprigno del suo sudore non era pi nenti spiacevole, macari in quella situazione. Che pareva senza vie d'uscita. Tutto 'nzemmula il commissario sentì alle sue spalle una rumorata di freni e una vuci che gridava:

«Fermati, porcu! Polizia! Lascia la picciotta!».

E si rese conto che quel poliziotto credeva di stare assistendo a una violenza carnale, a uno stupro. Era un equivoco più che giustificato. Voltò appena la testa e riconobbe uno dei sò òmini, l'agente Galluzzo. Macari Galluzzo l'arriconobbe e si pietrificò.

«Co... co... co...» balbettò.

Voliva dire commissario e invece faciva il verso della gallina.

«Aiutami, è armata!» ansimò Montalbano.

Galluzzo era omo di pronte decisioni. Senza dire ai né bai, mollò un cazzotto sul mento della picciotta. La quale chiuì l'occhi e sciddricò, sbinuta, lungo il muro. Montalbano la scostò con dilicatizza, ma fece fatica a impadronirsi del revorbaro. Le dita della picciotta s'arrefutavano di lassare l'arma.

Cinque

La carta d'identità, caduta 'n terra con le altre cose ch'erano nella borsa, dichiarava senza possibilità di dubbio che Rosanna Monaco, di Gerlando e di Marullo Concetta, abitante in Vigàta, via Fornace 37, era da appena qualichi misi maggiorenne. La carta era nova nova, segno che la picciotta se l'era fatta nesciri quanno era arrivata alla maggiore età. Di fronte alla liggi quindi pienamente responsabile delle sò azioni. Stava assittata sulla seggia davanti alla scrivania del commissario, la testa calata a taliare il pavimento, le vrazza a pinnuluni, e da dù ore non c'era verso di farle raprire vucca.

«Mi dici di chi è il revolver?».

«Ce l'avevi per difesa?».

«Da chi volevi difenderti?».

«Ce l'avevi per sparare a qualcuno?».

«A chi volevi sparare?».

«Perché t'appostavi all'ingresso del tribunale?».

«Aspettavi qualcuno?».

Nenti. Doppo la forza, l'agilità, la sviltizza ritrovate all'improvviso durante quella silenziosa colluttazione che a Montalbano, a tratti, era parsa un intenso rapporto amoroso, ora era tornata a quella specie di tor-

175

mentata impassibilità che aviva suscitato la curiosità del commissario fin dalla prima volta che l'aviva veduta. Sì, lo sapiva benissimo Montalbano che «tormentata impassibilità» era un ossimoro cretino, ma non trovava altre parole per definire quello che gli faciva veniri in mente l'atteggiamento di Rosanna.

S'arrisolse, non potivano andare avanti in questo modo.

«Mettila in sicurezza» ordinò a Galluzzo ch'era alla machina da scrivere per il verbale e che era arrinisciuto a battere solo la data. «E portale qualcosa da mangiare e da bere».

E doppo, isando la vuci:

«Io vado a parlare coi suoi genitori».

L'aviva fatto apposta a dire apertamente la sò 'ntinzioni, ma la picciotta manco parse avirlo sintuto. Prima di lasciare il commissariato, si fece spiegare da Fazio dov'era la via Fornace, gli disse di fare alcune cose, niscì, si mise in machina e partì.

La via era la secunna a dritta doppo quella dov'era successa la facenna del revorbaro. Non era asfaltata, s'appresentava già come una trazzera. Il nummaro 37 era una casa a un piano con allato un magazzino tanticchia più granni di un canile, però era meno sdirrupata delle altre. La porta della casa non era chiusa, via via che s'avvicinava Montalbano sentiva uno scomposto vociare. Dalla soglia gli parse di trovarsi davanti a qualichi cosa di mezzo tra l'asilo infantile e la scola elementari. Là dintra c'erano una mezza dozzina di picciliddri, andavano da un anno ai sette.

Una fìmmina d'età indefinibile, che tiniva in vrazzo un neonato, era ai fornelli di una cucina a legna. Non si vidiva un telefono, non si vidiva un frigorifero, non si vidiva un televisore. Ma non si trattava di povertà, pirchì i picciliddri erano vistuti boni e dal soffitto pinnivano caci e salami, doviva trattarsi d'arretratezza, di una mentalità che si trincerava nell'ignoranza.

«Chi voli?» spiò la fìmmina.

«Montalbano sono, commissario di pubblica sicurezza. C'è suo marito?».

«Chi voli da mè maritu?».

«C'è o non c'è?».

«Nonsi, non c'è. È 'n campagna a travagliari, cu i figli granni».

«E quando torna?».

«Stasira, alla scurata».

«Lei è la signora Concetta Marullo?».

«Sissignura».

«Ha una figlia di nome Rosanna?».

«Ho chista disgrazia».

«Senta, abbiamo fermato sua figlia perché...».

«Minni futtu».

«Non ho capito».

«E iu ci l'arripetu: minni futtu. Pi mia putiti arristarla, 'ncarzararla, mannarla alla furca...».

«Abita qua con voi?».

«Nonsi, tri anni narrè la ittai fora di casa».

«Perché?».

«Pirchì è una svrigugnata».

«Perché dice che è una svergognata? Che ha fatto?».

177

«Chiddru ca fici, fici».

«E sa dove abita adesso?».

«Ccà allatu. Mè maritu, c'havi 'u cori bonu, ci desi 'u purcili pi durmiricci. E iddra ci si trova beni, pirchì 'u purcili è la vera casa sò».

«Potrei vederlo?».

«'U purcili? Certu. La porta unn'è chiusa».

«Senta, sa se sua figlia ha motivi di rancore verso qualcuno?».

«Chi minchia nni sacciu, iu? Ci dissi ca sunnu anni ca nun la praticu. Nun sacciu nenti».

«Un'ultima domanda: suo marito possiede un'arma?».

«Chi arma?».

«Un revolver».

«Babbìa? Mè maritu havi sulu un cuteddru pi tagliarisi 'u pani».

«Appena torna, dica a suo marito di venire in commissariato».

«Vidissi ca torna tardo e stanco».

«Mi dispiace, l'aspetterò».

Niscì con un principio di malo di testa, tutto il dialogo si era svolto a voce alta per sovrastare il bordello che faciva l'asilo infantile.

Il porcile, Rosanna l'aviva ripulito bene e qualichiduno aviva dato una passata di bianco alle pareti. A stento ci capevano una brandina, un tavolinetto, dù seggie. A taliarla da un'altra prospettiva, potiva macari essiri la cella di un convento di francescani. La cucina consisteva in un fornello a mattoni traforati. Per lavarsi, Rosanna adoperava una bacinella posata sul tavolino, l'acqua la pigliava da un pozzo poco distante che Montalbano aviva intravisto. Uno spago teso da una parete all'altra faciva da armuàr: c'erano appinnuti dù vistia e un cappotto rivoltato. La biancheria era supra una seggia. Tutto di un'estrema povertà, ma pulitissimo. Non una foto, non un giornale, non un libro. Cercò, invano e a lungo, una littra, un pizzino, qualichi cosa di scritto.

Tornò in commissariato più confuso che pirsuaso.

«Ho fatto quello che mi ha domandato» disse Fazio appena lo vitti trasire, seguendolo in ufficio.

«Embè?».

«Dunque» fece Fazio tirando fora dalla sacchetta un pezzo di carta sul quale di tanto in tanto gettava una taliata, «il padre, Monaco Gerlando, fu Giacomo e fu La Stella Elvira, nato a Vigàta il...».

«Scusami, Fazio» l'interruppe Montalbano, «ma perché mi conti queste cose?».

«Quali cose?» spiò imparpagliato Fazio.

«Paternità, maternità... che me ne fotte? Io ti avevo domandato di vedere se il padre di Rosanna è incensurato e che dicono di lui in paese. Punto e basta».

«È incensurato» rispunnì sostenuto Fazio rimettendosi in sacchetta il pezzo di carta, «e in paese, quei pochi che l'hanno conosciuto, dicono che è una brava persona».

«Ha altri figli grandi?».

Fazio fece per ritirare fora il pezzo di carta, ma venne fulminato da un'occhiatazza del commissario.

«Due. Giacomo di anni ventuno e Filippo di anni venti. Lavorano con lui in campagna. Macari loro sono nominati per bravi picciotti».

«Insomma, l'unica che ha dirazzato pare sia Rosanna».

E gli contò che la madre la giudicava una svrigugnata e che la facivano dormiri in un ex porcile.

«Comunque stasera passa da qui suo padre e cercheremo di saperne di più. Sai se ha mangiato?».

«Galluzzo le ha accattato un panino. Non l'ha toccato. E non ha manco bevuto una goccia d'acqua».

«Prima o poi» disse Montalbano «crollerà e si deciderà a mangiare e a bere. E quindi a parlare».

«A proposito del revolver...» principiò Fazio.

«Hai scoperto qualcosa?».

«Dottore, c'era picca da scoprire. È una Cobra, un'arma che non sgherza. Miricana. Non solo, ma la matricola è stata abrasa».

«Insomma, mi stai dicendo che è un'arma da delinquenti».

«Esatto, dottore».

«E quindi qualcuno l'ha data a Rosanna perché sparasse a qualcuno».

«Esatto, dottore».

«Ma chi è questo qualcuno?».

«Boh».

«E a chi doveva sparare?».

«Boh».

«Fazio, dovresti cercare di sapere tutto quello che è possibile sapere su questa picciotta».

«Non sarà facile, dottore. A quanto ho capito, si tratta di una famiglia isolata dal resto del paìsi. Non hanno amicizie, solo conoscenti».

«Tu provaci lo stesso. Ah, un'altra cosa. Manda qualcuno dei nostri a dire alla madre della picciotta che faccia avere un po' di biancheria di ricambio a sua figlia. La dia al marito quando viene qua».

Andò a taliare dallo spioncino della càmmara di sicurezza. Rosanna stava addritta, la fronti appuiata al muro. Il panino era intatto, il bicchieri d'acqua macari. Era un problema. Chiamò Galluzzo.

«Senti, ti ha domandato di andare a gabinetto?».

«No, dottore. Sono stato io a domandarglielo e lei non mi ha neppure risposto. Dottore, secondo mia...».

«Secondo te?».

«Secondo mia sta facendo i capricci».

«I capricci?».

«Sissi, dottore. Il corpo è quello di una fìmmina fatta, sulla carta è maggiorenne, ma deve avere la testa di una picciliddra».

«Una ritardata?».

«Nonsi, dottore. Una picciliddra. È arrabbiata perché lei le ha impedito di fare quello che aveva in mente».

A Montalbano balenò un'idea assolutamente da pazzo.

«Fammi entrare nella sicurezza. Poi apri la porta del gabinetto e la tieni aperta».

Trasì nella cella. Lei stava sempre con la fronti appuiata al muro. Le si mise allato e urlò con tutto il sciato dei sò polmoni che parse uno di quei sergenti dei marines che si vidino nelle pellicole miricane:

«Al gabinetto! Subito!».

Rosanna sussultò, si voltò atterrita. Il commissario le mollò uno scappellotto darrè il cozzo. La picciotta si portò una mano alla nuca, indovi era stata colpita mentre l'occhi le si riempivano di lagrime. Teneva un avambraccio davanti alla faccia, come se si aspittasse altre botte. Galluzzo aviva visto giusto: una picciliddra. Il commissario però non si lasciò commuovere:

«Al gabinetto!».

Intanto mezzo commissariato si era precipitato a vidiri che stava succedendo.

«Che fu? Chi è?».

«Via! Via tutti!» urlò Montalbano sentendosi le vene del collo a livello di esplosione imminente. «E tu cammina!».

Come una sonnambula la picciotta si mosse, varcò la soglia della càmmara.

«Di qua» fece pronto Galluzzo.

Rosanna trasì nel gabinetto, chiuì la porta. Il commissario, che non c'era mai trasuto, taliò interrogativo Galluzzo.

«Non c'è pericolo» disse l'agente. «Non si può bloccare dall'interno».

Doppo tanticchia sentirono lo sciacquone, la porta si raprì, Rosanna passò davanti a loro come se non ci fossero, trasì nella càmmara di sicurezza, si rimise faccia a muro. Faccia a muro. Una punizione. Rosanna si autopuniva.

«Beh, meno male che c'è riuscito» commentò Galluzzo.

«Gallù, non è che io posso mettermi a fare tutto questo mutupèrio ogni volta che quella deve andare al cesso!» fece arraggiato Montalbano.

Aviva sparpagliato supra il tavolo tutto quello che c'era dintra alla borsetta di Rosanna e sinni stava a taliarlo. Un borsellino di finta pelle che conteneva, più volte ripiegato, un biglietto da diecimila, e po' tri biglietti da mille, cinco monete da cinquecento lire, quattro da cento, una da cinquanta.

Ma dintra al borsellino c'era una cosa che non aviva nenti a chi fari coi soldi: un pezzettino, deci centimetri sì e no, di elastico rosa. Forse un campione da mostrare al merciaio.

Rosanna conservava i biglietti di andata e ritorno dell'autobus Vigàta-Montelusa. Ce n'erano sei, e questo viniva a significare che minimo minimo per sei volte la picciotta si era appostata all'ingresso del tribunale.

La carta d'identità. Una bottiglietta, vacante, di smalto per le unghie: tracce di liquido rappreso ancora restavano all'interno del coperchio.

E una cosa stramma: una busta supra la quale non c'era nenti di scritto, serviva a contenere lo scheletro di una rosa i cui petali erano tutti caduti. Però, a pinsarci bono, quella rosa non aviva nenti di strammo, era dintra a una busta ma avrebbe potuto benissimo trovarsi, rinsecchita, tra le pagine di un libro, dove la mettevano la maggior parte delle persone. Solo che Rosanna, non avendo libra, quella rosa, certamente ricordo di un incontro sentimentale, se l'era infilata in una busta. E se la portava sempre appresso. In conclusione, niente che fosse fuori posto in una borsa di fìmmina. Ma a Montalbano, per un attimo, e solo per un attimo, venne in testa una particolarità, qualcosa che faceva meno ovvii quegli oggetti. Non arriniscì però a capire che cosa l'aviva illuminato per la durata di un lampo.

Gliene nacque disagio e nirbùso.

Stava raccogliendo le cose di Rosanna per infilarle in un cascione, quanno apparse il centralinista.

«Mi scusi se la disturbo, ma c'è un signore che dice di essere suo padre».

«Va bene, passamelo».

«È qui di persona».

Suo padre?! Di colpo, con un senso di vrigogna, s'arricordò che non gli aviva scritto per dirgli della promozione e del trasferimento.

«Fallo entrare».

S'abbrazzarono al centro della càmmara con tanticchia di commozione e tanticchia d'imbarazzo. Sò patre era come al solito vistuto elegante ed elegante era macari il modo col quale si muoveva. Tutto il contrario di lui, spisso trasandato. Non si vidivano da almeno quattro misi.

«Come hai fatto a trovarmi?».

«Ho letto in un giornale un articolo dove ti davano una specie di benvenuto a Vigàta. E così, dato che dovevo passare di qua, ho deciso di farti un saluto. Scappo subito».

«Ti posso offrire qualcosa?».

«No, niente, grazie».

«Come stai, papà?».

«Non mi lamento. Tra qualche anno vado in pensione».

«Che pensi di fare, dopo?».

«Mi metto in società con uno che ha una piccola azienda che produce vino».

«E che facevi da queste parti?».

«Stamatina sono stato a trovare tua madre, a far puliziare la tomba. Oggi è l'anniversario, te lo sei scordato?».

Sì, se l'era scordato. Di sua madre aviva solo un ricordo di colore, come un fascio di spiche di grano maturo.

«Che ricordi di tua madre?».

Montalbano esitò un attimo.

«Il colore dei capelli».

«Era un colore bellissimo. E nient'altro?».

«Niente di niente».

«Meno male».

Montalbano strammò.

«Che vuoi dire?».

Stavolta a esitare fu il padre.

«Ci sono state, tra me e tua madre... incomprensioni, discussioni, litigi... Tutta colpa mia. Tua madre non me la meritavo».

Montalbano si sentiva imbarazzato. Con sò patre non c'era mai stata confidenza.

«Mi piacivanu assà i fìmmini».

Il commissario non seppe che dire.

«Ti stai occupando di qualcosa d'importante?» spiò sò patre con l'evidente 'ntinzioni di dare una svolta al discorso.

Il commissario gliene fu grato.

185

«No, niente d'importante. Però mi sta capitando un caso curioso...».

E gli contò il fatto di Rosanna, insistendo soprattutto sull'indecifrabilità della picciotta.

«Posso vederla?».

Quella richiesta Montalbano propio non se l'aspittava.

«Ma sai, papà, non so se sia consentito... va bene, vieni».

Lo precedette, taliò per primo dallo spioncino. La picciotta stava addritta con le spalle al muro, aviva l'occhi propio verso la porta. Il commissario lasciò il posto a sò patre. Questi taliò a lungo, doppo si voltò e disse:

«Per me si è fatto tardi, mi accompagni alla macchina?».

Montalbano l'accompagnò. S'abbrazzarono di slancio, non più impacciati.

«Torna presto, papà».

«Sì. Ah, Salvù, una cosa: non ti fidare».

«Di chi?».

«Di quella picciotta. Non ti fidare».

Lo vitti partiri mentre lo pigliava a tradimento una gran botta di malinconia.

Gerlando Monaco, il patre, s'appresentò in commissariato che già era sira, un sacchetto di plastica in mano che conteneva il cangio di biancheria di Rosanna. Macari a lui non si arriniscìva a dargli un'età, era intortato dal travaglio, arrisucato, cotto come un maduni dalla fornaci, ma, contrariamente alla mogliere, pariva nirbùso e prioccupato.

«Pirchì l'arristastivu, ah?» fu la sua prima domanda.

«Aveva un revolver».

Gerlando Monaco aggiarniò, variò, gli mancò lo sciato, circò con una mano una seggia sulla quale cadì pesantemente.

«Madonna biniditta! Ruvina di la mè casa è 'sta figlia! Un revorbaro! E cu ci lu desi?».

«È quello che vorremmo sapere. Lei ha qualche idea?».

«Idea?! Iu?!».

Certamente era sincero nel suo sbalordimento.

«Senta, mi spiega perché fate dormire vostra figlia in un porcile?».

Gerlando Monaco s'inquartò, fece una faccia tra umiliata e offisa, calò l'occhi 'n terra.

«Chisti sunnu cosi di famiglia che non v'arriguardanu» murmuriò.

«Talìami» fece fermo il commissario. «Se tu non mi dici subito quello che voglio, tu stanotti tinni vai a tiniri compagnia a tò figlia».

«Va beni. Mè mogliere nun la volli cchiù casa casa».

«Perché?».

«Si era fatta mettiri prena».

«Incinta? A quindici anni? E chi è stato?».

«Nun lu sacciu. E mancu mè mogliere lu sapi. Mè mogliere l'ammazzò di botti, ma iddra nun ci lu volli diri cu era statu».

«E voi non avete avuto qualche sospetto?».

«Dutturi miu, iu mi susu la matina cu lu scuru e tornu cu lu scuru, mè mogliere è sempri appressu a li figli cchiù nichi, iddra, Rosanna, da quannu aviva deci anni si misi a fari la criata...».

«Quindi non è mai andata a scuola?».

«Mai. Nun sapi liggiri e scriviri».

«Qual è il nome della famiglia dove vostra figlia è a servizio?».

«Ca quali nomu e nomu! Cento famigli ha cangiato! E tri anni passati, quannu si fici mettiri prena, la famiglia indovi che faciva la criata erano dù vecchi».

«Come campa Rosanna?».

«Continua a fari la criata quannu capita. Speci di 'stati quannu vennu i furasteri».

«Chi tiene il figlio, o la figlia, di Rosanna?».

Gerlando Monaco lo taliò strammato.

«Quali figliu?».

«Non mi hai appena detto che Rosanna era incinta?».

«Ah. Mè mogliere la purtò da una fìmmina ca faciva la mammana. Però ci vinni la cosa... la comu si chiama, quannu unu perdi sangu».

«Emorragia».

«Sissi. Parsi ca stava murennu. E forsi era megliu si muriva».

«Perché l'avete fatta abortire?».

«Dutturi miu, ragiunassi. Nun abbastava 'na buttana pi figlia, macari un bastardu pi niputi?».

Quanno Gerlando Monaco niscì dalla càmmara, Montalbano non ce la fece a susirisi. Provava un duluri sordo alla vucca dello stomaco, come se una mano gli affirrava i vudeddra e glieli turciniava. Serva appena decina, analfabeta, probabilmente violentata a quinnici anni, incinta, vastuniata, fatta abortire maldestramente, portata in punto di morte dalla scanna patita, nuovamente serva obbligata a campare in un ex porcile. Persino la càmmara di sicurezza le doviva parere una stanza da grande albergo. Allura, la domanda è chista: può passare per la testa a un commissario la gana di liberare la picciotta, ridarle il revorbaro e dirle di sparare a chi voleva sparare?

Sei

Non potiva stare una jornata intera senza mangiari solo pirchì il problema di Rosanna l'assillava. Alla trattoria San Calogero, per primo, si sbafò una quinnicina di antipasti di mare diversi. Non avrebbe voluto, ma erano talmente leggeri e squisiti che pariva che s'infilavano nella vucca senza darlo a vidiri. Come si faciva a resistere, soprattutto se uno a mezzojorno non aviva agliuttuto nenti? E qui ebbe un'alzata d'ingegno. Fece 'nzinga a Calogero d'avvicinarsi.

«Senti, Calù. Ora a me porti una bella spigola. Ma intanto mi fai priparare tri triglie alla livornese. Il suco dev'essere abbondante e profumatissimo. Mi raccomando. Me li fai avere in commissariato una mezzorata dopo che sono nisciuto da qua. Mandami pure tanticchia di pane e una bottiglia di minerale. Coltello, forchetta, bicchiere, piatto, tutto di plastica».

«Mai Signuri».

«Pirchì?».

«Le triglie alla livornese dintra a un piatto di plastica perdino sapore».

Arrivato nel commissariato semideserto, andò a taliare Rosanna dallo spioncino. Stava assittata sul paglione, le mano sulle ginocchia. Però l'occhi avivano perso la fissità, ora la picciotta pariva tanticchia più rilassata. Il panino era ancora intatto. L'acqua nel bicchiere era impercettibilmente calata, forse si era vagnata le labbra che doviva aviri, più che asciutte, arse.

Quanno arrivò il piatto con le triglie, il commissario lo fece lasciare sul tavolo dell'ufficio sò. Dal piantone si fece dare le chiavi della càmmara di sicurezza, pigliò una seggia, raprì la porta, mise la seggia proprio davanti alla picciotta, niscì lasciando la porta aperta. Quella non si era cataminata.

Tornò con il piatto delle triglie e lo posò sulla seggia. Niscì e tornò con il sacchetto di plastica che gettò sul paglione:

«Tuo padre ti ha portato la biancheria di ricambio».

Niscì e tornò con un'altra seggia che assistimò allato alla prima. Ora nella càmmara di sicurezza c'era un leggero sciàuro di triglie alla livornese. Niscì e tornò doppo tanticchia con l'acqua, il pane e le posate. Il sciàuro si era fatto intenso, una vera provocazione. Montalbano s'assittò sulla seggia e si mise a taliare la picciotta. Poi accominciò a puliziare le triglie, mettendo le teste e le resche nel piatto ch'era servito da coperchio.

«Mangia» disse alla fine.

La picciotta non si mosse. Allura il commissario pigliò un pezzetto di triglia con la forchetta e delicatamente l'appoggiò sulle labbra chiuse di Rosanna.

«Ti civo io?».

Ti civo. Ti cibo. Come si fa con i picciliddri nichi, macari accompagnando il gesto con una cantilena.

«Ora Rosanna ch'è una brava figlia si mangia tutta chista beddra triglia».

Ma come minchia gli erano venute in testa quelle parole? Fortunatamente nelle vicinanze non c'era nisciuno dei sò òmini, altrimenti avrebbero pinsato ch'era nisciuto pazzo.

Le labbra della picciotta si raprirono quel tanto che abbastava. Maccicò, agliuttì. Montalbano le appoggiò sulle labbra nuovamente richiuse un pezzetto di pane assuppato di suco.

«Ora Rosanna si mangia lu pani accussì ci passa la fami».

Versi ignobili, se ne vrigognò, ma non era un poeta e comunque servirono allo scopo. La picciotta maccicò il pani e l'agliuttì.

«Acqua» disse.

Il commissario le inchì un bicchiere di plastica, glielo pruì.

«Te la senti di mangiare da sola?».

«Sì».

Montalbano le fece una leggera carizza sui capelli e niscì, lascianno ancora la porta aperta.

Aviva avuto l'idea giusta! La picciotta aviva ripigliato contatto con la vita. E prima o poi, usando tanta pacienza e tanta dilicatizza, si sarebbe addecisa a contare cosa voliva fare con il revorbaro e soprattutto chi glielo aviva dato. Lassò passari una mezzorata e doppo tornò nella càmmara di sicurezza. Rosanna si era mangiata tutto, il piatto pariva appena lavato.

«Usa il sacchetto».

La picciotta svacantò il sacchetto dalla biancheria, c'infilò dintra i piatti e le posate. Tenne fora la bottiglia, ch'era mezza, e un bicchiere.

«Mettici dintra puro il panino».

«Pozzu iri 'o gabinettu?».

«Vacci».

Montalbano pigliò il sacchetto, niscì dal commissariato, andò a gettarlo in un cassonetto poco distante. Perse ancora tempo a fumarisi una sicaretta nella notti sirena. Trovò Rosanna di nuovo compostamente assittata sul paglione. Doviva essersi fatta una gran puliziata, sciàurava di sapone. Si era macari lavata la biancheria, l'aviva stisa sulla spalliera di una delle dù seggie. Ora aviva una taliata stramma, quasi maliziusa. Montalbano s'assittò sulla seggia.

«Rosanna è un bellissimo nome».

«Sulu 'a prima parti».

«Ti piace solo la prima parte del tuo nome? Rosa? Perché è un fiore?».

Si ricordò della rosa spennata messa dintra a una busta e tenuta nella borsa.

«Nonsi. Pirchì è un colori».

«Ti piacciono i colori?».

«Sissi».

«Perché?».

«Nun lu sacciu pirchì. I culura mi fanno arricordari le cose».

193

Decise di cangiari argomento, forsi era arrivato il momento giusto.

«Mi vuoi dire dove pigliasti il revorbaro?».

La picciotta di colpo si chiuse. Isò le ginocchia all'altizza del mento, serrò le gambe tra le vrazza. L'occhi le tornarono fissi sul nulla. Montalbano capì d'aviri perso. Perso in parte, pirchì un primo contatto era arrinisciuto a stabilirlo.

«Buonanotte».

Lei non ricambiò. Montalbano pigliò la seggia libera e la portò fora. Appresso chiuì la porta a chiave, facenno apposta una gran rumorata.

Taliò dallo spioncino ed ebbe una sorpresa: dall'occhi di Rosanna calavano grosse gocce di chianto. Un pianto silenzioso, senza singhiozzi, e perciò tanto più dispirato.

Stette sulla verandina un'orata, a fumarisi una sicaretta appresso l'altra, il pinsero fisso a Rosanna. Stava per andarsi a corcare, quanno squillò il telefono. Era Mery.

«Che ne dici se venerdì vengo a trovarti?».

«Mannaggia! Sono convocato a Palermo!».

La farfantarìa gli era vinuta da sé, prima che il ciriveddro potesse impedirglielo. Il fatto era che voleva dedicarsi interamente, senza distrazioni, a Rosanna. Mery parse delusa. Montalbano la conortò dicendole che forse, nella simana che veniva, potiva fare una scappata a Catania. Dormì malo, arramazzandosi.

La matina appresso aviva appena chiuso la doccia che, per la prima volta nella sò vita, gli capitò una cosa stram-

ma. Ebbe l'impressione che qualichiduno, ammucciato, gli aviva fatto una fotografia col flash. Un lampo.
E propio mentre stava pinsando a una frase precisa della picciotta: «I culura mi fanno arricordari le cose», venne pigliato da una specie di frevi. Nudo com'era, andò
al telefono. Erano le sette del matino.

«Montalbano sono».

«Che fu, commissario?».

La voci di Fazio era prioccupata.

«Hai qualche conoscenza al tribunale di Montelusa?».

«Sì».

«Appena apre devi trovarti lì. Voglio l'elenco di tutti i giudici e di tutti quelli della procura. Subito. Solo
nome e cognome. Tanto del penale quanto del civile.
Come prima botta».

«E come seconda?».

«Se ho sbagliato, domani ci torni e ti fai dare l'elenco di tutti quelli che travagliano al tribunale, macari
solo per puliziare i cessi».

E si mise a perdiri tempo casa casa. Apposta. Non
ce l'avrebbe fatta ad aspittare in commissariato Fazio
che gli portava l'elenco. Verso le nove e mezza s'arri-
solvì a telefonare.

«Sì, commissario. Fazio è arrivato da poco».

Si precipitò.

Lo trovò, il nome. Emanuele Rosato, giudice del tribunale civile. Raprì il cascione, pigliò tre cose ch'erano state dintra alla borsa di Rosanna e se le mise in sacchetta. Doppo chiamò Fazio.

«Fatti dare la chiave della sicurezza e vieni con me».

La picciotta era assittata al solito. Pariva tranquilla e arriposata. Lo stare 'ncarzarata evidentemente le faceva bene. Li taliò prima senza curiosità, ma dovette subito intuire dalla faccia del commissario che c'era qualiche novità. Allura fu pigliata da una visibile tensione. Montalbano cavò dalla sacchetta la bottiglietta di smalto rosa e la gettò sul paglione. Appresso il pezzetto di elastico rosa. Appresso ancora la rosa rinsecchita. Fazio non ci stava capenno nenti e taliava ora il commissario ora la picciotta.

«I culura mi fanno arricordari le cose» disse Montalbano.

Rosanna era tisa come un arco.

«Non ti bastava la prima parte del tuo nome per ricordarti che dovevi ammazzare il giudice Rosato?».

Piglianno i dù òmini di sorpresa, la picciotta scattò. Montalbano intuì la sò 'ntinzione e s'arriparò la faccia con le mano. Ma cadì a panza all'aria con Rosanna supra di lui. E mentre Fazio cercava di levargliela di dosso afferrandola per le spalle, il commissario a quella furia scatinata si beava, come si bea la terra arsa sutta un violento acquazzone, perché ci aviva 'nzirtato in pieno.

Siccome sarebbe stato tempo perso spiare a Rosanna pirchì ce l'aviva a morte col giudice Rosato, Montalbano addecise all'istante di andarlo a trovare a Montelusa. Arrivò al tribunale, fece la solita fila e quanno fu di fronte all'addetto alle informazioni gli spiò:

«Scusi, mi sa dire dove posso trovare il giudice Rosato?».

«E a me lo viene a domandare?» fu la strabiliante risposta.

Montalbano si sentì pigliato di immediato nirbùso.

«Vuole fare lo spiritoso? Sono...».

«Non voglio fare lo spiritoso e non m'importa di sapere chi è lei. Il giudice Rosato mi pare che è del civile, o no?».

«Sì».

«E allora lo vada a domandare al tribunale civile».

«Non è qua?».

«Non è qua».

«E dov'è?».

«Alla vecchia caserma».

Capace che se gli spiava dov'era allocata la vecchia caserma e quello gli arrispunniva ancora con quel tono strafottente finiva a schifìo, a timpulate.

Niscì e vitti un vigile. La vecchia caserma era vicina alla stazione. Ci andò a pedi. Attraverso l'enorme portone trasivano e niscivano centinara di pirsone, pariva una stazione della metropolitana 'nglisa. Possibile che la mità di quella gente aviva fatto causa all'altra mità? La spiega il commissario l'ebbi liggenno le targhe sparluccicanti ai dù lati del portone: Tribunale civile, Corpo forestale dello Stato, Società Dante Alighieri, Ufficio Tributi comunali, Leva territoriale, Liceo Giosuè Carducci, Opera Pia Francesco Rondolino, Amministrazione beni archeologici, Ufficio protesti e un misteriosissimo Rimborsi. Chi rimborsava a chi? E pirchì? Trasì disperando di potersi mai incontrare col giudice Rosato. Invece vitti subito un cartello che diceva che il tribunale, pigliando la scala A, era al secunno piano. Al primo che incontrò, ancora sulle scale, spiò dove poteva trovare il giudice.

«Seconda porta a destra».

Si fece largo tra la folla a spintoni e si affacciò alla seconda porta di destra ch'era aperta. Si vitti perso. Una volta doviva essere stato il refettorio della caserma o una sala di va' a sapìri quali esercitazione. Gigantesca. A ogni quattro-cinque passi c'era un tavolino cummigliato di carte e contornato da pirsone ululanti, non si capiva bene se avvocati, querelanti o dannati di un girone dantesco. I giudici non si vidivano, stavano darrè le carte, massimo massimo di loro sporgiva mezza testa. A decine ce n'erano, di tavolini accussì. Che fare? Montalbano s'addiresse a passo militare, dato che era in una caserma, verso quello più vicino e intimò, a vuci alta per farisi sèntiri supra a quel vocìo da mercato del pesce:

«Fermi! Polizia!».

Era l'unica. Tutti s'apparalizzarono taliandolo e diventando di colpo una specie di gruppo statuario iperrealista che si potiva intitolare «Al tribunale civile».

«Voglio sapere dov'è il giudice Rosato!».

«Sono qua» fece una voci praticamente in mezzo alle sò gambe.

Aviva avuto un colpo di fortuna.

«Desidera?» spiò il giudice invisibile darrè alle carte.

«Il commissario Montalbano sono. Vorrei parlarle».

«Ora?».

«Se possibile».

«L'udienza è rimandata a data da destinarsi» fece la voci del giudice.

Si levò un coro di biastemie, ingiurie, santioni, preghiere.

«Otto anni che andiamo avanti accussì!».

«Chista nun è giustizia!».

Ma il giudice fu irremovibile, avvocati e clienti si allontanarono fora dalla grazia di Dio.

Il giudice, che si era susuto a mezzo, si riassittò e di conseguenza scomparse definitivamente alla vista di Montalbano.

«Dica pure».

«Senta, signor giudice, non mi va di parlare a dei faldoni. Non possiamo andare altrove?».

«E dove?».

«Magari in un bar vicino».

«Sono tutti pieni d'avvocati. Aspetti. M'è venuta un'idea».

Montalbano vitti le mani del giudice agguantare carpette, cartelle, faldoni, pacchi di carte tenuti con lo spago e assistimare il tutto sul tavolino in modo da formare una specie di barricata, di trincea.

«Pigli una sedia e venga qui dietro con me».

Il commissario eseguì. In effetti, nisciuno si sarebbe potuto addunare dei dù òmini ammucciati. Le loro ginocchia si toccavano. Il giudice Rosato deluse Montalbano. Strata facenno egli si era costruito una storia nella quale il giudice Rosato (alto, magro, elegante, tanticchia di bianco alle tempie, fumatore dal lungo bocchino, un seduttore da fotoromanzo) aviva tre anni avanti approfittato della serva Rosanna mettendola prena e questa aviva addeciso di vendicarsi. Già, ma pirchì aspittare tri anni? Il vero giudice Rosato, non quello della fantasia commissariesca, era un ultrasissantino trasandato, nico di statura, totalmente calvo e con occhiali spessi dù dita. Montalbano pinsò che, per sparagnare tempo, l'unica era ricorrere alla tecnica dell'ariete, dello sfondamento.

«Abbiamo fermato una ragazza che la cercava per ammazzarla».

«Matre santa! A mia?!».

Il giudice satò dalla seggia provocando una piccola ma rumorosa frana di faldoni dalla parte ovest della trincea. Di colpo si era assammarato di sudore. Tremanno si levò l'occhiali appannati. Voliva fare domande, ma non ci arrinisciva. La vucca gli trimava. Non era un eroe adatto a stare in quella trincea, il giudice Rosato.

«Lei ha figli maschi?» spiò il commissario.

Potiva essere una soluzione.

«No. Due fe... femmine. Mi... Milena sta a So... Sondrio, fa l'avvocato. Giu... Giuliana invece è pe... pediatra a Torino».

«Da quanto tempo è al tribunale civile di Montelusa?».

«Praticamente da sempre».

«Dove vive?».

«A Vigàta. Mi muovo con la mia auto».

«Una tale Rosanna Monaco è mai stata cameriera in casa sua?».

«Mai» fece prontamente il giudice.

«Come fa a escluderlo senza averci...».

«Non abbiamo mai avuto cameriere. Mia moglie le detesta senza motivo».

Il giudice si era tanticchia rinfrancato, tanto da permettersi una domanda.

«Questa... Rosanna Monaco è la ragazza che mi vuole ammazzare?».

«Sì».

«Ma ha detto il motivo, Gesù santo?».

«No».

«Ma... mi conosce?».

«Non credo l'abbia mai vista».

«Allora deve averglielo detto qualcuno!».

«Lo penso anch'io».

«Ma chi?».

E il giudice Rosato principiò una litania, una specie di riassunto della sò esistenza.

«Non ho mai avuto una lite, una discussione, come uomo mi piace andare d'accordo con tutti, mia moglie è una santa donna a parte qualche piccola fissazione, le mie figlie mi amano, i miei generi mi rispettano, come giudice ho sempre trattato piccole cause civili, ho cercato d'usare equità e buon senso, non ho mai mandato qualcuno in galera, sto per andare in pensione dopo una vita di lavoro... e ora qualcuno, non so perché, mi vuole morto...».

Montalbano lo lasciò che chiangiva, disolato.

«Dottore» disse Fazio doppo che il commissario gli contò della sò parlata col giudice, «ci sono novità. La prima è che la picciotta, quanno lei se ne è andato, siccome che si era sfogata, si calmò. E alla mia domanda perché ce l'avesse tanto col giudice Rosato, mi rispose che il giudice era un omo tinto che aveva mandato in carcere a uno».

«Rosato non ha mandato in carcere nessuno».

«Lo so, dottore, me l'ha appena detto. Ma a Rosanna qualcuno glielo ha lasciato credere».

«Lo stesso che le ha dato il revolver».

Fazio sturcì il muso.

«E questo è il busillisi, dottore».

«Spiegati».

«Mentre lei si trovava a Montelusa, hanno telefonato dalla questura. L'esperto balistico dice con assoluta sicurezza che l'arma che gli abbiamo mandato, cioè il revolver di Rosanna, non può sparare. All'apparenza è micidiale, nella sostanza è un ferrovecchio».

«Rosanna però non lo sapeva».

«Ma, secondo mia, chi le ha dato l'arma invece lo sapeva. Si ricordi che la matricola è limata».

«Fammi capire, Fazio. Io piglio una picciotta, la convinco ad ammazzare a uno che non ci trase nenti, uno a caso, e le metto in mano un revolver che non spara?».

«Lei pensa che sia stata la stessa persona a commissionarle l'omicidio e a darle l'arma?».

«Ammettiamolo per un momento. Perché lo faccio? Per divertirmi alle spalle di Rosanna? Non è possibile, è uno scherzo troppo pericoloso. Per fare scarmazzo? Molto rumore per nulla? E a chi avrebbe giovato? Una cosa però è certa: che per capirci qualcosa abbiamo bisogno di sapere chi è la persona che sta dietro alla picciotta. Assolutamente. Se stamatina ti ha detto qualcosa, vedi di saperne di più. Io non mi farò vedere, ma tu valla a trovare, dalle confidenza, parlale».

«Dottore, lo sa che è Rosanna? Una gatta. Una di quelle che tu stai a grattarle la testa, lei fa ronron e tutto 'nzemmula, senza una ragione, ti graccia la mano».

«Non posso che farti gli auguri. E bisogna fare presto. Il tempo passa e noi non possiamo tenere in stato di fermo la picciotta oltre quanto stabilisce la legge. O la liberiamo o informiamo il procuratore».

Verso le cinque di doppopranzo ricevette una telefonata che non s'aspettava.

«Dottor Montalbano? Sono il giudice Emanuele Rosato».

«Giudice, come sta?».

«Come vuole che stia? Mi sento pigliato dai turchi. Ad ogni modo, le volevo dire che io tengo un quaderno dove scrivo i procedimenti da me fatti e il loro esito. Sono andato a riguardarmelo e ci ho messo un po' di tempo. Credo di avere scoperto qualcosa. Il cognome di quella ragazza è Monaco, vero?».

«Sì».

«Il padre si chiama Gerlando?».

«Sì».

«Abita a Vigàta in via Fornace 37?».

«Sì».

Il giudice tirò un sospiro longo.

«Non ci capisco un cazzo» murmuriò.

S'addunò d'aviri ditto una parolazza e principiò a domandare scusa. Doppo s'addecise a dire quello che aviva scoperto.

«Un tale Tamburello Filippo che possedeva un pezzo di terra confinante con quello di Monaco Gerlando, nel rifare un muro a secco lo spostò in avanti di qualche centimetro, poca cosa, ma sa come sono questi contadini. Dopo litigi interminabili, il Monaco gli fece causa. E la sa una cosa? Io risolsi la faccenda in favore di Monaco Gerlando. E allora mi spiega perché la di lui figlia ha manifestato l'intenzione d'ammazzarmi?».

«Senta, giudice, questa sentenza favorevole a Gerlando Monaco a quando risale?».

«A più di quattro anni fa».

La sira, mentre che stava a taliare la televisione, gli capitò di vidiri la faccia di quel giornalista che aviva accanosciuto in tribunale, Zito. Diciva cose sensate e intelligenti. L'emittente si chiamava «Retelibera». E allura gli venne in testa di spiargli una mano d'aiuto. Non ci perse tempo. Cercò il numero e, appena finì il notiziario, chiamò.

«Il commissario Montalbano sono. Vorrei parlare col giornalista Nicolò Zito».

Glielo passarono subito.

«Noi ci siamo conosciuti in tribunale, commissario» fece Zito. «Posso esserle utile?».

«Sì» disse Montalbano.

Sette

L'indomani a matino, ch'era una jornata da catalogo, si susì presto, si fece una lunghissima passiata a ripa di mare, si lavò, si vistì e alle otto era già in commissariato.

«Come ha passato la nottata Rosanna?» spiò a Galluzzo.

«In compagnia, dottore».

«Che significa in compagnia? Ha dormito con qualcuno?».

«Ha chiacchiariato, dottore. Con Fazio. Ora lei dorme in sicurezza e Fazio nella càmmara con le brandine. Fazio ha lasciato detto che vuole essere svegliato appena lei arriva».

«Lascialo dormire. Te lo dirò io, quando svegliarlo».

Il giornalista Nicolò Zito s'appresentò puntuale alle otto e mezza. Montalbano gli contò la facenna di Rosanna e Zito, ch'era un cavaddro di razza, fiutò la notizia.

«Che posso fare per lei, commissario?».

Montalbano gli pruì la carta d'identità della picciotta.

«Lei dovrebbe... possiamo darci di tu?».

«Felicissimo».

«Dovresti far ingrandire questa foto e in giornata, in un tuo notiziario, mandarla in onda».

«E che dico?».

«Dovresti dire che sarebbe opportuno che le famiglie presso le quali Rosanna Monaco ha lavorato negli ultimi quattro anni si facessero vive con noi per informazioni. Aggiungi che saremo estremamente grati ed estremamente riservati».

«Bene. Spero di servirti col notiziario di mezzogiorno».

Nisciuto Zito, disse a un agente di andare ad arrisbigliare a Fazio. Il quale s'apprecipitò senza manco essersi pittinato.

«Dottore, la cosa è complicata».

Fazio pareva turbato, non sapiva come principiare.

«Guarda, Fazio, dimmi subito quello che non sai come dirmi: questa è la meglio strata».

«Dottore, stamatina alle sett'albe, doppo una nottata passata a chiacchiariare, Rosanna è scoppiata a piangere dicendo che non ce la faceva più».

«Scusami, solo per la precisione: perché sei rimasto con lei?».

«Mi faciva pena».

«Va bene, vai avanti».

«Ha avuto una specie di crisi di nerbi. È persino svenuta. E a un certo punto mi ha fatto il nome di chi le ha ordinato d'ammazzare il giudice Rosato dandole macari l'arma».

«E chi è?».

«Il suo amante, dottore. Cusumano Giuseppe».

«E chi è?» arripitì Montalbano intordonuto.

«Comu cu è? Dottore, ma se lei ha testimoniato sull'incidente!».

Di colpo ricordò. Il giovinastro che aviva dato un pugno in faccia all'automobilista anziano! L'adorato niputeddro di don Sisìno Cuffaro.

Ora sì che abbisognava cataminarsi coi pedi di chiummo!

«Che facciamo, dottore?».

«Tu cosa avresti fatto se Rosanna ti avesse detto un nome qualunque e non quello del nipote di un mafioso del calibro di don Sisìno Cuffaro?».

«Sarei andato a prenderlo discretamente, l'avrei portato qua e gli avrei fatto qualche domanda».

«Perciò perché perdi tempo? Vallo a cercare. Aspetta. Pensi che sia il caso che vada a parlare con la picciotta?».

«Boh, faccia lei».

Non era assolutamente detto che Rosanna sarebbe stata ben disposta verso di lui come lo era stata con Fazio. Però ora, col nome di Cusumano di mezzo, le cose cangiavano, Montalbano non poteva permettersi il minimo sbaglio. Niscì dal commissariato, andò in un negozieddro, accattò un vistito di fìmmina di cotonina, se lo fece 'ncartare, tornò in commissariato, trasì nella càmmara di sicurezza.

«Buongiorno».

«Buongiorno».

Aviva risposto, era nisciuta fora dalla mutangherìa. Bon signo! Il commissario la trovò di una billizza intensa, l'occhi ora erano vivi vivi, le labbra rosso foco senza bisogno di rossetto. Montalbano gettò sul paglione il pacchetto.

«È per te».

Lei tentò di sciogliere il nodo del nastrino, non ci arriniscì, lo tagliò con un colpo solo dei denti aguzzi, bianchissimi, quasi da animale sarbaggio.

Scartò e vitti il vestito. I sò movimenti, prima quasi febbrili, divintarono lenti lenti. Pigliò il vistito, si susì, se lo fece aderire al corpo. Il commissario ebbe un moto d'orgoglio: aviva perfettamente 'nzirtato le misure.

«Te lo vuoi mettere? Io esco».

Non aviva accanosciuto una fìmmina capace di non mettersi subito una cosa arrigalata, da un paro d'orecchini a un paro di mutanne.

«Sì».

Quanno tornò lei era addritta in mezzo alla càmmara e si allisciava il vistito sui fianchi. Vidirlo, corrergli incontro, abbracciarlo gettandogli le vrazza al collo fu tutt'uno.

«Fa propio come una picciliddra» pinsò per un attimo il commissario.

Per un attimo, perché subito sentì il bacino di lei premere, aderire, ruotare leggerissimamente, mentre la stretta attorno al suo collo si faceva più forte e la guancia di Rosanna si poggiava sulla sua.

«E chista non è cosa da picciliddra» constatò Montalbano sciogliendosi a malincuore dall'abbraccio.

Aviva accominciato a capire, era stato bastevole quel piccolo contatto fisico che valiva più di un discorso di mille parole. Lei era tornata ad assittarsi sul paglione, calata un poco in avanti controllava l'orlo della gonna.

«Ti devo fare qualche domanda».

«La facissi».

«Quand'è stato che Cusumano... tu come lo chiami?».

«Pinu».

«Quand'è stato che Pino ti ha detto di ammazzare il giudice Rosato?».

«Me lo scrisse una quinnicina di jorna prima di nesciri dal càrzaro».

«Sei andata qualche volta di persona a trovarlo in carcere?».

«Una sola vota. Prima no, non mi facivano trasire pirchì ero minorenne. Ma Pinu mi mannava però i biglietini».

«Ma se non sai leggere!».

«Veru è. Ma chi mi portava i bigliettini mi li liggiva».

«Come si chiama quello che te li portava?».

«Nun lu sacciu».

«Dove sono questi bigliettini?».

«Pinu voliva che iu l'abbrusciassi. E iu l'abbrusciava».

«Il revolver quando te l'ha dato?».

«Mi lu fici aviri da quella pirsona stissa ca mi portava i bigliettini».

«Dopo che Pino è uscito dal carcere vi siete incontrati?».

«Ancora no».

«E perché?».

«Pirchì prima aviva a ammazzari a 'u judici».

«Ma scusami: se ammazzavi il giudice, tu a Pino non l'avresti più visto».

«E pirchì?».

209

«Perché ti avrebbero arrestata. E per un omicidio lo sai quanti anni di galera sono?».

Lei rise, di gola, gettando la testa narrè.

«A mia non m'arristavano. C'erano dù òmini di Pinu pronti a purtarimi fora da 'u tribunali appena ca iu sparava».

«Vuoi dire che mentre tu sparavi due uomini di Cusumano avrebbero fatto un'azione diversiva che ti avrebbe permesso di scappare?».

«Sissi, una cosa accussì».

«Sai che cosa?».

Rosanna ebbe una leggerissima esitazione.

«Ittavanu 'na bumma».

Niente male, una bomba tra la folla come diversivo.

«E naturalmente tu a questi uomini non li conosci».

«Nonsi».

Montalbano ristò per un attimo pinsoso.

«Chi fici? S'ingiarmò?» spiò la picciotta.

Ci aviva pigliato gusto a rispunniri alle domande.

«No» disse il commissario. «Non mi sono ingiarmato. Riflettevo. Ammettiamo che tutto quello che hai contato a Fazio e a me sia vero...».

Lei di colpo si susì addritta, tisa, le mano stritte a pugno lungo i scianchi.

«Veru è! Veru!».

«Calmati. Volevo sapere perché ti sei decisa a dirci tutto, a tirare in mezzo il tuo amante».

«È un mancatore di parola».

«Spiegati».

«M'aviva dittu che se i sbirri mi pigliavano prima di

sparari, iu nun mi faciva mancu una jornata di càrzaro, nisciva subitu. E inveci...».

«E invece si è scordato di te».

Lei nun arrispunnì, l'occhi le si fecero nìvuri nìvuri.

«È troppo pigliato» disse Montalbano.

Lei diresse la vampa nìvura dei sò occhi nell'occhi del commissario. Ma non raprì vucca.

«Troppo pigliato a godirisi la mogliere frisca frisca che per tre anni non si è potuta godiri».

Rosanna tiniva i pugna accussì stritti ch'erano addivintati bianchi.

«E a tia ti ha levato dai cabasisi con questa minchiata dell'ammazzatina del judice Rosato».

La picciotta era oramà arrivata al punto di rottura. Ancora una mezza parola e qualichi cosa sarebbe certamente capitata.

«E la prova che ti voleva pigliare pi fissa è nel fatto che il revorbaro che ti ha fatto aviri non potiva sparari, era scassato».

La vitti espirare, anzi la sentì, pirchì lei tirando fora l'aria fece una rumorata stramma, precisa 'ntifica a quanno si riceve un cazzotto nella panza. Non lo sapiva che il revorbaro non avrebbe mai funzionato. E la cosa che doviva capitare capitò, ma non quella che s'aspittava il commissario. Rosanna si susì, si calò in avanti, agguantò l'orlo della gonna, si sfilò il vestito dalla testa, lo ittò ai pedi di Montalbano, restò, bellissima, una lama di luce, in mutandine e reggiseno.

«Ripigliati 'u vistitu. Da tia nun voglio nenti».

E cominciò ad andargli contro. A lento. Montalbano letteralmente scappò verso la porta, niscì, la chiuì alle sò spalle. Una volta, in un circo, aviva visto fare accussì a un domatore con una tigre che si era arribillata.

Poco prima che sonasse mezzojorno, s'arricampò Fazio.

«Dottore, notizia sicura. Cusumano Giuseppe è fuori paese. Torna o stasera tardi o domani a matino presto. Non dubiti che prima o poi l'agguanto e glielo porto».

«Non ne dubito. Ho bisogno che sia fatto un controllo, ma non per via burocratica. Altrimenti perdiamo minimo minimo un mese».

«Se posso».

«Si tratta di sapere se è vera una cosa che mi ha detto la picciotta. E cioè che una simanata avanti che Cusumano fosse rimesso in libertà, lei è andata a trovarlo in carcere a Montelusa».

«Dottore, se ci è andata dovrebbe risultare dal registro. Vado a fare una telefonata».

Doppo manco deci minuti era nuovamente davanti al commissario.

«Tra un'ora me lo dicono».

«Senti, abbiamo un televisore?».

«In commissariato? No. Ma il bar qua vicino ce l'ha. Ce lo facciamo accendere, se vuole».

«Andiamo a pigliarci un cafè».

Nel bar non c'era proprio nisciuno. Fazio, ch'era di casa come del resto tutti gli òmini del commissariato, disse al banchista d'addrumare la televisione e di sintonizzarla su «Retelibera». Il notiziario era in corso.

Cose solite: due rapine in banche della provincia, una casa di campagna abbrusciata, un catàfero sconosciuto dintra a un pozzo. Doppo ci fu un'intervista a un sottosegretario che arriniscì a parlare per deci minuti senza che si capisse di che stava a parlare. Doppo ancora spuntò la faccia di Rosanna Monaco e Fazio, che non sapiva nenti, a momenti faciva cadiri il cafè dalla tazzina. Fuori campo, Nicolò Zito ripitì diligentemente quello che gli aviva detto il commissario e cioè che qualche appartenente alle famiglie che nell'ultimi quattro anni avevano avuto come cammarera eccetera eccetera.

«Bella pensata» commentò Fazio. «Ma lei crede che si presenterà qualcuno?».

«Ne sono certo. Quelli che non hanno niente da nascondere, lo faranno. Per farci vedere quanto sono rispettosi della legge. Quelli invece che hanno il carbone bagnato, fingeranno di non avere saputo del nostro invito. Ma noi riusciremo a sapere lo stesso i nomi di chi non si è voluto fare vivo. Con tanticchia di fortuna».

Prima di andare a mangiare, istruì bono l'agente addetto al centralino: se qualichiduno telefonava per la picciotta, doviva essere invitato a venire in commissariato dalle quattro di doppopranzo in poi. Se invece qualichiduno era impidito, che lasciasse il nummaro telefonico.

Con la vucca che ancora sapiva di mare – le triglie erano un miracolo di frischizza – si fece una lunga passiata al molo, fino ad arrivare sutta al faro.

Aviva la sensazione fastiddiosa di stare sbagliando tutto, ma non arrinisciva a capire indovi stava l'errore. O forse l'errore stava propio nel suo modo di portare avanti l'indagine: si sentiva come chi si mette a fare il morto sull'acqua di mare e avverte che una leggera corrente lo sta trasportando. E allora, inerte, a quella corrente s'abbandona.

Quanno mise pedi in commissariato, Fazio non c'era. In compenso il centralinista l'informò che avivano telefonato cinco pirsone a proposito di Monaco Rosanna. Di questi cinco, quattro sarebbero venuti in ufficio dalle quattro a intervalli di mezzora l'uno dall'altro. Il quinto invece, il signor Trupiano Francesco, era impidito dalla 'nfruenza, non se la sintiva di nesciri di casa, il signor commissario, se voliva, potiva passare da lui a qualisisiasi ora. Dato che per il primo appuntamento mancava quasi un'orata e dato che il signor Trupiano abitava vicino, Montalbano s'addecise ad andarlo a trovare. Gli venne a raprire il signor Trupiano di pirsona, un vecchio sicco sicco, con la coppola in testa, i guanti di lana e una mantellina sulle spalle.

«Trasisse, trasisse».

E così dicenno scappò come un lepro verso un'altra càmmara.

«Le correnti! Chiuisse la porta! Le correnti!».

Faceva voci come se stava per essere travolto dalle correnti del Golfo, quelle che si studiano a scuola. Montalbano chiuì e lo seguì in un salotto con mobili nìvuri e pisanti. Pulito però. Il signor Trupiano era corso ad assittarsi su una pultruna allocata davanti a un televisore e si era messo una coperta sulle gambe. Vicino ai sò pedi c'era un braceri addrumato che fumiava. Il commissario accominciò a sudare, sperò quasi che quello non avesse da dirgli una minchia.

«Lei può dirmi qualcosa a proposito di questa Rosanna Monaco?».

«Lei chi voli sapìri?».

«Tutto quello che può dirmi».

«E chi ci pozzo diri iu?».

«Io non so quello che può dirmi, signor Trupiano. Provo a farle qualche domanda, va bene?».

«Va bene, ma iu ci traso di straforo».

«Non ho capito».

«Lei voli sapìri da chi Rosanna fece la criata da quattr'anni a questa parte, è accussì?».

«Esattamente».

«Quindi io ci traso per i primi cinco misi di 'sti quattr'anni».

«Rosanna ha lavorato da lei solo cinque mesi quattr'anni fa?».

«Nonsi, Rosanna ha travagliato da noi un anno e cinco mesi. Ma quell'anno lei non me lo deve contare, masannò l'anni che v'interessano addiventano cinco. È ragionato?».

«Lei che faceva, il ragioniere, signor Trupiano?».

«Il ralogiaio».

E accussì si spiegava la precisioni dell'omo.

«Va bene, parliamo solo di quei cinque mesi che rientrano nei quattro anni. Com'era Rosanna?».

«Graziusa».

«Non voglio sapere com'era fisicamente, ma di carattere».

«Chi fici, morsi?».

«Chi?».

«Rosanna».

«No, è vivissima».

«E allura lei pirchì dici era, era?».

«Mi vuole rispondere, per favore?».

«Bono. Caratteri bono. Travagliava. Non era rispustera. Mè mogliere, bonarma, non si potiva lamintari».

«Lei è vedovo?».

«Da dù anni».

«Che orario faceva Rosanna?».

«Viniva all'otto di matina e sinni iva alle sè di sira».

«Quindi, in sostanza, un'ottima ragazzina».

«Pi un annu e quattru misi».

Montalbano, che si stava appinnicando per il càvudo che gli viniva a vidiri Trupiano cummigliato a quella manera, o forse per un principio d'avvilinamento per le esalazioni del braceri, a prima botta non rilevò che il conto non tornava.

«Grazie» disse facenno per susirisi.

Ma si bloccò, le chiappe a mezz'aria.

«Come ha detto, scusi?».

«Dissi ca fu una brava picciutteddra pi un anno e quattro misi».

«E nell'ultimo mese, invece?» spiò il commissario appizzando le grecchie e assittandosi nuovamente.

«Nell'ultimo misi inveci cangiò».

«In che senso?».

«Nel senso che addivintò nirbùsa, rispustera, la matina arrivava tardo ed era senza gana di travagliari. Doppu, un jorno, nun vinni cchiù. Passatu qualichi tempu, s'apprisintò sò matre ca vuliva sapìri cosi di sò figlia, ma iu nun ci dissi nenti».

«Perché non le disse niente?».

«Pirchì era vastasa e vucciulera».

«Può dire a me quello che non disse alla madre di Rosanna?».

«Certu. Le tilifonate furono».

«Telefonate che faceva lei?».

«Iu?».

«Non lei, Rosanna».

«Nonsi, la picciutteddra non ne faciva, l'arriciviva. Ogni jornu, verso le cinco e mezza, cioè una mezzorata prima che Rosanna finiva di travagliare, la chiamavano al telefono. E iddra s'apprecipitava a rispunniri comu si aviva il foco, rispettu parlanno, 'n culu».

«Lei perciò non ebbe occasione di sapere chi era che...».

«Vidisse, qualiche vota Rosanna non fici a tempu e allura arrispunnii iu o mè mogliere. Era la voci di un picciotto, sempri lo stissu».

«Non disse mai il suo nome?».

«Lo diciva sempri. Diciva: "Sono Pinu..."».

«Cusumano!» gridò il commissario mentre sentiva scoppiare dintra di sé una specie di marcia trionfale tipo *Aida*.

217

Il signor Trupiano fici un sàvuto dalla pultruna, si scantò.

«Matre santa! Che fu? Pirchì fa vuci?».

«Niente, niente» disse Montalbano. «Si calmi».

«Si calmassi vossia» fece irritato il vecchio.

«Dunque telefonava questo Pinu Cusumano...».

«Ca quali Cusumano e Cusumano! Amminchiò cu Cusumano! Pinu Dibetta si chiamava!».

Rapidamente, la grande orchestra che sonava dintra al commissario cangiò repertorio e principiò un requiem.

«Sicuro sicuro?».

«Ca certu ca sugnu sicuru! Sugnu quasi ottantino ma la testa ancora mi funziona!».

«Un'ultima domanda, signor Trupiano. Lei possiede armi?».

«Bianche o da foco?».

La precisione del ralogiaio.

«Da fuoco».

«Un fucili di caccia. Prima mi piaciva, la caccia».

«Il signor Corso, il primo della lista, è arrivato da una diecina di minuti» l'avvertì il piantone.

«C'è Fazio?».

«Ancora non s'è visto».

«Chiamami Gallo».

Gallo s'appresentò di cursa.

«Tu sei di Vigàta, vero?».

«Sì».

«Lo conosci un certo Pino Dibetta?».

Gallo sorrise.

«Certo».

«Perché sorridi?».

«Perché è amico di mio fratello piccolo. Ce l'ho casa casa. Travagliano tutti e due alla Montecatini».

«Allora senti: digli che tra un due ore vorrei vederlo. E ora fate entrare il signor Corso».

Otto

Il signor Corso aviva una putìa di generi alimentari. Rosanna, a quanto gli riferiva la mogliere, datosi che lui dava 'u culu nel nigozio dalla matina alla sira, era una brava picciotta. Le aviva sempre pagato i contributi. No, la mogliere gli aviva ditto che nisciuno chiamava Rosanna al telefono. La picciotta non se ne era andata di testa sò, era stata la mogliere a dirle di non venire più in quanto c'era una loro nipote che aviva di bisogno e loro avivano addeciso d'aiutarla pigliannola pi cammarera. No, alla nipote non davano paga, sulamenti mangiari e dormiri. Nossignore, non teneva armi in casa. Potiva sapìri pirchì addimannavano 'nformazioni sulla picciotta? Ah, no? Bongiorno e grazii lo stisso.

La signora Pimpigallo Concetta nata Currò, sittantina e vidova del ragioniere Arturo, ex contabile del Consorzio ortofrutticolo, s'apprisintò accompagnata dalla figlia Sarina, cinquantina, nubile e apparentemente muta dato che non raprì mai vucca. Dichiarò che su Rosanna non aviva proprio nenti da diri. A passarisi 'na mano sulla cuscienza, qualichi vota arrivava tanticchia in ritardo, ma cosa di picca, massimo cinco minuti. Lei glielo faciva notare ammostrandole il ralogio a pendolo del salotto – «un ralogio sguizzero, commissario miu, che accussì non ne fabbricano cchiù, spacca il secunno!» – e le livava i cinco minuti dalla paga. Pirchì Rosanna se ne era andata? La picciotta contò che aviva incontrata al mircato quella gran cajorda della signora Siracusa, la quali le aviva proposto di andare al servizio sò pagannola di cchiù. Tutto qua. Pirchì la signora Siracusa era una gran cajorda? Il signor commissario non l'aviva ancora accanosciuta? No? Quanno l'accanosciva era pregato di dare un colpo di telefono alla vidova Pimpigallo e allura ne potivano parlari. No, per Rosanna non tilifonava nisciuno. Armi?! In casa?! 'Nzamà, Signuri! Potivano sapìri pi quali motivo la polizia... No? Pacienza.

Il signor Nicolosi Giacomo era un quarantino nirbùso e grevio. Dichiarò che datosi che travagliava in Germania, lui alla picciotta non aviva avuto scascione d'accanoscerla pirsonalmenti. La picciotta era stata a servizio otto misi durante i quali lui non aviva potuto mettere pedi in Italia, sò mogliere l'aviva voluta pirchì in casa tiniva dù figli nichi e i soceri sittantini. Sò mogliere gli aviva ditto di rifiriri che Rosanna Monaco aviva sempri travagliato beni e sinni era voluta andare di volontà sò. Non avivano armi in casa. Pirchì era vinuto lui in commissariato invece della signora che ne sapiva cchiù assai di lui? Pirchì mai e po' mai avrebbi pirmisso che la sò signura s'apprisintava in un commissariato come a una buttanazza qualisisiasi.

La signora Filippazzo Concita monologò controcorrente.

«Che Rosanna era una gran bagascia iu me ne addunai subito. Ho l'occhio finu, iu. Nonsi, le facenne di casa, puliziari, lavari 'n terra, fari 'a cucina, stirari, nenti da diri. Ma bagascia era. In prìmisi, la duminica non andava in chiesa e mancu si faciva la Comunioni. In secùndisi, bastava vidiri comu si faciva taliare da mè maritu e da mè figliu. Certu, eranu iddri a taliarla, ma iddra, Rosanna, si faciva taliari. Una vota, signor commissario, trasii in cucina ca mè maritu si era fattu fari un cafè. La sapi una cosa? Mè maritu con una manu tiniva la tazzina, mentri cu l'autra accarizzava 'u culu della picciotta. Nonsi, iu nun fici burdellu, mè maritu è fattu accussì, accarizzarebbi macari 'u culu a una triglia. Ma la facenna qualichi misi appresso addivintò gravi. Iu haiu un figliu, Gasparinu, che all'èbica tiniva diciott'anni. Una vota ca Rosanna stava rifacennu 'u lettu nella càmmara di Gasparinu, iu vitti alla picciotta calata avanti e darrè mè figliu ca ci accarizzava 'u culu. Ora iu m'addumannu e dicu: la picciotta aviva 'u culu fattu di miele ca tutte le mano ci ristavano supra 'mpiccicate? Doppu 'stu fattu la ittai fora di casa a 'sta gran bagascia. Nonsi, mentri stava cu nuautri nisciuno le tilifonò. Armi?! Ca quali!».

«Perché ha domandato se avevano armi in casa?» spiò Fazio che era arrivato un momento prima che il signor Nicolosi principiasse la sua deposizione e si era fermato fino alla fine.

«Rosanna mi ha detto che l'arma gliela ha fatta avere Cusumano attraverso un tale del quale lei non conosce il nome. E se le cose non sono andate così? Se è stata lei a rubare l'arma da una casa dove stava a servizio? E poi l'ha detto a Pino per dimostrare la sua disponibilità? Sostanzialmente non cangia niente, ma la posizione di lei si aggraverebbe».

«Si sono presentati tutti?».

«Manca una famiglia».

«Mi spiega come ha fatto a saperlo?».

«Mettendo in fila le date. Rosanna, in questi ultimi quattro anni, ha travagliato, nell'ordine, da Trupiano, Filippazzo, Nicolosi, Corso e Pimpigallo. Tra l'una e l'altra di queste famiglie ci sono piccoli intervalli di tempo, il più lungo è tra Trupiano e Filippazzo. E si spiega con l'aborto e le sue conseguenze. Mancano gli ultimi undici mesi, non sono coperti. Ma la signora Pimpigallo ha dichiarato che Rosanna le aveva detto che sarebbe andata a servizio dalla signora Siracusa perché le offriva di più. Però nessuno dei Siracusa si è presentato. Tu ne sai qualcosa?».

«Nonsi, dottore. Ma posso informarmi».

«Fallo subito. Dove sei stato tutto il doppopranzo?».

«A mia questa cosa che Pinu Cusumano non si trova mi feti, mi puzza. Ho domandato. Sono riuscito ad avere la conferma che veramente non è in paese. Più di questo non so. Ah, dottore, quasi quasi me lo scordavo. Dal carcere di Montelusa hanno confermato che Rosanna è andata a trovare Cusumano tre giorni avanti che venisse rimesso in libertà».

«Ma non c'è bisogno di una domanda scritta?».

«Certo, e lei l'aviva fatta un misi prima».

«Ma se non sa scrivere! Come l'ha firmata?».

«Un tale ha firmato per garanzia».

«E come si chiama questo tale?».

«Firma illeggibile, dottò».

Nisciuto Fazio, doppo tanticchia trasì Gallo.

«Dottore, le ho portato Pino Dibetta. Devo assistere macari io?».

«Se vuoi».

«Preferisco di no. È troppo amico, non voglio 'mbarazzarlo».

Pino Dibetta era poco più che vintino. Un picciotto chiuttosto àvuto, elegante di natura sò e tanticchia priocupato d'essere stato convocato in commissariato.

«A disposizione» disse ubbidendo all'invito di Montalbano ad assittarsi.

«Senti» attaccò Montalbano, «tu ne sai niente di...».

«No, niente» fece pronto l'altro.

E si muzzicò le labbra, si era addunato di aviri fatto una fissaria. Continuò, per giustificarsi:

«Io con la storia delle gomme tagliate alla macchina del caporeparto non ci traso propio nenti».

«Ma io me ne sto catafottenno della macchina del caporeparto!».

«Davero?».

«Davvero».

«E allura pirchì mi fece chiamare?».

«Per una storia vecchia di qualche anno. Che riguarda a tia e a una picciotta che si chiama Rosanna Monaco».

«Che successe?».

«No, sono io a domandarti che successe».

«Commissario, io l'accanuscii al mercato, allura aiutavo a un mè ziu che aviva un bancu di frutta e virdura. Mi piacì. E io pure, a iddra. Mi disse che travagliava presso una famiglia... ora non m'arricordo...».

«Trupiano».

«Ecco, sì. Mi dette 'u telefono ch'aviva 'mparato a memoria, non sapiva né leggiri né scriviri. E accussì io accomenzai a chiamarla».

«E quando aveva finito di lavorare vi vedevate».

«Sissi».

«Dove andavate?».

«Campagne campagne. Ma potevamo stare picca, lei voliva tornare presto a la casa».

«Che capitò tra di voi?».

«In che senso?».

«Nel senso che hai capito benissimo».

«Cose di picciotti, vasati, tuccate... nenti di cchiù».

«Lei non voleva?».

Pino Dibetta arrussicò.

«Commissario, Rosanna manco aviva quinnici anni però era fìmmina fatta, una beddra fìmmina, ma...».

«Ma?».

«Aviva la testa... ragiunava come una picciliddra di cinco anni. Io mi scantava delle conseguenze, capace che si metteva a contare a tutti che noi due avivamo fatto la cosa...».

«E l'hai lasciata».

«Nonsi, commissario, iu non la voliva lassari».

«E allora?».

«Una notti mentri iu stava tornanno a la mè casa, venni pigliato a tradimento da dù che non potei arraccanosciri, erano 'nfaccialati. Mi infilarono la testa dintra a un sacco e mi fracassarono a lignati. Mi rumpero tri costoli e dù denti. Taliasse ccà, 'sta cicatrice sulla fronte: sette punti mi dettero. Prima di lassarmi 'n terra, uno mi disse: "E scordati a Rosanna Monaco"».

«E tu?».

«Quanno fui in condizione di nesciri nuovamenti, telefonai al nummaro dei Trupiano. Ma qualcuno m'arrispunnì che Rosanna non travagliava più da loro e non sapivano dirmi indovi era andata. Iu a Rosanna la rivitti pi caso un setti misi appresso. Ma era stracangiata, sicca sicca...».

«Chi pensi sia stato ad aggredirti?».

«In prima, pinsai che erano i dù frati di Rosanna. Ma po' mi spiai che motivo avivano... e non c'era manco bisogno di presentarsi 'nfaccialati per non farsi arraccanoscere... e pinsai macari ca i dù frati non erano cosa di fari accussì... potivano parlarmi se avivano qualichi cosa in contrario».

«Allora, se non erano stati i due fratelli, secondo te chi erano?».

«Mah!».

«Può essere che Rosanna, mentre usciva con te, avesse qualche altro uomo? Macari un amante, un signore maritato che...».

«Rosanna vergine era. Iu, supra a cu fu ca m'ammazzò di botti, le nottate ci persi. Ma non conclusi nenti».

Non c'era altro da dire. Il commissario si susì, il picciotto macari. Montalbano gli pruì la mano, l'altro fe-

226

ce lo stesso. Ma quando le dù mano si strinsero, il commissario non lassò la presa.

«Sei stato tu a tagliare le gomme al caporeparto, vero?».

L'altro lo taliò. Si sorrisero.

«Dottore» disse Fazio con la faccia prioccupata, «a proposito della picciotta, forse bisogna pigliare una decisione».

«Perché?».

«Come, perché? Questo a momenti sequestro di persona è! Nessuno, il giudice, il questore, sa che noi la teniamo in commissariato».

«Nessuno verrà a richiederla».

«Con tutto il rispetto, dottore, questa non è una buona ragione».

«Secondo te cosa bisogna fare?».

«Dottore, ce l'aveva nella borsa il revolver, sì o no? Ci ha detto che aveva intenzione d'ammazzare un giudice, sì o no? Sì. E allura? Procediamo secondo le regole e...».

«... e non incastreremo mai Cusumano. Anzi, gli facciamo un favore perché gli leviamo Rosanna dai cabasisi. Non c'è un punto di contatto tra loro due. Cusumano è stato bravissimo».

«E la visita che c'è stata in carcere?».

«Tu lo sai cosa si sono detti?».

«No».

«Qualsiasi cosa dica Rosanna di quel colloquio, Cusumano la smentirà. E non c'è verso di dimostrare il contrario. Insomma, Fazio: ho bisogno di avere la picciotta sotto controllo ancora per qualche giorno».

«Dottore, stassi attento, la carriera si gioca».

«Lo so. E per questo ho fatto una pinsata. Tu sei maritato, vero?».

«Sissi».

«Non ti occorre una cammarera in casa? La pago io».

Fazio ammammalucchì.

«Ma non la devi fare nesciri. Nessuno deve saperlo. Portatela ora stesso».

Gli avivano ditto che dalle parti di Racalmuto c'era un ristorante quasi ammucciato in una parte scògnita, ma indovi si mangiava seguendo le regole del Signuruzzu, e gli avivano macari spiegato come arrivarci. Non arricordava però il nome del buon samaritano. S'addecise. Si mise in machina e partì. Da Vigàta a Racalmuto c'erano un tri quarti d'ora di strata, pigliando la via che passava sutta ai templi e che andava verso Caltanissetta. Ma il commissario ci misi un'orata e mezza quasi pirchì per dù volte sbagliò la strata che portava al ristorante. Che si chiamava Da Peppino ed era in un loco completamente perso tra àrboli di mandorle. Era un gran cammarone con una decina e passa di tavoli quasi tutti occupati. Il commissario sciglì un tavolino vicino all'ingresso.

Mentre si stava sbafanno il primo, cavatuna al suco di maiali condito con pecorino, dù òmini, ch'erano assittati poco distanti, pagarono, si susero e niscèro. Quanno gli passarono davanti, a Montalbano parse d'arraccanoscerne uno, quello più grasso. L'occhio di sbirro è fatto accussì: fotografa e incasella nel cirivedro. Ma quella volta al commissario non venne in testa altro se non che era uno che aviva viduto da qualiche parte. Per secunno, mangiò sasizza alla brace. Ma quello che lo fece insallanire furono i biscotti del posto, semplici, leggerissimi e ricoperti di zucchero. I taralli. Sinni mangiò tanti da provare vrigogna. Po' niscì e si rimise in machina diretto a Vigàta. La notti era scurosa. Prima d'immettersi dal viottolo sterrato sulla statale si fermò pirchì c'era trafico. A un certo momento vitti un varco stritto e ripartì di scatto, accelerando. In quel priciso momento sintì una specie di botto e subito appresso la machina sbandò, mittendosi a firriari su se stessa.

Montalbano si vitti perso, alluciato dai fari delle machine che venivano in senso inverso e subito appresso da quelle che andavano nello stisso senso sò. Testa coda. Completamente assammarato di sudore, isò le vrazza lassando fari alla machina quello che aviva in testa di fari, mentri davanti e darrè di lui si scatinava un tirribìlio di frenate, clacsonate, vociate, urla, biastemie. Alla machina ci vinni voglia di girare a sinistra e andò a infilarsi in un fosso allato alla strata. Fine della corsa. A Montalbano i taralli erano acchianati dalla panza fino alla gola e ora sinni stavano lì, in attesa di ricalarsene o di essiri vummitati fora. Dù o tri pirsone corsero verso la machina, aprirono lo sportello.

«Si è fatto male?».

«Maria, che scanto nni fici pigliari!».

«Ma chi fu, ah?».

«Grazie, grazie» fece il commissario. «Dev'essere scoppiata una gomma».

Approfittò della cortesia di un tale che con moglie-re e cinco rumorosissimi picciliddri si dirigeva verso Vigàta. In commissariato, fece telefonare a Fazio e a Gallo perché venissero immediatamente. Con la macchina di servizio guidata da Gallo tornò sul posto dell'incidente. Fazio si calò, osservò una rota alla luce di una torcia.

«Secunno mia le hanno sparato» fece nìvuro in faccia.

«Macari secunno mia» disse Montalbano.

«Chi lo sapeva che andava a mangiare a Racalmuto?».

«Nessuno».

Cangiarono la ruota, trainarono la machina fora dal fosso e se ne tornarono a Vigàta. Taliarono il coperto-ne spaccato. Non ci fu bisogno di studiarlo a longo. Un proiettile 7,65 l'arrecuperarono subito. E mentri Fazio travagliava al recupero, al commissario tornò a mente il ristorante. E principiò nella sò testa una spe-cie di cinematografo, la proiezione di una pillicola. La scena rappresentava il cammarone. Era un piano-sequen-za. I clienti che mangiavano. Il patrone che portava una buttiglia di vino. Lui aviva appena finito d'ordinari il primo e mentri il cammareri s'allontanava verso la cu-cina, da un tavolino indovi stavano assittate dù pirso-ne si susì il più grasso, andò al telefono ch'era impicci-cato al muro, infilò un gettone, fici un nummaro, parlò picca e a voci vascia, ridì, riattaccò, tornò ad assittar-si. Dissolvenza incrociata, la scena torna la stissa, ma

230

il patrone è assente, il cammareri sta portanno quattro piatti, manca una coppia giovane che prima era assittata al tavolo vicino alla porta della cucina. Lui sta finenno i cavatuna, i dù òmini si susino e si avviano alla porta, passandogli davanti. E qui lui nota l'omo grasso, gli pari d'averlo già visto. La camera zuma sulla sò faccia, mette in evidenza una voglia bluastra dal naso all'orecchia. Ora la scena cangia di colpo. La piazza di Vigàta davanti al municipio. Un vigile parla a due cani. Arriva una machina lentissima che viene superata da una potente auto sportiva. Le due auto si strisciano, si fermano. Scende un vecchio dalla machina lenta, dall'altra un giovinastro che gli dà un cazzotto. Dall'auto sportiva nesci un omo grasso, afferra il giovinastro, lo trascina alla sò auto. La camera zuma nuovamente sulla sò faccia: una voglia bluastra gli parte dal naso e gli arriva all'orecchia. Luce in sala e luce nella testa del commissario.

«Senti, Fazio, tu lo conosci a uno grasso con una voglia in faccia che dev'essere qualcuno del giro di Pino Cusumano?».

«E come no, dottore! Ninì Brucculeri, un pregiudicato, una specie di omo di fiducia».

«Lo sai dove abita?».

«Qua a Vigàta».

«Bene. Pigliati gli uomini che ti servono e portamelo. Deve avere con sé un'arma. È importante, sequestrala».

«Dottore, le faccio notare che non abbiamo nessun mandato».

«Me ne stracatafotto. Se lo battiamo sul tempo, resterà accussì sorpreso d'essere stato identificato in un biz che sbracherà».

«Ma perché Brucculeri avrebbe voluto ammazzarla?».

«Ti sbagli, non voleva ammazzarmi. Voleva darmi un avvertimento. È stato un caso. Io sono entrato nel ristorante dove c'era già lui. Allora ha telefonato a Cusumano per informarlo. E quello gli avrà detto di farmi pigliare un bello scanto».

«Sì, ma qual è lo scopo di Cusumano?».

«Scusami, Fazio, ma tu non lo stai cercando? Avrà saputo del nostro interesse e ha messo le mani avanti».

«Ma è sicuro, dottore? Perché io mi sono mosso con quatela, ho spiato sì, ma alle persone che ritenevo...».

«Credimi, non c'è altra spiegazione. Rifletti. Cusumano a quest'ora sicuramente sa che abbiamo fermato Rosanna. Sei d'accordo?».

«Sissi».

«Poi tu te ne vai in giro a domandare di Cusumano. E questo che significa? Significa che Rosanna ha parlato, ci ha detto che Cusumano voleva che lei ammazzasse il giudice Rosato. E quindi corre ai ripari. È come se mi avesse mandato una lettera: "Stai attento alle tue prossime mosse". La sai una cosa?».

«Nonsi».

«Cusumano sarà nipote e figlio di mafiosi, mafioso lui stesso, ma è soprattutto una gran testa di minchia».

La voglia sulla faccia di Ninì Brucculeri ora tirava al verde. L'omo grasso trimava di raggia contenuta.

«Pozzu sapìri pirchì vegnu arrisbigliatu alli quattru

del matinu e purtatu ccà comu unu sdilinquente? A mè mogliere un colpo ci pigliò».

«Perché lo sei, un delinquente» disse Fazio che gli stava allato.

Montalbano, assittato darrè la scrivania, isò una mano in segno di pace.

Aviva addeciso di mettersi tanticchia a garrusiare, certe volte gli capitava davanti a pirsone tracotanti.

«Signor Brucculeri, volevo da lei due semplicissime informazioni. La prima è questa: lei stasera ha cenato al ristorante Da Peppino a Racalmuto?».

«Sissignura. Che è, reato?».

«No. Tant'è vero che ci ho cenato anch'io».

«Ah, c'era macari lei?».

L'intonazione sonò falsa. Pessimo guitto, Ninì Brucculeri.

«Sì. Ecco, le volevo domandare che cosa mangiò per primo».

Brucculeri tutto s'aspittava, meno quella domanda. Per un attimo perse la memoria. Possibile che veniva fermato e portato al commissariato alle quattro del matino solo per dare risposta a una minchiata simile?

«Ca... cavatuna cu 'u sucu di porcu».

«Pure io. La domanda è questa: c'era troppo sale sì o no?».

Brucculeri principiò a sudari. Che viniva a diri quella farsa? Ma po' era una farsa o era un trainello? Meglio tenersi sulle generali.

«A mia parse giusta».

233

«Va bene. La ringrazio. La seconda è questa: lei è interista o milanista?».

Brucculeri si vitti perso. «Fora» pinsò, «fora, chisto è un vero trainello, se rispondo in un modo o nell'altro sugnu cunsumato».

«Non m'interessa 'u palluni».

«Bene. Lei ha recentemente sparato?».

«No. Sì. No no. Sì sì».

«L'arma ce l'aveva?» spiò Montalbano a Fazio.

«Sissi. Una Beretta 7,65. E dal caricatore manca un colpo».

«Ah» fece Montalbano, neutro.

Taliò Brucculeri e spiò:

«Lei naturalmente ha il porto d'armi?».

«No».

Il sudore all'omo grasso oramà gli vagnava le scarpe.

«Ah» fece Montalbano tanto neutro che parse la Svizzera.

«Il proiettile che abbiamo recuperato dalla ruota ce l'hai tu, vero?».

«Sissi» arrispunnì Fazio.

«Stamatina mandi pistola e proiettile a Montelusa, alla Scientifica».

«Nun mi staiu sintenno bono» fece Brucculeri.

«A questo qui lo metto in càmmara di sicurezza?» spiò Fazio.

«Eh» fece ovvio Montalbano.

Nove

Fazio tornò doppo aviri inserrato a Brucculeri. Aviva la faccia scurosa e Montalbano se ne addunò.

«Che hai?».

«Dottore, che 'ntinzioni ha con Brucculeri? A regola di liggi, stamatina stissa dovrebbe trovarsi davanti al magistrato, essere accusato di tentato omicidio e tutto il resto e scegliersi l'avvocato. Ma, da quel poco che la conosco a lei, mi sono fatto un concetto».

«E cioè?».

«Che vuole tenerselo in càmmara di sicurezza senza dirlo a nessuno».

«Come senza dirlo a nessuno? A quest'ora la moglie di Brucculeri ha avvertito chi doveva avvertire. Non ci resta che aspettare».

«Ma cosa, dottore?».

«La mossa che faranno».

«Guardi, dottore, l'avverto che a casa mia non ho bisogno macari di un maggiordomo».

Montalbano sorrise e Fazio addecise di rinunziare. Cangiò argomento.

«Ah, dottore. Mentre lei era andato aieri a sira a mangiare, mi sono informato della famiglia Siracusa».

235

Fece per nesciri dall'ufficio.

«Dove vai?».

«Vado a pigliare il pizzino dove ho scritto tutto».

«Tu questo complesso dell'anagrafe te lo devi levare. Resta qui e dimmi quello che ti ricordi».

Fazio si rassegnò, deluso.

«Dunque. Lui si chiama Siracusa Antonio fu, mi pare...».

«Ti dissi di lasciar perdere paternità, maternità e minchiate simili».

«Scusasse, ma mi viene. Comunque, questo Siracusa è un quarantino di Palermo e si trova a Vigàta da due anni perché è un chimico della Montedison. Sò mogliere, trentacinchina, si chiama Enza e pare sia una gran bella fìmmina. Non hanno figli. Lui ha denunziato qua la sua collezione».

«Ah, sì? E che colleziona?».

«Pistole e revolver. Ne ha una quarantina».

«All'anima! Li hai convocati?».

«Nonsi, dottore. Sono partiti tutti e due».

«Quando? Lo sai?».

«Sissi. Ho parlato con la vicina. I Siracusa abitano in una villetta che ha solo due appartamenti sullo stesso pianerottolo. La vicina, che è una sissantina sparlittera, si chiama Bufano, mi disse che sono partiti di furia, almeno lei ebbe quest'impressione, aieri doppopranzo, con la loro machina».

«Interessante. Il signor o più probabilmente la signora Siracusa sentono in televisione che noi siamo interessati alla loro cameriera e invece di presentarsi se ne scappano. Descrivimi esattamente dov'è questa villetta. Doppo ci andiamo a fare qualche ora di sonno».

Alle otto e mezza del matino, frisco come se non avesse dormito solamente qualche orata, vistuto come un figurino, cercò sull'elenco il nummaro dello stabilimento Montedison, lo fece, si qualificò, disse che voliva parlari col direttore.

«Commissario, sono Franzinetti, mi dica».

«Lei è il direttore?».

«No, ancora non è arrivato, ma se posso esserle utile io...».

«Lei chi è, scusi?».

«Il capo del personale».

«Allora posso domandare a lei. Avevo bisogno di parlare col dottor Antonio Siracusa per una formalità, ma mi dicono che è partito. È andato in ferie?».

«Ma no! Ieri è tornato a casa per il pranzo, poco dopo però ci ha chiamato per comunicarci che gli avevano appena telefonato per dirgli della morte di uno zio al quale era legatissimo. E così è dovuto partire per qualche giorno».

«Sa quando torna?».

«No».

«Sa dove è andato?».

«No, mi dispiace».

Insomma, era chiaro che i Siracusa avivano il cravuni vagnato. Un carbone tanto bagnato da costringerli a tenersi lontano da Vigàta per qualche giorno, in at-

237

tesa che la mareggiata si calmasse. Non restava che andare a parlare con la vicina.

La villetta era fatta che sutta ci stavano due garage e due patii e supra dù appartamenti con terrazza. Teoricamente da quelle terrazze si potiva vidiri il mare, ma abbisognava distruggere il palazzone a deci piani che le avivano costruito davanti, dall'altro lato della strata. Il giardinetto che si vidiva dal cancello in ferro battuto era ben tenuto. Nel citofono c'erano dù nomi: Siracusa e Bufano. Sonò a quest'ultimo.

«Chi è?» fece una voci arragatata di fimmina anziana.

«Il dottor Pecorilla sono».

«E che vuole?».

«Veramente, signora, non volevo parlare con lei, ma con la signora Enza Siracusa. Però suono e non risponde nessuno».

«Partiti sono».

«Oh, mannaggia!».

Montalbano intuì la battaglia che si stava svolgendo nell'animo della signora Bufano, tra la curiosità e l'occasione di sparlari da una parte e lo scanto di raprire la porta a uno sconosciuto.

«Aspetti un momento» disse la voce arragatata.

Si sentì tramestiare, doppo la porta-finestra si raprì e sulla terrazza a mano dritta apparse una fimmina anziana con in mano un binocolo che puntò sul commissario. Questi si lasciò taliare, aviva un aspetto più che rassicurante, persino la cravatta era a colori smorti. La fimmina rientrò e doppo tanticchia Montalbano sentì lo scatto del cancello che si rapriva. Percorse il vialetto, ammuttò il portone d'entrata, si trovò davanti a una scala che portava a un pianerottolo bastevolmente granni. A mano manca c'era la porta inserrata dell'appartamento dei Siracusa, a mano dritta quella della signora Bufano. Aperta. Montalbano mise la testa dintra.

«C'è permesso?».

«Avanti, avanti. Da questa parte».

Il commissario, guidato dalla voci, arrivò a un salotto del quale la signora Bufano stava raprenno la finestra.

«Le posso offrire qualcosa?».

«Non si disturbi, grazie».

«Perché cercava la signora Siracusa, dottor?...».

«Pecorilla. Sono un medico delle Assicurazioni Trinacria. Dovevo visitare la signora per la stipula di una polizza e mi aveva dato appuntamento per questa mattina. E io sono venuto apposta da Palermo».

«Quanto mi dispiace!» disse la signora Bufano allegrissima.

«Questo non è un modo di procedere serio» fece Montalbano mostrandosi siddriato. «Non depone certo a favore della serietà della signora Siracusa. Lei la conosce?».

«E come no!» fece la signora Bufano.

«Siete amiche?».

«Ma quanno mai! Bongiorno e bonasira! Però haju occhi pi vidiri e orecchi pi sintiri. Mi capì?».

«Perfettamente. Lei ha detto che sono partiti. Quando, lo sa?».

«Aieri doppopranzo verso le due. Hanno caricato due valigione sulla loro macchina».

«Lei quindi non è in grado di dirmi...».

«Niente di niente. Però... è una 'mpressione... mi parse che scappavano».

«Complimenti» fece ruffiano Montalbano. «Lei dev'essere un'acuta osservatrice».

«Eh!» sclamò la signora Bufano facendo ruotare la mano dritta a significare che lei arrinisciva a vidiri ogni cosa di questo munno e qualichi cosa macari di quell'altro.

«Lei ha detto che ha occhi per vedere e orecchie per sentire. Ha visto e sentito per caso qualcosa di anormale? Sa, le assicurazioni...».

«Dottore mio, le porto un esempio. Il mese passato il marito dovette andare a Roma per una simana, me lo disse lui che dà più cunfidenza. Ebbene, tutte le notti la signora arricivette. Dù òmini diversi, una notti unu e l'autra notti l'autru».

«Ma lei come fece a...».

«Io sentivo lo scatto del cancello, no? Allora mi susiva dal letto e... venga con me».

Lo guidò all'ingresso. Allato alla porta c'era una finestra che dava luce all'anticàmmara. La signora Bufano la socchiuse.

«Io venivo qua e taliavo la pirsona che trasiva in casa Siracusa».

In quel momento Montalbano pinsò che sarebbe stato onesto da parte sua chiamare al telefono la signora Pimpigallo Concetta e darle ragione per quanto riguardava la cajordaggine della signora Enza Siracusa.

Tornarono in salotto.

«E lui, il marito, com'è?» spiò il commissario.

«Peggio di lei, se si tratta di fìmmine».

Montalbano ora aviva prescia d'irisinni, gli era vinuta un'idea pazza. Salutò la signora, la ringraziò, niscì sul pianerottolo, taliò quello che l'interessava. Allato alla porta dei Siracusa c'era una finestra identica a quella della signora Bufano. Gli parse non perfettamente chiusa, solo accostata. Doviva assolutamente provarci. Scinnì la scala, raprì il portone e fece finta di richiuderlo sbattendolo, in modo che la signora Bufano sentisse la rumorata. Doppo lo raprì di nuovo e l'accostò delicatamente. Percorse il vialetto, raprì il cancello e lo riaccostò come aviva fatto col portone. A taliarlo superficialmente pariva chiuso. Dirigendosi verso la machina, vitti con la coda dell'occhio la signora Bufano che sinni trasiva dal terrazzo e chiudeva la porta-finestra. Mise in moto, arrivò alla strata appresso, frenò, parcheggiò, scinnì, tornò narrè verso il villino. Il cancello di ferro battuto non cigolò. La porta non fece rumorata. Accomenzò ad acchianare i scaluna della scala a pedi lèggio quanno esplose qualichi cosa che stava a mezzo tra una bumma e una truniata. Montalbano atterrì. Po', lentamente, accapì che quella grannissima rumorata era musica. La signora Bufano stava a sintirisi, al massimo del volume, una canzuna che faciva: «Andiamo a mietere il grano, il grano, il grano...». Quanto durava una canzuna? Tri minuti? Tri minuti e mezzo? Acchianò di cursa i restanti graduna, spingì il vetro della finestra di casa Siracusa, la finestra si raprì, Montalbano s'afferrò saldamente con le due mano sul bordo inferiore, spiccò un salto che avrebbe dovuto essere atletico, le vrazza però non lo ressero, ricadì sul pianerottolo santianno. Al terzo tentativo arriniscì a mettere il culo sul bordo inferiore, la parte superiore del corpo sò piegata narrè con la testa e il busto dintra all'ingresso, le gambe ancora fora nel pianerottolo. Si girò sul culo, arriniscì a firriare su se stesso, ma mentri lo faciva i cabasisi gli restarono stringiuti dalle mutanne, sopportò il duluri, si mise a cavalcioni sulla finestra. Il più era fatto. Portò dintra l'altra gamba, si lassò cadiri e chiuì la finestra come prima mentre finivano di rimbombare le ultime note della canzuna. Subito appresso ne partì un'altra, attutita, che faciva: «Amore amor portami tante rose».

Appena i sò dù pedi toccarono il pavimento dell'appartamento dei Siracusa, Montalbano sentì una specie di scossa elettrica che gli acchianava lungo le gambe, s'arrampicava sulla spina dorsale, gli arrivava al cireveddro. E capì che i rabdomanti, quanno sintivano la vena d'acqua a centinara di metri sutta terra, dovivano provare l'istissa cosa. Lì, gli diciva il corpo sò, c'era la minera d'oro, l'acqua, la trovatura. Caminò come un sonnambulo, taliando appena le dù càmmare da letto, quella padronale e quella degli ospiti, i dù bagni, la cucina, la càmmara di mangiari, il salotto, una specie di spogliatoio attrezzato per lo sviluppo e la stampa di fotografie e arrivò finalmente indovi le gambe lo portavano: nello studio, o quello che era, del dottore in chimica Antonio Siracusa. Passando, si era addunato che l'appartamento pariva svaligiato dai ladri, armuàr aperti, vistita ittati 'n terra, casciuna rapruti a mità, disordine dovunque. Ma erano il chiaro signo di una fuga improvvisa, lo sapiva. Nello studio del dottor Siracusa invece non c'era una cosa fora posto. Una granni scrivania, quattro seggie, una parete a scaffalature aperte colme di bottiglie, buttigliuna, burnìe piene di polveri di diverso colore. Addossato a una parete una specie di armuàr alto e stritto, lucido e pulito, chiuso a chiave. In un angolo c'era un classificatore metallico, mezzo aperto, pieno di schede. Montalbano s'assittò alla scrivania, supra c'erano un lume da tavolo, una machina fotografica dintra la sò custodia, molte carte a mancina sulle quali comparivano formule chimiche. A dritta ci stavano invece solo tri o quattro fogli. Una domanda per l'allacciamento di un'altra linea telefonica, una cartella clinica d'esame del sangue, una littra del commendator Papuccio, patrone della villetta, che diceva non essere sua competenza l'aggiustamento del tetto che faciva acqua e, ultimo, un modulo. Un modulo che fece letteralmente satare Montalbano dalla seggia. Era la brutta copia di una domanda per la visita a un carzarato. Il carzarato era Cusumano Giuseppe e la richiedente era Monaco Rosanna. Dunque a fare la domanda per conto dell'analfabeta Rosanna, e a mettere la firma di garanzia, era stato il dottor Siracusa.

Ma questo ancora non abbastava a giustificare la scappatina. Doviva di necessità esserci dell'altro. Il commissario raprì il cassetto a dritta della scrivania: formule, corrispondenza con la Montedison, il permesso rilasciato dalla questura di Palermo di mantenere armi in casa in qualità di collezionista, un altro foglio uguale ma intestato «Questura di Montelusa», l'elenco delle armi possedute che il commissario mise a parte supra il tavolino. Il cassetto a mancina era invece chiuso. Il commissario lo scassinò con un tagliacarte. La prima cosa che vitti fu una chiavi. La pigliò, si susì, andò all'armuàr: la chiavi girò, era quella giusta, ma Montalbano non raprì le ante, sinni tornò alla scrivania. Nel cascione c'erano due grosse buste telate, una china fino a scoppiare, l'altra con poca roba dintra, tanto da pariri vacante. Raprì la prima, la capovolse e il piano dello scrittoio si cummigliò letteralmente di fotografie. Tutte a colori. Tutte dello stesso formato. Tutte dello stesso soggetto: fìmmine nude. Dai quinnici ai cinquanta, variamente stinnicchiate sullo stesso letto in disordine. Non collezionava solo armi, il dottor Siracusa. Evidentemente aviva l'abitudine d'immortalare post coitum ogni sò imprisa. E po' andava a sviluppari e a stampari nel laboratorio privato. A taci maci, senza occhi indiscreti. Portandosi appresso una foto, il commissario si susì e andò nella càmmara matrimoniale: il letto era lo stesso delle fotografie. Coppia apertissima, i Siracusa. Probabilmente, mentre il dottore impignava il letto matrimoniale, la sò signura tiniva occupato quello della càmmara degli ospiti. Tornò nello studio, rimise le foto nella prima busta, pigliò in mano l'altra, la capovolse. Conteneva tri fotografie. Dello stesso soggetto delle altre: una fìmmina nuda che s'ammostrava prima a panza all'aria, doppo a panza sutta, e appresso ancora a gambe spalancate. La fìmmina era una picciotta che il commissario accanosceva: Rosanna. Ma una relazione tra patrone e criata non bastava a giustificare la scappatina. La facenna doviva essiri assà cchiù complicata. Il commissario s'infilò in sacchetta la foto di Rosanna a panza all'aria, rimise le altre foto nella busta e la busta nel cassetto. Pigliò l'elenco delle armi e raprì l'armuàr. Il mobile, costruito su misura, era all'interno interamente ricoperto di villuto blu chiaro. Solo pistole e revorberi d'ogni tipo, dimensione ed èbica. Nenti carabine. Nenti fucili. Erano disposti su quattro file di deci, tre nell'interno dell'anta mancina, quattro sulla parete di fondo, altri tre all'interno dell'anta di dritta. Ogni arma era tenuta appisa con tri chiova dalla capocchia di plastica dorata. Una vera e propia esposizione. Quaranta erano e quaranta erano stati dichiarati. Non mancava un'arma. Nell'armuàr c'era ancora spazio per un'altra quarantina di armi corte. Nella parte vascia dell'armuàr ci stava un cascione che il commissario raprì. Non c'erano munizioni di nessun tipo, solo fondine, scovolini, olii speciali. Richiuse il cascione e l'armuàr e stava per mettere in ordine la scrivania quanno qualichi cosa lo disturbò, qualichi cosa che si riferiva all'armuàr delle armi. Tornò a raprire le ante e raprì macari il cascione. Allura si addunò che tra il piano di base dell'armuàr e il cascione c'era troppa distanza, almeno un vinticinco centimetri. Lì doveva sicuramente esserci un cassetto segreto. Ma dov'era ammucciato il sistema per raprirlo? Dalla persiana filtrava bastevole luce. Pigliò una seggia, s'assittò davanti all'armuàr spalancato, si addrumò una sicaretta. A forza di taliare, l'occhi accomenzarono a fargli pupi pupi. E se si trattava semplicemente di un errore nella costruzione? No, impossibile. E tutto 'nzemmula capì d'aviri risolto il busillisi. Ogni arma era tenuta orizzontale da tri chiova, pirchì l'ultima della parete di fondo invece ne aviva quattro? Si susì, col dito indice premette le prime tre capocchie dorate. Non capitò nenti. Alla quarta si sintì una specie di clic e un cassetto piatto, ammucciato tra il piano di fondo e la parte superiore del cascione, propio indovi Montalbano aviva intuito, scattò in avanti. Il commissario lo finì di raprire. C'erano una pistola e un revorbaro tenuti fermi col sistema dei chiova perché non si cataminassero quanno il cassetto veniva aperto o richiuso. Allato alle dù armi ci stavano tri chiova, sistimati come se dovessero tenere ferma un'altra arma che però non c'era. Ne restava l'impronta sul velluto. Montalbano pigliò la pistola, miricana, dall'ariata micidiale. Solo l'ariata, pirchì si addunò subito che era stata resa inservibile, la molla del percussore era allentata. Lo stesso lavoretto che era stato fatto sul revorbaro di Rosanna. E macari la pistola aviva il numero di matricola abraso. La rimise a posto. Inoltre c'erano tre scatole di cartucce. Una era aperta e ne mancavano sei.

Rimise in ordine tutto. Andò nell'ingresso. La signora Bufano si stava facenno 'ntrunari la testa con «Guarda come dondolo, guarda come dondolo, con il twist». C'era uno sgabello provvidenziale, lo mise sutta alla fi-

nestra, raprì, acchianò, satò, richiuì, scinnì, niscì. Olè!
Ecco a voi il commissario Salvo Montalbano: per gli amici, l'acrobata.

La prima cosa che il centralinista gli disse fu che fin dalla matinata aviva pigliato a telefonari l'onorevole Torrisi. Aviva urgenti, anzi urgentissima nicissità di parlargli.
«Quando ritelefona, passamelo».
Fazio s'appresentò subito doppo.
«Com'è andata con Rosanna?».
«Bene, dottore. Con mè mogliere pare che va d'accordo. Però mi ha spiato almeno almeno quattro volte quand'è che ci decidiamo ad arrestare a Pino Cusumano. È ossessionata, spasima per vederlo in galera. Che
strammo, eh, dottore?».
«Che c'è di strano?».
«Ma come, dottore? Questa picciotta prima è disposta ad ammazzare a uno solo per fare piaciri al sò innamorato e doppo qualichi jorno lo vuole vedere mar-
cire in galera?».
«Si sente tradita, ci ha detto che Cusumano l'avrebbe tirata fora dai lacci, invece ce l'ha lasciata».
«Mah. La sapi una cosa? A mia piuttosto mi veni in
testa l'òpira».
«*La donna è mobile qual piuma al vento?*».
«Ecco, questa, dottore».
Senza dire né ai né bai Montalbano infilò una mano
in sacchetta, tirò fora la foto di Rosanna nuda a panza
all'aria e la pruì a Fazio. Il quale la pigliò, la taliò, la lasciò cadiri sul tavolo come se era una cosa vilinosa.

«Matre santa!».

S'assittò ammammaloccuto.

«Come l'ha avuta, dottore?».

«Me la sono pigliata. Ce ne erano altre due, ho scelto questa che è la più presentabile».

«E da dove la pigliò?».

«Ho perquisito la casa del dottor Siracusa».

«Come fece a trasire?».

«Da una finestra».

«Come un latro, dottore?».

«Come un latro, Fazio».

«Allora sbaglia, perquisire non è il verbo giusto».

Fazio s'asciucò il sudore dalla fronte con un fazzolettone a scacchi.

«Dottore, io ce lo dico spassionatamente: un jorno o l'altro lei va a finiri in galera. E capace che devo essere io a metterle le manette. Lei ha corso un grosso pericolo, lo sa?».

«Lo so, ma ne valeva la pena».

Fazio, da sbirro nasciuto e pasciuto, appizzò le grecchie.

«Mi dicisse».

E il commissario gli contò tutto.

«Che ne pensi?» spiò alla fine.

«Dottore, prima una domanda. Perché Siracusa teneva ammucciate armi proibite?».

«Fa parte della mentalità di certi collezionisti. Vedi, quelle armi sicuramente erano appartenute alla mala, macari erano servite per qualche omicidio. Lui le aveva accattate a caro prezzo. E ogni volta che rapriva il

248

cassetto segreto provava come un brivido di piaciri. E allora che ne pensi di queste novità?».

«Dottore, che ne devo pensare? Siracusa, che non regge davanti a una fìmmina, perde la testa per Rosanna. Si vanta delle armi, capace che gliele fa vidiri e le spiega come funzionano. Rosanna si corca con lui, ma accomenza a pretendere delle cose. Come, ad esempio, che Siracusa scriva la domanda per il colloquio in carcere con Cusumano. E quello lo fa. E gli domanda pure il revorbaro».

«No. Il revorbaro non glielo ha domandato. Se l'è pigliato e non si è fatta più vedere in casa Siracusa. Quando è apparso il nostro annunzio su "Retelibera", Siracusa è andato a controllare, ha visto che mancava un suo revorbaro, ha capito, e non ci voleva molto, che glielo aveva fottuto Rosanna e se ne è scappato, pigliato dal panico».

«Poi Rosanna è andata al colloquio con Pino e gli ha detto che era in possesso di un'arma» disse Fazio. «Ma perché ci ha contato che il revorbaro glielo aveva consegnato l'omo stesso che le dava i bigliettini?».

Montalbano stava per rispondere quando squillò il telefono.

«Le passo l'onorevole Torrisi» fece il centralinista.

Prima di rispondere, il commissario disse a Fazio:

«È l'onorevole Torrisi. Che ti dicevo? Chi doveva sapere del fermo di Brucculeri l'ha saputo e ora tenta di metterci una pezza a colori. Si rendono conto benissimo che Cusumano ha fatto una minchiata sullenne».

«Montalbano sono» fece sollevando il ricevitore.

«Commissario carissimo! Sono veramente lieto di poterla risentire, mi creda!».

«Mi dica pure, onorevole».

«Sono appena arrivato da Roma, mi trovo all'aeroporto. Massimo tra un'ora e mezza sarò a Vigàta. Troppo tardi per andare a pranzo assieme?».

«Veramente ho già un impegno».

«Facciamo a cena?».

«Spiacente, ma mi arriva un amico».

Manco doppo un misi a digiunu supra un'isola deserta avrebbe mangiato un tozzo di pani con quell'omo.

«Allora passo da lei verso le cinque del dopopranzo?».

«Se vuole, vengo io nel suo studio».

Calò silenzio. Il commissario capì quello che passava per la testa dell'altro: Torrisi si stava tirando il paro e lo sparo. Per la sua dignità di onorevole, era più giusto che Montalbano veniva a trovarlo. Ma che avrebbe pinsato la gente? Se inveci andava lui al commissariato potiva sempre dire che aviva voluto informarsi sulla situazione dell'ordine pubblico. Montalbano se la stava godendo pinsando all'imbarazzo dell'onorevole. Addecise di metterci il carrico da undici.

«D'altra parte si tratta di una chiacchierata amichevole, no?».

L'altro esitò ancora un attimo, doppo concluse:

«La ringrazio per la sua squisita cortesia, commissario. Ma mi è più comodo venire io».

«D'accordo, onorevole, come vuole. A più tardi».

Riattaccò.

«Ci sarebbero delle carte da firmare» disse Fazio.

«Firmale, chi te lo proibisce?».

«Ma dottore, è lei che le deve firmare!».

«Ah, sì? Allora sappi una cosa. Accussì andremo d'accordo. Tu me lo devi dire almeno almeno venti-quattr'ore prima».

«Che cosa, dottore?».

«Che ci sono carte da firmare. Mi abituo lentamente all'idea, capisci? Se me lo dici tutto 'nzemmula, è un trauma».

Dieci

Per antipasto un purpu nico, morbidissimo, a strascinasale, seguito da tanticchia di frittura di nunnato, per primo pasta al nìvuro di siccia, per secunno dù sarachi, di considerevoli stazza, arrustuti. Urgeva una passiata digestivo-meditativa al molo. La principiò d'umore allegro. L'onorevole avvocato Torrisi si era precipitato da Roma richiamato in servizio dalla famiglia Cuffaro, allarmata soprattutto dalla stronzaggine dell'adorato rampollo Pino, e alle cinque perciò ci sarebbe stato da scialarsela. Ma quanno s'assittò sullo scoglio chiatto che c'era sutta al faro, lentamente l'umore gli cangiò. Forse fu per il sottofondo regolare e monotono dello sciacquettìo tra gli scogli, ma il fatto è che gli tornò quella sensazione disagevole d'essiri un pupu in mano a un puparo. D'essiri uno che cridiva di caminare con le sò gambe, liberamente, senza sapìri che c'erano fili invisibili che lo strascinavano avanti. «Pupi siamo...». Chi l'aviva scritto? Ah, Pirandello. A proposito, doviva accattare l'ultimo libro di Borges. Misteriosamente, il nome dello scrittore, una volta trasutogli in testa, non volle più nesciri. «Borges, Borges» continuò a ripetere. E tutto 'nzemmula gli tornò alla memoria una mezza pagina, o meno ancora, dell'argentino liggiuta tempo avanti. Borges contava la trama di un romanzo giallo indovi tutto nasceva dall'incontro assolutamente casuale, in treno, tra due giocatori di scacchi che prima non si erano mai accanosciuti. I dù giocatori organizzavano un delitto, lo portavano a compimento quasi con pedanteria, arriniscivano a non essere sospettati. Borges scriveva insomma un soggetto plausibilissimo, logicamente concatenato, senza una crepa. Solo che alla fine lo scrittore metteva un post scriptum, una domanda, questa: e se l'incontro in treno tra i due giocatori non era stato casuale? Ecco, nell'indagine che stava facenno, una domanda accussì non gli era manco passata per il ciriveddro. Quelle poche righe di Borges erano una grannissima lezione sul modo di fare un'inchiesta. E perciò macari in questo caso abbisognava farsi una domanda in grado di rimettere tutto suttasupra, tutto in discussione. Per esempio: pirchì Cusumano voliva far ammazzare il giudice Rosato? Il quale, mischino, aviva telefonato già un paro di volte per sapìri a che punto era la facenna. Fu un lampo, rapidissimo. Capì che propio il giudice Rosato era il punto debole di tutta la storia. O meglio, il punto che lui non aviva capito. O meglio ancora, il punto che lui subito aviva dato per accettato. Tirò un respiro funnuto, di colpo l'aria di mare gli trasì nel ciriveddro, glielo pulizò da ogni pruvulazzo, filìnia, lurdìa. Ora, con la testa sbarazzata e lùcita, putiva accomenzare a ragionare giusto.

Mancava un quarto d'ura alle quattro quanno si susì dallo scoglio e tornò di cursa in paìsi. Sapiva indovi abitava Fazio che sicuramenti era già in commissariato. Lo doviva avvertire? Sarebbe stata perdita di tempo, gli avrebbe contato tutto doppo. Fazio stava nella parte alta del paìsi, in un orrendo palazzone di costruzione recente. Sonò al citofono. Gli arrispunnì una voci di fìmmina.

«Montalbano sono».

«Signor commissario, mio marito è...».

«In ufficio, lo so. Ma io devo parlare con... la sua amica».

«Ho capito. Quarto piano».

Quarantina, simpatica, la signora l'aspittava sulla porta.

«Trasisse, trasisse».

Lo guidò in una càmmara ch'era a un tempo di mangiari e di riciviri.

«Rosanna, appena ha sentito ch'era lei, è andata a cangiarsi».

«Come si è comportata?».

«Benissimo. È una brava picciotta. Che si è persa darrè a un fitenti».

Trasì Rosanna, tanticchia impacciata, si fermò sulla porta.

«Bongiornu».

Si era messa il vestito che le aveva arrigalato il commissario.

«Vieni avanti. Ti devo parlare. Assettati».

Rosanna ubbidì. La signora Fazio invece si susì.

«Lo piglia un cafè?».

«Grazie, no».

254

«Io vado di là. Se ha bisogno, mi chiama».

La picciotta appariva tisissima, una corda allungata al massimo, le labbra tirate tendevano a scoprirle gengive e denti. Quelle poche ore in casa Fazio non le avivano evidentemente giovato.

«Me la portò la bona notizia?» fu la sua prima domanda.

«Quale?».

«L'aviti arristatu a Cusumanu?».

Non era più Pinu, ora lo chiamava col cognome.

«Questione di ore. L'arresteremo, è sicuro, ma non per la ragione che ci hai detto tu».

«E che vi dissi iu?».

«Che ti voleva far ammazzare il giudice Rosato».

«Pirchì, secunnu vossia unn'è veru?».

«No, non è vero. Cusumano quel nome non te l'ha mai fatto. Te lo sei ricordato perché l'avevi sentito nominare anni avanti casa casa, dato che il giudice si era occupato di una causa che tuo padre aveva fatto a un vicino. Una causa, tra l'altro, vinta da tuo padre. E per non scordartelo, come si chiamava, ti sei riempita la borsa di cose che te lo facevano ricordare. Vedi, Rosanna, se Pino veramente ti avesse fatto il nome del giudice, tu, innamorata come ci hai detto d'essere stata di Cusumano, non l'avresti mai dimenticato, si sarebbe impresso a caratteri di fuoco nella tua testa, non avresti avuto bisogno di ricorrere alla rosa o al pezzo di elastico».

«E a cu vulìa ammazzari, allura?».

«A Pino Cusumano».

Sentì un quasi impercettibile clang, il rumore di qualichi cosa che si spezzava o si distendeva di scatto, forse una molla della poltrona sulla quali la picciotta stava assittata, pirchì era impossibile, assolutamenti impossibile che quello scatto veniva dall'interno del corpo di Rosanna, dal fascio dei sò nerbi tirati allo spasimo. Montalbano continuò:

«Ma quello ha trovato il modo di non farsi vedere da te quando andava in tribunale. Era scantato. Perché tu sei andata a trovarlo in carcere, grazie a quell'imbecille del dottor Siracusa, e gli hai detto che l'avresti ammazzato. Lì hai fatto un errore grosso».

«Non fu errori».

Montalbano non aviva gana di mettersi a fari discussioni. Proseguì:

«Errore perché Cusumano si è impressionato, ha capito che la tua intenzione era vera. Solo che se gli sparavi il revolver non avrebbe funzionato. E questo non potevi saperlo. Però, siccome sei una picciotta intelligente, hai previsto che il tuo proposito andasse a vacante, e allora ti sei inventata la storia che Cusumano voleva da te una prova d'amore e cioè l'uccisione del giudice Rosato. Quella che hai contato a me. Quindi, se ciò che avevi in mente si realizzava, il destino di Cusumano era comunque segnato: o moriva per mano tua o andava in galera per istigazione all'omicidio. Solo che le cose sono andate diversamente. E ora parla tu».

Rosanna, prima di putiri articolare parola, raprì e chiuì la vucca dù o tri volte.

«Mi spiega pirchì ce l'avrei a morte con Cusumano?».

«Pirchì è stato lui a violentarti».

Rosanna gridò e scattò. Montalbano non ce la fici a susirisi. Solo che la picciotta stavolta non aviva 'ntinzione di fargli male. Stava agginucchiuni, tenendogli stritte le gambe, la testa sulle ginocchia del commissario e si dunduliava avanti e narrè, si lamentiava. Una vestia ferita. La signora Fazio apparse, aviva sintuto il grido. Montalbano disse, solo con le labbra:

«Acqua».

La signora tornò con un vuccali e un bicchieri e sinni niscì subito. Lentamente il commissario posò una mano sui capelli di Rosanna e accomenzò a carizzarglieli a lèggio. Doppo il lamintìo si trasformò in chianto, un chianto non dispirato, ma come liberatorio. Solo allura il commissario le spiò se vuliva tanticchia d'acqua. Rosanna fece 'nzinga di sì con la testa. Ma le mano le trimavano troppo, arriniscì a viviri quanno Montalbano le tenne il bicchiere all'altizza della vucca, come a una picciliddra.

«Sùsiti».

Ma Rosanna scosse la testa, voliva ristari accussì, forse senza taliare a Montalbano nell'occhi. S'affruntava di quello che avrebbe dovuto contare?

«Non fu pi chiddru ca mi fici Cusumano».

Il commissario si sentì per un attimo perso. Vuoi vidiri che aviva sbagliato tutto, che i sò ragionamenti l'avrebbero salutato allegramenti andandosene a buttane?

«E pirchì allura?».

«Ma pi chiddru ca mi fici fari».

257

Che viniva a significari quella frase? Per quello che Cusumano l'aviva obbligata a fari mentri la tiniva sequestrata? O per quello che era stata costretta a subire da altri col consenso di Cusumano? Preferì non fare domande, aspittari.

«Mi pigliaru 'na sira, doppu ca mi aviva vistu cu 'n picciottu ca ci nisciva 'nzemmula e si chiamava...».

«Pino Dibetta».

La picciotta, sorpresa, isò per un attimo la testa, lo taliò, la riabbassò.

«... arrivò 'na machina, scinnì unu, era Cusumano, m'affirrò un vrazzo, me lo turcì, mi fici acchianari, la machina partì, era guidata da un omo grassu cu 'na macchia supra a facci...».

«Ninì Brucculeri» disse il commissario. «Per tua conoscenza, l'ho arrestato. Ha tentato d'ammazzarmi aieri a sira. Continua».

«... mi purtaru in una casa 'n campagna, po' Brucculeri sinni ì e Cusumano a forza di cazzotti 'nna panza e 'nna facci mi fici spugliari, si misi nudu e fici i commodi sò tutta la sira, tutta la notti e 'u matinu appressu. Po', versu mezzujornu, arrivò Brucculeri. Cusumano ci dissi ca iu era a sò disposizioni, si rimisi i vistita e sinni ì. E Brucculeri fu peju di Cusumano. La matina appressu, all'arba, sinni ì macari iddru, prima mi dissi ca si parlavu, si dicivu chiddru ca mi era capitatu m'ammazzavano, doppu mi detti un gran cazzotto ca io sbinni. Quannu m'arrisbigliavu era sula. Mi lavavu ca c'era un puzzu e turnai a la casa. Ci misi tri uri a arrivari, 'un putìa caminari. E mentri turnava a la casa giurai d'ammazzari a Cusumanu non pirchì m'aviva strupata, ma pirchì m'aviva arrigalata comu a una pupa di pezza. Però quattro jorna appressu, mentri si stava maritannu...».

«... l'hanno arrestato e condannato a tre anni».

«Sissi. E iu sempri a pinsari a comu ammazzarlu. Nun mi putiva nesciri da 'a testa, lo devi ammazzari, lo devi ammazzari quannu metti pedi fora dal càrzaro. Notti e jorna l'istissu pinsero, sempri. Sì, ma comu? Mi stava dispirannu, passavanu l'anni, chiddru stava pi nesciri e iu ancora nenti. Po', un jornu...».

«Incontri al mercato la signora Siracusa che ti fa una proposta. Tu accetti e vai a lavorare da lei. Così conosci suo marito».

«Sissi. Un fimminaro. Si vulìa approfittari, iu in prima ci dissi di no. Po', pi vantarisi, mi fici vidiri l'armi».

«Macari quelle proibite, nel cassetto segreto».

«Sissi. E allura iu fici chiddru ca vulìa».

«Il revolver te l'ha dato lui?».

«Nonsi. Iddru sulu la dumanna per il càrzaro mi scrisse. Ca non fu errori, comu dici vossia. Iu, al colloquio, nenti ci dissi. Iddru parlò».

«Che ti disse?».

«Mi dissi: "Che hai, spinnu d'assaggiari ancora la mè minchia? Appena nesciu dal càrzaro ti servu". E si misi a ridiri, ma era scantatu».

«E allora perché ci sei andata?».

«Ma comu, vossia ha caputu tuttu e chistu nun l'ha caputu? Ci andai pirchì si iu nun l'arrinisciva a ammazzari, chiddra visita in càrzaro mi sirviva pi putiri diri che fu in quella scascione che lui mi disse d'ammazzari al giudice. La carta parlava».

«Geniale. Vai avanti».

«Siccomu intantu Siracusa aviva pigliatu cunfidenza cu mia, mi spiegò indovi tiniva ammucciata la chiavi del casciuni dello scrittoio. Accussì iu ci arrubbai il revorbaro e lo carricai, me l'aviva spiegato iddru comu si faciva, sempri pi vantarisi».

Non c'era altro da dire. Montalbano si calò in avanti, pigliò la picciotta per le vrazza, la fece susiri susendosi lui stesso. Rosanna teneva ancora la testa vascia.

«Talìami».

Lei lo taliò. Stranamente l'occhi della picciotta parivano meno nìvuri e meno funnuti. Prima erano un pozzo scuroso e limaccioso, in fondo al quale t'immaginavi che strisciavano macari serpenti vilinosi. Ora si potivano fissare senza disagio. O almeno, col disagio di cadiricci piacevolmente dintra.

«Noi due dobbiamo fare un patto. Io spero di tirarti fora da questa storia, senza nessuna accusa. Te ne andrai libera mentre ti assicuro che Cusumano si farà qualche anno di galera. Ma tu devi essere pronta a testimoniare che Cusumano ti ha violentata. Cercherò di evitartelo, credimi, ma devo sapere se sei d'accordo».

Rosanna, inaspettatamente, l'abbrazzò, lo strinse. Aderì a lui con tutto il corpo. Montalbano sprufunnò nel calore sò, nel sò sciàuro di fìmmina. Che bello che era sintirisi annigari in quel corpo! Senza che ci mittisse volontà, le sò vrazza ricambiarono l'abbraccio. Stet-

tero tanticchia accussì, in silenzio, a parlari era solo il
sciato dell'uno verso l'altra.

«Fazzu tuttu chiddru ca tu vò» dissero po' le labbra
di Rosanna all'altizza della sò grecchia dritta.

A Montalbano venne in mente una giaculatoria – si
chiamava accussì? – che gli avivano insignato in colle-
gio dai parrini, quannu c'era stato:

Sant'Antonio, sant'Antonio,
ca vincisti lu dimonio,
fammi duro comu un lignu
quannu veni lu Malignu.

Non sapiva con cirtizza se il Malignu aviva pigliatu
le forme della picciotta, ma duru comu un lignu sicuramenti principiava a esserlo, però in un senso non previsto dalla giaculatoria. L'unica era chiamari aiuto.

«Signora Fazio!» sclamò, con una voci da gallinaccio.
Di subito, Rosanna lo lassò.

S'arricampò in commissariato che erano quasi le cinco. Fazio trasì nel sò ufficio come una palla allazzata.

«Mè mogliere mi telefonò che lei...».

«Sì. Ho parlato a lungo con Rosanna che finalmente si è decisa a dirmi la verità. Ci ha pigliato per il naso, quella picciotta, e ci ha portato dove voleva lei».

Pinsò per un attimo a sò patre che appena l'aviva vista l'aviva pittata: non ti fidari di 'sta fìmmina.

«Ma oggi doppopranzo» proseguì «ho fatto la pinsata giusta e lei non ha più potuto negare. Anzi».

Fazio frimiva pi sapìri.

«Ti faccio solo un accenno perché non abbiamo tempo».

Alla fine della parlata del commissario, Fazio era giarno e strammato. Aviva molte cose da diri, ma fici la dumanna che più l'interessava.

«Siamo sicuri che Rosanna rispetterà l'impegno pigliato con lei di testimoniare contro Cusumano per la violenza?».

«Me l'ha giurato».

Montalbano niscì dal commissariato, si piazzò davanti alla porta. Immediatamente vitti arrivari la machina con autista dell'onorevoli Torrisi. S'apprecipitò a raprirgli lo sportello, un sorriso di cuntintizza che gli tagliava la facci.

«Onorevole! Che felicità rivederla!».

Scinnenno, Torrisi lo taliò tanticchia perplesso di tanta felicità. Politico era, e certamente accanosciva la natura dell'òmini. Ma stavolta non arriniscì a capire se Montalbano faciva tiatro o faciva supra 'u seriu. Non replicò, meglio vidiri come la facenna si sviluppava. Il commissario invece continuò la sceneggiata.

«Ma perché si è voluto disturbare, onorevole? Sinceramente, sarei volentieri venuto io da lei!».

E, una volta dintra, a voci alta, a tutti e a nisciuno:

«Non passatemi telefonate! Non voglio essere disturbato! Sono con l'onorevole!».

Però fu solo quanno Montalbano volle cedergli il posto so' darrè la scrivania, e non ci fu verso di fargli cangiari idea, che Torrisi si persuase definitivamente che il commissario era pirsona non solo avvicinabile, ma macari accattabile. E poteva darsi a poco prezzo. Perciò decise di non perdere troppo tempo. Con quell'omo forsi non valeva la pena di consumare sciato.

«Sono venuto a parlarle a proposito di una faccenda sgradevole che però credo possa essere risolta con un poco di buona volontà».

«Buona volontà da parte di chi?».

«Da parte di tutti» arrispunnì Torrisi ecumenico con un largo gesto del vrazzo dritto a comprendere il mondo intero.

«Allora mi dica, onorevole».

«Vengo al dunque. Mi è stato riferito che l'altra sera i suoi uomini hanno fatto irruzione in casa di un tale Antonio, meglio noto come Ninì, Brucculeri. La sua abitazione è stata perquisita, vi è stata rinvenuta un'arma, l'uomo è stato portato qua in commissariato. Tutto questo, a quanto mi risulta, senza nessuna autorizzazione, senza nessun mandato».

«Vero è. Ma vede, si tratta di un pregiudicato che...».

«Anche un pregiudicato ha i suoi diritti. Un pregiudicato è una creatura umana come tutte le altre, può aver commesso sì degli errori, ma questo non autorizza nessuno, e tanto meno lei, a trattarlo come un essere marchiato a vita e privo di dignità e diritti. Mi sono spiegato?».

«Perfettamente» fece il commissario chiaramenti imbarazzato, turciniannosi le mano. «Lei ha un'idea di come si possa venire fuori da questo ginepraio dovuto alla mia... alla mia inesperienza?».

Montalbano si congratulò con se stesso. Ginepraio! Ma da dove minchia gli era vinuta fora quella parola? Macari Torrisi si congratulò con se stesso, si era fatto pirsuaso d'aviri in pugno il commissario.

«Vedo con piacere che lei è un uomo estremamente ragionevole. Dato che la perquisizione, il sequestro dell'arma e il fermo di Brucculeri non risultano da nessuna parte, non c'è niente di scritto, lei può rimetterlo tranquillamente in libertà. Così facendo, potrà godere della tangibile, ripeto tangibile, gratitudine di persone che qui contano. Del resto, lei già sembra rendersi conto che ha agito non come prescrive la legge».

«Sì, me ne faccio carico, lei ha perfettamente ragione, ma ho un dubbio che lei come avvocato mi potrebbe risolvere».

«Dica pure».

«Spararmi, come ha fatto l'altra sera Brucculeri, è da considerarsi tentato omicidio o semplice avvertimento?».

L'onorevole scotì la testa, ma sorridendo.

«Che parole grosse! Tentato omicidio! Via! Lei era in macchina e stava...».

«Fermo qua, onorevole. Chi glielo ha detto che io ero in macchina? Forse l'altro uomo che era con Brucculeri e mangiava con lui al ristorante?».

Torrisi s'imparpagliò. Il sorriso spirì. Vuoi vidiri che quel cornuto, con tutta la sua apparente disponibilità, l'aviva fatto cadiri in un trainello?

«Macchina o non macchina, si tratta di un dettaglio irrilevante».

«Vero è».

Montalbano si susì dalla seggia, andò alla finestra, si mise a taliare fora.

«Beh?» fece doppo tanticchia l'onorevole.

«Stavo pensando a come fare per aggiustare le cose. Lei ha detto che non ci sono carte scritte, ma non è così».

«E che c'è di scritto?».

«Ho fatto mandare l'arma sequestrata a Brucculeri e il proiettile tolto dal copertone a Montelusa, alla questura. C'era una richiesta scritta col nome e cognome del proprietario dell'arma».

«Questa non ci voleva» commentò Torrisi.

«Una soluzione ci sarebbe. Voi potreste convincere Brucculeri ad assumersi la responsabilità. Lei potrà difenderlo dicendo che aveva bevuto, che non era in sé, che ha voluto farmi uno scherzo pesante... E così la cosa si ferma lì e non va oltre».

L'occhi dell'onorevoli si ficiro di colpo dù fissure stritte stritte. Le sò grecchie addivintarono appizzate come quelle dei gatti quanno sentono una liggera rumorata.

«Perché, potrebbe andare oltre?».

Imbarazzato, il commissario, che stava sempre addritta vicino alla finestra, si taliò la punta delle scarpe.

«Eh sì».

«Si spieghi».

«Lei lo sapeva che il telefono del ristorante di Racalmuto, per un'altra faccenda, era stato messo sotto controllo da qualche mese?».

Aviva sparato, all'urbigna, una farfantarìa colossale, solo in quel momento gli era venuta in testa, ma Torrisi, sconvolto, abboccò.

«Minchia!».

E satò addritta dalla seggia, congestionato, a un passo dal farisi viniri un sintòmo.

«Quindi» proseguì Montalbano, «l'ordine di spararmi che Pino Cusumano ha dato a Ninì Brucculeri quando questi gli ha telefonato segnalando la mia presenza nella trattoria è stato...».

«... registrato!» fece, assufficato, in piena botta d'asma, l'onorevole.

«A questo giovane, che è troppo impulsivo» disse con fare comprensivo il commissario, «suo padre e suo nonno dovrebbero starci attenti. Finirà col fare qualche guaio. Macari riparabile, ma sempre disdicevole e vergognoso per una famiglia come i Cuffaro. Come quello di tre anni fa con una picciotta minorenne che violentò».

Un'improvvisa revorbarata nella càmmara avrebbe avuto meno effetto.

«Che ha fatto?!» spiò, slacciandosi cravatta e colletto, il peperone rosso e viola che una volta era stato l'onorevole Torrisi.

«Non lo sapeva?».

«Non... non lo sapevamo!».

Aveva usato il plurale. Manco la famiglia quindi era a canoscenza della bella alzata d'ingegno dell'amato Pino.

«La ragazza ha aspettato di diventare maggiorenne per parlarne» continuò Montalbano. «L'altro giorno si è presentata qua e mi ha raccontato di essere stata rapita, sequestrata, massacrata di botte e violentata ripetutamente da Pino Cusumano. Proprio tre giorni prima che questi andasse a sposarsi».

«È ancora perseguibile?» arriniscì a spiare Torrisi.

«Avvocato, le faglia la dottrina? Certo che è ancora perseguibile, e perseguibile d'ufficio, trattandosi di una minorenne all'epoca del fatto».

«Ha sporto regolare denunzia?».

«Ancora no. Dipende da me. Sto cercando di evitare che la famiglia Cuffaro venga esposta alla gogna. Il membro di una famiglia tanto onorata e rispettata che si comporta come un piccolo delinquente qualsiasi! C'è da perderci la faccia per sempre! E i nemici della famiglia, che sono tanti, ci bagneranno il pane. E ho macari pensato alla povera signora...».

«Quale signora?» fece Torrisi completamente intordonuto.

«Quale signora, onorevole? La signora, la moglie di Cusumano! Quella che per tre anni non poté godere delle gioie del talamo coniugale perché le avevano arrestato il marito sul sagrato della chiesa. Lo disse lei al processo nel quale ero testimone, se lo ricorda? Lei sostenne che Cusumano correva con la sua auto perché, appena scarcerato, a casa l'aspettava la sposina con la quale non era riuscito ancora a consumare...».

«Sì, mi ricordo» tagliò Torrisi.

«Ecco! Mi sono detto che se quella povera donna veniva a sapere che suo marito, appena tre giorni avanti al matrimonio, aveva deciso di festeggiare l'addio al celibato violentando una quindicenne... capace che non si rassegnava, capace che se ne andava da casa, capace che faceva uno scandalo... La fine di una famiglia! Ma come?! Ma come?!» concluse interrogativo portandosi le dù mano a cacocciola sulla fronte.

La parte dell'omo indignato e stupito gli arriniscì benissimo.

«Ma come cosa?» fece l'onorevole.

«Non capisce, avvocato? Ora vengo e mi spiego. Quando la ragazza mi venne a contare della violenza subita, io incaricai un mio uomo perché, con molta discrezione, cercasse Cusumano e mi ci facesse parlare. Volevo sentire la sua versione dei fatti, capisce? E per tutta risposta, per ringrazio del mio deferente modo d'agire, Cusumano ordina a Brucculeri di spararmi? E perché? Che modo di fare è questo? Si spiega solo col fatto che Cusumano ha perso la testa appena ha capito che indagavo sulla violenza. Se la faccenda della violenza veniva a galla, Cusumano temeva di più la reazione della sua famiglia che quella della legge. Voleva il mio silenzio. Non c'è altra spiegazione. E questo gesto inconsulto dimostra quanto Cusumano sia inaffidabile, addirittura un irresponsabile. Forse, per la famiglia, è meglio che stia in galera senza combinare altri danni».

«Va bene, va bene. Cosa intende fare?» spiò Torrisi di colpo cangiato.

Ora il modo d'agire del commissario gli era addivintato chiaro, quello era 'ntinzionato a futtiri a Pino, non c'erano santi. E lui dintra a quel tiatro fatto dal commissario c'era caduto come un piro.

«Io?!» disse Montalbano. «Io non intendo fare niente. Posso, al massimo, permettervi di scegliere. Non faccio il cumulo, mi spiego, onorevole? O il tentato omicidio o la violenza carnale. O l'una cosa o l'altra. Ed è già tanto. Dovete decidere voi».

Taliò il ralogio, erano le sei. Continuò:

«Ma comunicatemi la vostra decisione entro le otto e mezza di stasera. Lei, giustamente, mi ha fatto notare che io ho agito non seguendo le regole. Quindi capirà e giustificherà la mia fretta di rimettermi in carreggiata. Però, attenzione. Patti chiari. Se Cusumano, autoaccusandosi del tentato omicidio, lo fa in modo da offrire troppi spunti alla difesa, cioè a lei, io tiro fuori la denunzia della violenza».

L'onorevole avvocato Torrisi isò un vrazzo.

«Mi dica».

«Se dell'indagine sulla violenza carnale non ne verrà fatto cenno, quale motivo avrebbe avuto allora Cusumano per ordinare a Brucculeri di spararle?».

«Onorevole, è faccenda che non mi riguarda. Il motivo se l'inventerà lei. Un motivo grosso e pesante, perché io voglio vedere Cusumano...».

«... in galera» concluse Torrisi.

Non c'era più niente da dire. Montalbano raprì la finestra.

«Faccio cangiare l'aria. Arrivederla, onorevole. È stato veramente un grande piacere».

E ciò dicendo, il commissario gli indirizzò un ampio, apparentemente cordialissimo sorriso. L'onorevole Torrisi si susì, non salutò, dovette raprirsi da solo la porta pirchì Montalbano non si cataminò da indovi s'attrovava.

La telefonata dell'onorevole avvocato Torrisi arrivò alle otto e venticinque. Macari Fazio, che oramà sapiva tutto, era nella càmmara del commissario ad aspittari.

«Dottor Montalbano? La informo che Pino Cusumano è pronto a dichiarare di avere ordinato a Brucculeri quello che lei sa».

«Benissimo. Che venga subito in commissariato».

«Ecco, c'è un contrattempo. Il povero ragazzo è disgraziatamente caduto da una scala».

«Si è fatto male?».

«Pare un paio di costole rotte, il setto nasale fratturato, non riesce a muovere una gamba... Abbiamo dovuto chiamare un'ambulanza».

«Dov'è stato ricoverato?».

«A Montelusa, al Santo Spirito».

Riattaccarono contemporaneamente. Montalbano si rivolse a Fazio.

«Hai capito? I Cuffaro hanno massacrato a lignati il loro amato nipote e figlio. Confesserà il tentato omicidio nei miei riguardi. È ricoverato allo spitale Santo Spirito. Telefona tu alla questura di Montelusa e conta la facenna. A Pino Cusumano ci penseranno loro».

«E vossia dove va?».

«Mi è smorcato il pititto, vado a mangiare. Ah, una cosa: quando torni a casa devi dire a Rosanna che ho mantenuto la promessa. Pino andrà in galera e lei non avrà bisogno di testimoniare. Salutamela».

«Lo farò» disse Fazio, asciutto.

«Che c'è? Qualcosa che non va?».

«Che ne facciamo del revolver di Rosanna?».

«Lo rubrichiamo come rinvenuto per strada».

«E al giudice Rosato, quando telefonerà, che gli contiamo?».

«Che Rosanna è risultata essere una mitomane, una pazza incapace d'intendere e di volere».

«E come ci comportiamo col dottor Siracusa?».

«Sicuramente tra qualche giorno tornerà tranquillizzato. Allora tu gli vai in casa per controllare le armi. E, come per caso, scopri il cascione segreto. Ti dirò tutto a tempo debito. Accussì passa i sò guai».

La faccia di Fazio s'allungò di più.

«Perciò tutto è a posto».

«Sì».

«Ma mittennosi in sacchetta tutte le regole, dottore».

«Me l'ha detto macari l'onorevole Torrisi, sei in buona compagnia».

«Dottore, se lei mi vuole offendere, questo viene a significare una sola cosa: che lei sa benissimo di aviri il carboni vagnato».

«Se ti vuoi sfogare, sfogati».

«Dottore, abbiamo agito come nelle pellicole miricane, quelle con lo sceriffo che fa come minchia gli pare pirchì la liggi da quelle parti ognuno se la fa da sé. Mentre da noi ci sono regole che...».

«Lo so benissimo che ci sono le regole! Ma lo sai come sono, le tue regole? Sono come il maglione di lana che mi fece zia Cuncittina».

Fazio lo taliò, completamente perso.

«Il magliuni?!».

«Sissignore. Quanno avivo una quinnicina d'anni, mè zia Cuncittina mi fece un magliuni di lana. Ma siccome non sapiva usari i ferri, il magliuni aviva ora maglie larghe che parivano pirtusa ora maglie troppo stritte, e aviva un vrazzo più corto e uno più longo. E io, per farmelo stare giusto, doviva da una parte tirarlo e dall'altra allintarlo, ora stringerlo e ora allargarlo. E lo sai pirchì potiva farlo? Pirchì il magliuni si prestava, era di lana, non era di ferro. Mi capisti?».

«Perfettamente. Perciò accussì la pensa vossia?».

«Accussì la penso».

Verso le deci e mezza da Marinella chiamò a Mery. Si misero d'accordo che Montalbano sarebbe andato a trovarla il sabato che veniva. Al momento di salutarla, gli venne di fare una pinsata.

«Ah, senti una cosa. Avrei bisogno di sistemare una ragazza diciottenne...».

«Sistemare in che senso?».

«Mah, come cameriera, come guardiana di non so che cosa, come baby sitter... È pulita, bella, il che non guasta, è abituata a guadagnarsi il pane sin da quando era bambina, tutti quelli coi quali ha lavorato me ne hanno detto bene».

«Dici sul serio?».

«Sul serio».

«Non ha nessuno a Vigàta?».

«Nessuno».

«E come mai?».

«Ti conto la sua storia quando vengo».

«Quindi sarebbe disposta a dormire dai suoi datori di lavoro?».

«Sì».

«Gesù, che bello! C'è mia madre che si sta disperando... proprio un'ora fa mi ha telefonato che non ce la fa più... Senti, sabato, quando vieni, potresti portarla con te?».

Niscì sulla verandina. Notti dolcissima, gran lustro di luna e il mare che risaccava a lèggio. Sulla spiaggia non si vidiva anima viva. Si spogliò e andò di cursa a farisi una natata.

Ritorno alle origini

Uno

Aviva passato la prima parte della jornata di vacanza della pasquetta in una pace di paradiso.

La sira avanti la televisione aviva comunicato all'urbi e all'orbo che la matinata del jorno appresso, vale a dire il lunedì dell'Angelo, sarebbe stata tutta da godersi: temperatura quasi estiva, nenti nuvole e manco un alito di vento. Nel doppopranzo, invece, era previsto qualichi annuvolamento, ma non c'era da farsi prioccupazione, cosa leggera, robba di passaggio.

Il che veniva a significare che Vigàta al completo, dai catanonni ai pronipoti, sarebbe scasata verso la campagna o verso il mare, abbondantemente munita di sfincioni, cuddrironi, arancini, pasta 'ncasciata, milanzani alla parmigiana, purciddratu, panareddri coll'ovo, cannoli, cassate e altre squisitezze da mangiare all'aperto, in quello che teoricamente era un picnic ma che praticamente finiva col rivelarsi una specie di cenone di capodanno.

Il che veniva sempre a significare che la spiaggia davanti alla sò casa di Marinella sarebbe stata invasa da famiglie ululanti e musiche a tutto volume, impossibile pinsari a una tranquilla mangiata sulla verandina. Perciò, in previsione del virivirì, aviva telefonato alla trattoria di Enzo e si era messo d'accordo.

Alle nove della matina di pasquetta, la sò machina fu l'unica che si dirigì verso il paìsi, procedendo in senso inverso a un serpentone di automobili, motociclette, furgoni, biciclette che sdunava da Vigàta. Il commissariato, quanno ci arrivò, era semideserto. Mimì Augello era fora Vigàta con Beba, ma sarebbe tornato in sirata, Fazio a fare una scampagnata, persino Catarella aviva pigliato il fujuto verso spazi aperti.

Trasenno, avvertì il telefonista:

«Messineo, non mi passare telefonate».

«E chi vuole che telefoni?» arrispunnì, saggiamente, l'altro.

Si era portato appresso dù libri, una raccolta di saggi e articoli di Borges e un romanzo di Daniel Chavarría ambientato a Cuba. Uno per la matinata e uno per il doppopranzo. Sì, ma con quale principiare? Risolse che, avendo la testa lucida e non appesantita ancora dalla digestione, certamente era meglio attaccare con Jorge Luis Borges che ti obbliga sempre e comunque all'esercizio dell'intelligenza. Si mise a leggere comodamente assittato sul divanetto che c'era in un angolo dell'ufficio.

Quanno taliò il ralogio, con incredulità si addunò che erano già passate tri ore abbunnanti. Mezzojorno e mezza. E come mai? Si fece capace che non era andato oltre alla pagina 71, lì si era intoppato a ragionare supra a una frase:

Il fatto stesso di percepire, di porre attenzione, è di tipo selettivo: ogni attenzione, ogni fissazione della nostra coscienza, comporta una deliberata omissione di ciò che non interessa.

Questo era vero, si disse, in linea generale. Ma nel suo caso particolare, di sbirro cioè, la selezione tra ciò che interessa e ciò che non interessa non doviva essiri contemporanea alla percezione, sarebbe stato un errore grave. La percezione di un fatto, in un'indagine, non può consistere in una scelta contestuale, dev'essere assolutamente oggettiva. Le scelte si fanno appresso, faticosamente e non per percezione, ma per ragionamenti, deduzioni, comparazioni, esclusioni. E non è detto che non comportino lo stesso il rischio dell'errore, anzi. Ma, in percentuale, la possibilità di errore è più bassa rispetto alla scelta dovuta a un'istintiva selezione percettiva. Però d'altra parte, a ben considerare, in cosa consisteva quello che Hammett chiamava «l'istinto della caccia» se non nella capacità di una fulminea selezione all'atto stesso della percezione?

Allora cosa avrebbe potuto scrivere e consigliare in un ideale *Manuale del perfetto investigatore*? Che forse la virtù stava nel mezzo, come al solito (e s'arraggiò con se stesso per la frase fatta che gli era venuta in testa). E cioè che la scelta percettiva bisognava tenerla in gran conto perché era la prima cosa da discutere fino alla sua negazione.

Compiaciuto per le vertiginose altezze filosofiche raggiunte, sentì che gli smorcava il pititto. Allora telefonò alla trattoria. Rispose un cammareri.

Voce sconosciuta, doviva trattarsi di un aiutante chiamato per l'occasione.

«Montalbano sono. Passami Enzo».

In sottofondo, un tirribìlio di voci, vociate, risati, chianti di picciliddri, rumorate varie di bicchieri, piatti, posate.

«Dottore, c'inzirtò a non viniri qua» fece Enzo. «Un burdellu c'è. Non abbiamo più un posto. La robba sò è pronta. Tra un quarto d'ora massimo ci la faccio portari».

Dedicò il quarto d'ora d'aspittatina a sgombrare la scrivania da tutte le cose che c'erano di supra e a cummigliarne il piano con le pagine di un vecchio giornale. Con qualichi minuto di ritardo, s'appresentò un picciotteddru con dù sacchetti di plastica. Dintra c'erano tri capaci portavivande, uno con la pasta, uno con il pisci e uno con l'antipasti, e inoltre una scanata di pane, mezza bottiglia di vino, mezza d'acqua minerale, posate e dù bicchiera. Il picciotteddru disse che sarebbe passato doppo un'orata a ritirare le cose lorde e sinni tornò a dare una mano in trattoria. Montalbano se la scialò pigliandosela commoda. Quanno finì, i portavivande sparluccicavano come se erano nisciuti allura allura dalla fabbrica. Rimise quello che era restato dintra ai sacchetti, levò le pagine del giornale, rimise a posto la scrivania, niscì dalla càmmara, consignò i sacchetti al piantone dicendogli che sarebbe passato un picciotto a ritirarli e l'avvertì:

«Vado a fare due passi».

Il bar vicino al commissariato era aperto e vacante di clienti. Si pigliò un cafè e camminando per le strate lungo le quali non s'incontrava anima criata si dirigì al molo per la solita passiata fino a sutta il faro. S'assittò supra allo scoglio chiatto, si inchì una mano di pietruzze di pirciali e accomenzò a tirarle a una a una in acqua. Si addunò che da ponente arrancavano, velocissime, pisanti nuvole nìvure d'acqua. Il tempo stava rapidamente cangiando.

Chissà che stava facendo Livia in quel momento. Aviva deciso di andarsene in gita a Marsiglia con alcune pirsone dell'ufficio sò e aviva a longo insistito pirchì macari lui fosse della partita.

«Scusami Livia ma proprio non posso. È un periodo di grande lavoro».

Era una farfantarìa, mai aviva avuto accussì picca da fare come in quei giorni. Ma non aviva gana di conoscere pirsone nuove, il piaciri di stare con Livia sarebbe stato annullato dal disagio di dover fare vita in comune, sia pure per tri jorni, con gente familiare a lei ma a lui perfettamente sconosciuta.

«La verità è che diventi vecchio» gli aviva detto Livia quanno si era deciso a confessarle che la vera ragione del suo rifiuto era propio quella.

Embè? Che minchia viniva a significari? Se uno addiventa vecchio pirchì non deve godersi macari i privilegi che ti dà la vicchiaia oltre a patirne i disagi? Era patrone o no di non voliri più fare nuove accanoscenze?

Principiò a tirare un vento maligno. Meglio tornarsene al commissariato. Trasuto nel sò ufficio, s'assistimò meglio avvicinando una poltroncina al divano indovi si sarebbe stinnicchiato per metterci supra le gambe.

Ripigliò in mano il libro di Borges. Ma doppo una decina scarsa di minuti l'occhi principiarono a fargli pampineddra, resistette eroicamente ancora tanticchia nella lettura e appresso, come fu e come non fu, le palpebre gli calarono di colpo come saracinesche.

Un botto spavintoso l'arrisbigliò, lo fece saltare addritta scantato. Gesù, che stava capitando? Pirchì nella càmmara c'era scuro? E allura si rese conto che si era scatenato un temporale, che l'acqua di cielo cadiva a catate, che fora c'era un bel gioco di foco di tuoni e fulmini. Altro che il leggero annuvolamento previsto dalla televisione! Ma quanto aviva dormito? Il ralogio segnava le quattro. Forse era meglio tornarsene a Marinella, sicuramente il temporale aviva sgombrato la spiaggia dai gitanti. Andò a raprire la porta dell'ufficio e stava infilandosi la giacchetta quando un grido altissimo alle sò spalle l'aggelò.

«Miiiiiiiiiiiiii!».

Si voltò. Era Catarella che si reggeva con le dù mano allo stipite per non cadiri agginucchiuni.

«Dottori! Vossia qua era? Nenti mi disse quel cornuto di Messineo! Che fu, ah, dottori?».

Meglio non dirgli la verità, non l'avrebbe capita.

«Aspettavo due telefonate che sono arrivate. E ora torno a casa. Hai passato bene la pasquetta?».

«Sissi, dottori. Sono andato coi famigliari della famiglia sua di lei».

«Sua di lei di chi, Catarè?».

«Sua di lei della mè zita, dottori, che viene a dire sò patre e sò matre suoi di lei, sò frate suo di lei, sò soro la nica e sò soro la granni, sue di lei, che venne col marito sò di lei, cioè della soro granni, nella sua di lui campagna a Durrueli».

«Sua di lui di chi, Catarè?».

«Del marito della soro granni della mè zita, dottori. Capretto 'nfurnato mangiammo. Doppo il tempo cangiò e tornammo. Io servizio ripigliai».

«Bene, ci vediamo domani».

Come in matinata, s'arritrovò ad andare in senso inverso al serpentone di machine, motorini e furgoncini che tentava di rientrare a Vigàta. Il temporale lo stava mittendo di umore malo, non fece altro che santiare e fare gestacci e gettare gastìmie contro gli automobilisti che si sentivano sperti e tentavano il sorpasso del serpentone invadendo la sò corsia.

Arrivato a Marinella e affacciatosi alla verandina, l'umore malo gli si aggravò. Certo, sulla spiaggia non c'era più nisciuno, ma l'orda aviva lasciato appresso di sé sacchetti, bicchieri e piatti di plastica, bottiglie vacanti, lattine di birra, pezzi di cuddrirone, cacate di picciliddri, cartacce. A perdita d'occhio, non c'era un centimetro di rena che non era allordato. E la pioggia rendeva più evidente la lurdìa. «Il prossimo sdilluvio universale» pinsò «non sarà fatto d'acqua, ma di tutti i nostri rifiuti accumulati nei secoli. Moriremo assufficati dalla nostra stissa merda». A quell'idea, accomenzò a sentire chiurito in tutto il corpo. Pigliò a grattarsi. Possibile che il solo pinsare alla lurdìa faciva addivintari lordi? Per il sì o per il no, andò a mettersi sutta alla doccia.

Quanno tornò a taliare dalla verandina, vitti che il temporale sinni era andato con la stissa velocità con la quale era arrivato. Il cielo stava tornando chiaro. Provò, verso quel temporale guastafeste, un irrazionale senso di simpatia, cosa del tutto insolita per lui che col maltempo non voliva propio manco spartirci il pane. Squillò il telefono. Fu tentato di non rispondere. E se era Livia che telefonava da Marsiglia?

«Pronto? Chi parla?».

«Sono Fazio, dottore».

«Dove sei?».

«A Piano Torretta. La sto chiamando col telefonino».

«E che ci fai a Piano Torretta?».

«Dottore, avevamo deciso di passare 'nzemmula la pasquetta con Gallo, Galluzzo e le nostre famiglie. E siamo andati in contrada Sgombro».

«Embè?».

«Doppo il tempo ha cominciato a cangiare e ci siamo messi in machina per tornare a Vigàta».

«Che avevate mangiato?» spiò Montalbano.

Fazio stunò.

«Eh? Voli sapìri quello che abbiamo mangiato?».

«Mi pare importante, dato che vuoi farmi rapporto di come avete passato la jornata di festa».

«Mi scusasse, dottore, ma le sto contando la cosa con ordine. All'altezza di Piano Torretta abbiamo visto che c'era confusione».

«Che tipo di confusione?».

«Mah... fìmmine che chiangivano... òmini che currivano...».

«Che era successo?».

«È sparita una picciliddra di tri anni, dottore».

«Come, sparita?».

«Dottore, non si trova più. La stiamo cercando. Gallo, Galluzzo e io ci siamo messi a capo di tre gruppi di volontari... ma tra un due orate farà scuro e se non la troviamo a tempo bisognerà organizzare meglio le ricerche... Forse è meglio se lei fa un salto qua».

«Arrivo».

La strata per Montereale era traficata assà, stavolta macari lui faciva parte del serpentone del rientro. Passata una curva, si vitti perso. Davanti a lui c'erano bloccati un centinaro di veicoli. Fece appena a tempo a frenare che appresso a lui si fermò un pullman olandisi. Ora era imbottigliato e non potiva cataminarsi né avanti né narrè. Scinnì dall'auto santiando e non sapenno che fare. In quel momento, sparata in senso inverso e raprendosi un corridoio tra le dù file di machine, arrivò un'auto della stradale. Il poliziotto ch'era al volante lo riconobbe, frenò.

«Posso esserle utile, commissario?».

«Che succede?».

«Un TIR, che correva assai, a causa del fondo stradale bagnato ha sbandato e ha invaso la carreggiata opposta mentre arrivava una macchina con cinque persone a bordo. Due sono morte».

«Ma i TIR possono circolare nei giorni di festa?».

«Sì, se hanno carichi deperibili».

«L'autista del TIR come sta?».

Il poliziotto lo taliò imparpagliato.

«È sotto shock, ma non si è fatto niente».

«Meno male».

Il poliziotto strammò ancora di più.

«Lo conosce?».

«Io? No. Ma trattatelo bene, mi raccomando. Sapete quanto il nostro ministro, quello che ci vuole far correre a 150 all'ora, ci tiene agli autisti dei TIR. Gli ha fatto macari lo sconto sulle multe».

Aiutato dall'agente della stradale, poté nesciri faticosamente dalla fila, fare una curva perigliosa e tornare narrè per pigliare una strata alternativa che però era tanticchia più longa.

Fu accussì che venne a trovarsi a passare sutta alla collina chiamata Ciuccàfa in cima alla quale c'era la grandissima villa di don Balduccio Sinagra, dove era stato una volta, al tempo dell'indagine su una coppia di vecchietti scomparsa nel corso di una gita a Tindari. La grande famiglia mafiosa dei Sinagra si era disgregata, a quanto pareva c'era un solo superstite, un nipote di don Balduccio, Pino, detto «l'accordatore» sia per l'abilità diplomatica che sapiva tirare fora nei momenti sdilicati sia pirchì si contava che una volta aviva strangolato a uno con una corda di pianoforte, il quale Pino, però, da tempo si era trasferito in Canada o negli Stati Uniti. Tutti i beni (almeno accussì si diciva) dei Sinagra erano stati sequestrati. Orazio Guttadauro, storico avvocato della famiglia e ora eletto a furor di popolo in Parlamento tra le fila della maggioranza, era arrinisciuto però a salvare (almeno accussì si diciva) la villa di Ciuccàfa. Sul tetto della quale il commissario, sorpreso, vitti ora svettare una gigantesca antenna parabolica. Ma come? Se la villa era chiusa da anni! Chi era andato ad abitarci? Forse l'avivano affittata.

Piano Torretta era, inspiegabilmente, un pezzo di Svizzera che faciva a cazzotti col resto del paesaggio. Un grande pianoro verde d'erba e d'àrboli, di forma quasi circolare, delimitato da grossi cespugli di piante sarbaggie che lo proteggevano macari dalle strate che giravano torno torno. Per trasire dintra al pianoro c'erano tri varchi nella cintura formata dalle piante. Il commissario attraversò il primo varco che gli venne a tiro, fermò la machina, scinnì. Imparpagliato, s'addunò d'essiri solo. Non un'auto, non una pirsona. Nenti. Il verde del prato, già martoriato dalle rote delle automobili, ora era cummigliato dalla stissa 'ntifica massa di rifiuti che c'era sulla rena di Marinella. Una fitinzìa. L'unico essere che si cataminava era un cane che circava tra i resti della gran mangiata collettiva. Pigliò il cellulare che si era portato appresso e fece il nummaro di Fazio.

«Dottore, lei è? Meno male, la stavo chiamando. Hanno trovato la picciliddra, ora ora».

«Viva?».

«Sissi, dottore, ringrazianno a Dio».

«È ferita?».

«Nonsi».

«È stata...».

«Dottore, a mia mi pare solo scantata».

«Dove sei?».

«Nella villa del dottore Riguccio. Lo sa dov'è?».

«Sì. I genitori sono lì?».

«Nonsi, dottore. Li abbiamo avvertiti, erano andati a cercare in un'altra direzione. Stanno arrivando».

La villa del dottor Riguccio era a circa sei chilometri da Piano Torretta.

Con la machina, ci mettevi deci minuti. Un adulto a pedi ci avrebbe impiegato, pigliandosela commoda, un'orata scarsa. Ma una picciliddra di tri anni come aviva fatto a caminare per sei chilometri senza che manco una machina di passaggio la notasse sutta a quello sdilluvio? E soprattutto, come mai ci aviva impiegato accussì picca tempo?

Una decina di auto erano ferme davanti al cancello della villa che dava propio sulla strata. Fazio gli si fece incontro.

«I genitori sono appena arrivati».

Dall'interno della villa provenivano risate e chianti. Doviva esserci un gran burdellu.

«Gallo e Galluzzo dove sono?».

«Li ho avvertiti che Laura, la bambina, era stata ritrovata e sono tornati a Vigàta. Macari mè mogliere è andata con loro».

«Vorrei vedere la picciliddra, ma non vorrei avere a che fare con questa folla festante».

«Aspittasse un momento».

Tornò doppo tanticchia con un signore sissantino, calvo, elegante: il dottor Riguccio. Con Montalbano s'accanoscevano già.

«Commissario, ho fatto mettere la bambina nella mia stanza da letto e ho permesso d'entrare solo ai genitori».

«Ha avuto modo di visitarla?».

«Un'occhiata superficiale. Ma non credo abbia subìto violenze sessuali. Ha invece subìto, questo sì, un trauma molto forte. Non riesce a parlare, non riesce a piangere. Le ho dato un sedativo, a quest'ora starà dormendo».

«Chi è stato a trovarla?» spiò Montalbano a Fazio. Ma a rispondere fu invece il dottore.

«Nessuno l'ha trovata, commissario. Si è presentata, da sola, al cancello. Mia moglie l'ha vista, l'ha presa in braccio e l'ha portata dentro. Abbiamo pensato che si fosse smarrita, non sapevamo che la stavano cercando. Allora ho telefonato al vostro commissariato».

«E Catarella, che mi sapeva da queste parti, mi ha avvertito al cellulare» concluse Fazio.

«Se lei vuole vedere la bambina, c'è una scala posteriore che porta direttamente al primo piano» disse il dottore. «Mi segua».

Montalbano parse addivintato dubitoso.

«Se lei dice che dorme... Una domanda, dottore. Aveva evidenti segni di percosse?».

«Aveva la guancia sinistra molto gonfia e arrossata, forse può avere battuto contro...».

«Mi scusi, uno schiaffo violento avrebbe lo stesso effetto?».

«Beh, ora che mi ci fa pensare... sì».

«Un'altra domanda, la penultima. Per metterla a letto l'ha spogliata, vero?».

«Sì».

«Le scarpette erano poco infangate, vero? Quasi per niente».

«Ha ragione» fece il dottore. «Ora che ci penso...».

«E dato che c'è, pensi macari a questo: il vestitino, per caso, non era perfettamente asciutto?».

«Oddio!» sclamò il dottore. «Ora che ci penso... sì, era asciutto».

«Grazie, dottore, mi è stato molto utile. Non la trattengo oltre. Fazio, vuoi dire al padre della bambina che desidero parlargli?».

Era a mità della sigaretta quanno Fazio tornò accompagnando un quarantino biunno, jeans e pullover una volta eleganti e ora addivintati vagnati e lordi, scarpe un tempo milionarie e ora arridotte a scarpe scarcagnate e infangate da barbone.

«Sono Fernando Belli, commissario».

Montalbano l'inquatrò subito. Era un romano che si era maritato con una fìmmina di Vigàta. Da dù anni era addivintato il più forte commerciante di pesce all'ingrosso del paìsi: proprietario di camion frigoriferi e omo d'iniziativa, in poco tempo si era pigliato il monopolio del mercato. Ma a Vigàta lo si vidiva raramente pirchì i sò affari maggiori lui li faciva a Roma, dove abitava, e al commercio del pesce ci abbadava il fratello della mogliere. Aviva fama d'omo serio e onesto.

Era chiaramente ancora sconvolto per quello che era capitato. Trimava di nirbùso e di friddo. Montalbano ne ebbe pena.

«Signor Belli, pochi minuti soltanto e poi la lascio tornare alla sua bambina. Quando vi siete accorti della sua sparizione?».

«Mah... pochissimo tempo prima che si mettesse a piovere. Eravamo con tre macchine, i miei suoceri, mio cognato e la famiglia di un amico. Abbiamo finito di caricare la roba per tornare a Vigàta quando ci siamo accorti che Laura, che avevamo visto giocare con la palla fino a cinque minuti prima, non era con noi. Abbiamo cominciato a chiamarla, a cercarla... Altre persone che non conosciamo si sono unite nelle ricerche... è stato terribile».

«Capisco. Dove stavate?».

«Avevamo preparato il tavolo un po' ai margini del Piano... vicino alle piante di cintura».

«Lei ha idea di cosa sia successo?».

«Credo che Laura, forse inseguendo la palla, sia andata a finire oltre le piante, sulla strada, e non abbia saputo più come tornare indietro. Forse è stata raccolta da qualche automobilista che l'ha accompagnata fino alla prima casa che ha incontrato».

Ah, la pinsava accussì il signor Belli? Ma se tra il Piano Torretta e la villa del dottore c'erano almeno una cinquantina di abitazioni! Però era meglio non insistere.

«Senta, signor Belli, domattina può passare dal commissariato? Una pura e semplice formalità, mi creda».

E appena quello si fu allontanato:

«Fazio, fatti dare i vestiti della picciliddra e portali alla Scientifica. E fammi sapere vita morte e miracoli del signor Belli. A mia questa storia non mi quatra. Ci vediamo».

«Dottor Montalbano? Sono Fernando Belli. Stamattina sarei dovuto passare da lei, come d'accordo, ma purtroppo non posso».

«La bambina sta male?».

«No, la bambina sta relativamente bene».

«È riuscita a dire qualcosa?».

«No, ma abbiamo chiamato una psicologa che sta cercando di guadagnarsi la confidenza di Laura. Sono io che ho la febbre alta. Credo si tratti di una naturale reazione allo spavento e a tutta la pioggia che ho preso ieri».

«Guardi, facciamo così: se posso, e se lei si sente, vengo a casa sua nel pomeriggio, previa telefonata naturalmente, altrimenti rimandiamo tutto».

«D'accordo».

Nella càmmara, mentre Montalbano riciviva la telefonata, c'erano macari Fazio e Mimì che era stato informato della facenna. Il commissario riferì ai due quello che gli era stato appena detto.

«Allora, che mi conti di Belli?» spiò appresso a Fazio.

Questi infilò una mano in sacchetta.

«Alt!» fece minaccioso Montalbano. «Che intenzioni hai? Di tirare fora un pizzino e farmi sapere il nome e il cognome dei nonni di Belli? Il soprannome del cugino primo? Dove va a farsi la varba?».

«Mi scusasse» fece avvilito Fazio.

«Quando andrai in pensione, giuro che faccio le umane e divine cose per farti travagliare all'ufficio anagrafe di Vigàta. Accussì ti puoi sfogare a volontà».

«Mi scusasse» ripeté Fazio.

«Avanti. Dimmi l'essenziale».

«Belli, sua mogliere che di nome fa Lina e la picciliddra sono arrivati a Vigàta da Roma da quattro giorni, per passare le feste di Pasqua con i genitori della signora Lina, i Mongiardino. Di cui sono ospiti. Fanno sempre accussì a Natale e a Pasqua».

«Da quanto tempo sono sposati?».

«Da cinque anni».

«Come si sono conosciuti?».

«Il fratello della signora Lina, Gerlando, e il Belli si erano conosciuti sotto le armi e avivano fatto amicizia. Ogni tanto Gerlando andava a trovarlo a Roma. Sette anni fa invece è venuto Belli a Vigàta. Ha conosciuto la sorella del suo amico e se ne è innamorato. Si sono maritati due anni dopo, qua a Vigàta».

«Belli che fa a Roma?».

«Macari a Roma fa il grossista di pesce. È a capo di una società che gli ha lasciato il padre, ma che lui ha saputo ingrandire. Però ha altri interessi, pare che addirittura ogni tanto faccia il produttore di film, o almeno ci mette i soldi. Alla società di qua ci abbada il cognato Gerlando, però...».

«Però?».

«Pare che Belli non sia contento di come il cognato porta avanti le cose. Ogni tanto Belli viene a Vigàta per mezza giornata e sempre finisce a sciarriatina con Gerlando».

«È maritato?».

«Gerlando? È un grandissimo fimminaro, dottore».

«Non ti ho domandato se è un puttaniere, ti ho domandato se è maritato».

«Sissi, maritato è».

«E la ragione di queste sciarre tra i due cognati l'hai saputa?».

«Nonsi».

«Quindi» intervenne Mimì «mi pare che si possa concludere che Belli è un uomo molto ricco».

«Certo» assentì Fazio.

«Allora l'ipotesi di un rapimento della picciliddra a scopo di estorsione non è tanto campata in aria».

«È talmente campata in aria» ribatté Montalbano «che vola nella stratosfera. Spiegami allora perché la bambina è stata rimessa in libertà».

«Chi ti dice che è stata rimessa in libertà? Può essere scappata».

«Ma figurati!».

«O i rapitori a un certo punto non se la sono più sentita».

«Mimì, ma pirchì stamatina ti piace tanto dire minchiate? Quelli avivano già fatto trenta e vuoi che non facivano trentuno?».

«Macari può essere stato un pedofilo» suggerì Fazio.

«E pure lui, a un certo punto, non se l'è sentita di approfittarsi della picciliddra? Ma dài, Fazio! Un pedofilo avrebbe avuto a disposizione tutto il tempo che gli necessitava per fare i porci comodi sò! E non venite a tirarmi fora la storia che la picciliddra è stata rapita per essere rivenduta. Va bene che oggi come oggi i picciliddri sono merce pregiata, a Nuovajorca pare che li rubano negli ospedali, in Iran, doppo il terremoto, hanno razziato tutti i picciliddri rimasti senza famiglia per venderseli, in Brasile non ne parliamo...».

«Scusami, ma perché l'escludi tassativamente?» spiò Mimì.

«Perché chi ruba i bambini per farne mercato è peggio della merda. E la merda non ha ripensamenti. Non rimette in libertà una creatura doppo averla catturata. Se viene a trovarsi in difficoltà, l'ammazza. Ricordatevi che noi, proprio qua a Vigàta, ne abbiamo avuto un esempio col ragazzino extracomunitario che hanno scrafazzato con la macchina».

«Io mi domando» ripigliò Mimì «perché è stata lasciata davanti alla villa del dottor Riguccio».

«Non è questa la domanda, Mimì. La domanda è: perché chi ha pigliato la bambina se l'è tenuta due ore dintra alla sò automobile?».

«Ma secondo vossia come sono andate le cose?» intervenne Fazio.

«A quanto ci ha detto Belli, avevano preparato la tavolata ai margini del pianoro, quindi vicinissima ai cespugli che lo contornano. Quando capiscono che sta arrivando il temporale, caricano di corsa le macchine e si accorgono che Laura, la quale giocava con la palla poco distante, non c'è più. Cominciano a cercarla pochi minuti prima che arrivi il temporale, ma non la trovano. Secondo me la picciliddra deve avere in qualche modo mandato la palla oltre i cespugli, sulla strada. Per riprenderla, trova un piccolo varco e lo passa. Ricupera la palla ma non ritrova la strada per tornare indietro. Si mette a piangere. A questo punto un tale, che sta risalendo nella sua auto o che si trova a passare o che se ne stava appostato aspettando l'occasione giusta, si piglia la picciliddra. Solo allora principia a piovere con violenza. Ricordiamoci che i vestiti di Laura erano asciutti. A proposito, li hai portati alla Scientifica?».

«Sissi. Sperano di farci sapere qualcosa già da domani».

«L'uomo in macchina si allontana da Piano Torretta» continuò Montalbano. «Sa che sono cominciate le ricerche di Laura e restare nei paraggi è pericoloso. La picciliddra è terrorizzata, forse grida, e allora l'uomo la stordisce con uno schiaffo. Doppo si ferma e rimane sotto la pioggia per un'ora e mezza o due ore, senza scinniri dalla machina. Quando scampa, rimette in moto e libera Laura davanti a una villa dove vede gente. Vuole cioè che la picciliddra venga immediatamente notata. Altrimenti l'avrebbe abbandonata campagne campagne. E torno con la domanda: perché se l'è tenuta tutto questo tempo senza farle niente?».

«Forse si eccitava a taliarla accussì scantata, capace che stava a masturbarsi» azzardò Fazio arrussicando.

«Tu ti sei amminchiato col pedofilo. Hai scoperto una nuova varietà: il pedofilo timido. Ma siccome tutto è possibile, macari per questo ti ho fatto portare i vestiti alla Scientifica».

«Scusatemi, e se la persona che ha pigliato a Laura era una fìmmina?» spiò Mimì.

Montalbano e Fazio lo taliarono imparpagliati.

«Spiegati meglio» disse il commissario.

«Fate conto che a vedere la bambina che piange sia una donna. Una donna sposata che non può avere figli. Vede la bambina smarrita, piangente. Il suo primo istinto è quello di accoglierla, di prenderla con sé. Se la porta in macchina e sta a guardarsela, combattuta tra la voglia di rapirla e quella di restituirla ai genitori. La sua maternità delusa...».

«Ma pirchì non te lo vai a pigliare in quel posto?» scattò Montalbano nauseato. «Ci stai contando una pellicola strappalacrime che manco Belli il pescivendolo se la sentirebbe di produrre! Ma lo sai che da quando ti sei maritato ti sei proprio guastato? Mi preoccupi seriamente, Mimì!».

«In che senso mi sarei guastato?».

«Ti sei guastato nel senso che ti sei migliorato».

«Lo vedi che straparli?».

«No. Una volta parole come "maternità delusa" non ti sarebbero passate manco per l'anticamera del cireveddro. Una volta, se una fìmmina fosse venuta a confidarti che non arrinisciva ad aviri figli, tu le avresti detto: "Vuole provare con me?". Ora invece la consideri, la compatisci... Hai messo la testa a posto, sei diventato migliore. All'occhi di tutti. Non ai miei. Rischi la banalità, per questo dico che sei peggiorato».

Senza dire né ai né bai, Mimì Augello si susì e niscì dalla càmmara.

«Dottore, guardi che se l'è pigliata» fece Fazio.

Montalbano lo taliò, suspirò, si susì, niscì. La porta dell'ufficio di Augello era chiusa. Tuppiò leggermente, nisciuno arrispose. Girò la maniglia, la porta si socchiuse, il commissario sporgì solo la testa. Mimì stava assittato, i gomiti sul tavolo, la testa tra le mano.

«Ti sei offiso?».

«No. Ma quello che mi hai detto è vero e mi ha fatto venire una botta di malinconia».

Richiuì la porta, tornò nella sò càmmara. Fazio era ancora lì.

«Ah, senti, aieri, mentre venivo a Piano Torretta, per il traffico che c'era sono stato costretto a passare da Ciuccàfa. E sul tetto della villa dei Sinagra ho visto montata un'antenna parabolica».

«Sul tetto della villa dei Sinagra?».

«Sul tetto della villa dei Sinagra».

«Un'antenna parabolica?».

«Un'antenna parabolica. E finiscila di ripetere le mie parole, altrimenti il dialogo non va avanti».

«Ma non è disabitata?».

«A quanto pare, no. Informati a chi l'hanno affittata. Fammelo sapere doppopranzo».

«È importante?».

«Importante no, ma mi fa curiosità. Di una certa importanza invece è sapìri pirchì tra Belli e sò cognato Gerlando ci sono continue sciarre».

Alle quattro di doppopranzo telefonò a casa Mongiardino.

«Il commissario Montalbano sono. Vorrei parlare con...».

«Lo so, commissario. Mio genero Fernando, che si aspettava la sua telefonata, mi ha detto di dirle che ancora non se la sente, la febbre si mantiene alta. Le telefonerà domani mattina».

«Avete chiamato un dottore?».

Montalbano percepì una leggera esitazione nella voce dell'omo anziano che gli stava rispondendo.

«Fernando non... non ha voluto».

«Lei è il nonno di Laura?».

«Sì».

«Come sta la bambina?».

«Meglio assai, ringraziando il Signore. Sta superando il trauma. Pensi che ha cominciato a parlare; a raccontare qualcosa. Solo alla psicologa, però».

«E a voi la psicologa che ha riferito?».

«Non ha voluto dirci niente. Sostiene che il quadro è ancora confuso. Ma tempo tre, quattro giorni tutto le sarà più chiaro e allora ci dirà».

Fazio s'arricampò in commissariato alle sette di sira, quando Montalbano ci aviva perso le spiranze di rivederlo.

«Dottore, è stata dura. In pàisi nisciuno sapiva nenti di nenti. Un tale mi disse che aviva visto, cosa di quattro o cinque misi fa, dei muratori che travagliavano nella villa. Forse la stavano rimettendo a posto».

«E così siamo rimasti col culo 'n terra?».

Fazio fece un surriseddru glorioso.

«Nonsi, dottore. Ho avuto una bella alzata d'ingegno. Mi sono domandato: se il dottore Montalbano ha visto sul tetto un'antenna parabolica, dove è stata accattata quest'antenna?».

«Ottima domanda».

«Tra Vigàta e Montelusa ci stanno una quinnicina e passa di negozi che trattano l'articolo, a come risultava dall'elenco telefonico. Mi sono armato di santa pacienza e ho accomenzato a chiamare. Ho avuto fortuna pirchì alla settima telefonata mi hanno risposto che la parabola a Ciuccàfa l'avivano venduta e montata loro. La ditta si chiama Montelusa elettronica. Ho pigliato la macchina e ci sono andato».

«Che ti hanno detto?».

«Sono stati gentilissimi. Ho dovuto aspettare un quarto d'ora che tornasse il tecnico e mi ci hanno fatto parlare. Mi ha detto che nella villa ha incontrato una persona giovane, elegante, che parlava siciliano, ma con accento miricano. Mi ha detto che pareva uno di quei personaggi italomiricani che si vedono nei film. Siccome per telefono avevano concordato il prezzo, il giovane ha consegnato al tecnico una busta con dintra un assegno che a sua volta il tecnico ha dato al proprietario. Allora sono andato a parlare col proprietario. Si chiama Volpini Ar...».

«Me ne fotto come si chiama. Vai avanti».

«Il proprietario ha taliato un registro e mi ha detto che si trattava di un assegno della Banca di Trinacria».

Era chiaro che Fazio aviva da rivelargli qualichi cosa di grosso e se la stava godendo.

«Di chi era la firma?».

«E questo è il bello, dottore mio».

«Non fare lo stronzo. Di chi era?».

«Di Balduccio Sinagra».

«Ma che dici?! Ed è stato regolarmente pagato?».

«Sissignore».

«Ma com'è possibile?! Balduccio è morto e stramorto! Che minchiate mi stai contando?».

Fazio isò le mano in segno di resa.

«Dottore, questo mi dissero e questo le dico».

«Ne voglio sapere di più, assolutamente».

«Però deve portare pacienza».

«Che significa?».

«Dottore, io avrei due strate per sbrogliare presto la facenna. La prima è andare al Comune e vidiri come stanno le cose nella famiglia Sinagra. Ma il giorno appresso tutto il pàisi saprebbe che noi ci stiamo interessando di questa famiglia. E non mi pare cosa. L'altra è cercare di avere notizie da qualcuno della famiglia Cuffaro, i mafiosi nemici dei Sinagra. E manco questa mi pare cosa».

«Allora che pensi di fare?».

«Non mi resta che firriare pàisi pàisi e fare le domande giuste alle pirsone giuste. Ma ci voli tempo».

«Va bene. E sei riuscito a sapere il motivo delle sciarriatine tra Belli e suo cognato Gerlando?».

Fazio s'impettì, s'assistimò meglio sulla seggia, sorrise trionfale.

«Dottore, ho un amico che travaglia proprio nella società di Belli. Si chiama Di Lucia Ame…».

L'occhiatazza di Montalbano lo fermò.

«Quest'amico mi ha detto che la cosa è cògnita a tutti. È principiata un due anni fa, vale a dire un anno dopo che la società travagliava a pieno».

«E cioè?».

«Belli, che era venuto qua per qualche giorno con la mogliere e la figlia, si addunò che i conti non quatravano. Ne parlò con suo cognato Gerlando e se ne ripartì per Roma. Passata una mesata, Gerlando, per telefono, disse a Belli che secondo lui il responsabile degli ammanchi era il dirigente amministrativo. E Belli gli mandò una lettera di licenziamento. Senonché il responsabile amministrativo, per tutta risposta, pigliò un aereo e andò a Roma da Belli. Carte alla mano, dimostrò che lui non ci trasiva per niente e che a pigliarsi i soldi era semmai Gerlando Mongiardino».

«Ma se Gerlando faceva parte della società doveva guadagnare bene. Che bisogno aveva di fottere soldi?».

«Dottore mio, quello un fimminaro gigante è! E le fìmmine gli costano! Pare che fa regali sfondati, case, automobili... E pare che sò mogliere è avarissima, controlla tutto quello che guadagna... Perciò il galantomo ha nicissità di aviri soldi extra, di sottobanco. Ecco spiegata la cosa».

«Che ha fatto Belli?».

«È tornato qua e ha visto che il direttore amministrativo aveva ragione. Si è rimangiato il licenziamento con tante scuse e un aumento di stipendio».

«E con il cognato come si è comportato?».

«Voleva denunziarlo. Ma ci si sono messi di mezzo mogliere, sòciro e sòcira. A farla breve, lo fa tenere sotto controllo dal direttore amministrativo. Ma, a malgrado di questo controllo, ogni tanto Gerlando arrinesci lo stesso a fottere dei soldi. Tant'è vero che giovedì passato, che Belli era appena arrivato, c'è stata una sciarriatina furibonda, peggio delle altre».

«Dottori? Mi scusasse, ma qua c'è un signore e Monsignore che voli parlari con vossia di pirsona pirsonalmenti».

Un alto prelato? E che potiva voliri?

«Fallo passare».

Si susì, andò a raprire la porta e si trovò davanti a un sissantino roseo, grassottello, manuzze di conseguenza grassottelle, capelli sali e pipi lisci lisci, occhiali d'oro. Non era né in tonaca né in clergyman, ma si vidiva lontano un miglio che era un eminente omo di chiesa. A momenti torno torno a lui si sintiva sciàuro d'incenso.

«Si accomodi» disse Montalbano rispettoso, facendosi di lato.

Il Monsignore gli passò davanti a piccoli passi dignitosi, andò a pigliare posto sulla poltroncina che il commissario gli indicava. Montalbano s'assittò in quella di fronte, ma in pizzo in pizzo, in segno di rispetto.

«Mi dica».

Il Monsignore isò in aria le manuzze grassottelle.

«Devo fare una premessa» disse riposando le manuzze sulla panza.

«La faccia».

«Commissario, sono venuto qui solo perché mia moglie non mi dà pace».

Sua moglie?! Un prelato maritato? E che era 'sta novità?

«Mi scusi, Monsignore, ma...».

Il prelato lo taliò imparpagliato.

«No, commissario, non Monsignore, ma Bonsignore. Mi chiamo Ernesto Bonsignore. Ho uno spaccio di sale e tabacchi a Gallotta».

E figurati se Catarella c'inzirtava con un cognome! Montalbano, inanellando una litania di santioni dintra di sé, si susì di scatto. Bonsignore l'imitò, sempre più imparpagliato.

«Sediamoci qua, stiamo più comodi».

S'assittarono come d'uso, il commissario darrè la scrivania, Bonsignore supra a una delle dù seggie che c'erano davanti.

«Mi dica» ripeté Montalbano.

L'omo s'agitò sulla seggia tanticchia a disagio.

«Mi permette se principio facendole una domanda?».

«La faccia».

«Per caso, loro hanno avuto segnalazione del rapimento di una bambina?».

Montalbano sentì che i suoi nervi di colpo s'attisavano. Decise di rispondere alla domanda con una domanda, bisognava andarci cauti.

«Perché me lo chiede?».

«Per una cosa che ci è capitata ieri. Eravamo andati a passare pasquetta a Sferrazzo, con altri amici. Nel primo dopopranzo, dato che si stava mettendo a piovere, abbiamo deciso di rientrare. Stavamo facendo la strada che corre intorno a Piano Torretta quando la macchina che mi precedeva ha segnalato che si spostava al centro della carreggiata per superare un'altra macchina ferma e con lo sportello posteriore aperto».

Ma quant'era preciso, il finto Monsignore!

«Ho rallentato. E in quel momento dall'auto ferma è saltata fuori una bambina, molto piccola, che si è messa a correre verso di noi. Appariva terrorizzata. Immediatamente è sceso un uomo, che stava al posto di guida, il quale ha afferrato la piccola che si dibatteva e l'ha letteralmente scaraventata in macchina».

«E lei che ha fatto?».

«Che dovevo fare? Sono ripartito, anche perché dietro di me si era formata una gran fila. Proprio mentre superavo la macchina con la bambina è cominciato quella specie di diluvio».

«Mentre la superava, è riuscito a vedere che succedeva dentro a quella macchina?».

«Io non potevo guardare, dovevo stare attento alla strada, venivano tante macchine in senso inverso, ma mia moglie sì».

«Che ha visto?».

«Ha visto l'uomo al volante voltato verso il sedile posteriore. Forse stava parlando alla piccola che però non era visibile. Probabilmente era sul fondo, tra i sedili anteriori e quello posteriore».

«Perché sua moglie ha pensato a un possibile rapimento?».

«L'idea le è venuta a casa, la sera. Ripensando a quello che avevamo visto, ha cominciato a sostenere che quell'uomo non poteva essere il padre della bambina, la stava trattando troppo...».

«Troppo?».

«Duramente. Mia moglie però ha detto crudelmente».

«Mi scusi, signor Bonsignore. Ma non poteva trattarsi dello sfogo naturale, della reazione eccessiva ma logica di un padre che vede la sua bambina cominciare a fare i capricci, scappare dall'auto e mettersi a correre in strada in mezzo a un traffico pericolosissimo?».

L'occhi di Bonsignore s'illuminarono:

«È precisamente quello che le ho detto e ripetuto! Ma non c'è stato verso di convincerla!».

Aviva una quantità di domande da subissare a Bonsignore, ma non voliva farlo quartiare, metterlo in sospetto.

«Rassicuri sua moglie, signor Bonsignore. Non ci risulta nessun rapimento. E non posso che ringraziarvi per la vostra sollecitudine. Ad ogni buon conto, mi lascia il suo indirizzo e il suo telefono?».

Due

Si era fatta l'ora di tornarsene a Marinella. Ma prima di nesciri dal commissariato, andò nella càmmara di Mimì Augello e lo trovò che stava scrivendo un rapporto su una misteriosa sparatoria che c'era stata dalle parti della Lanterna.

«Mimì, a proposito di quello che hai detto...».

«Dove? Quando? Perché?» fece Augello irritato, macari per lui scrivere rapporti era una tortura.

«Hai detto o no che il rapimento poteva essere stato provocato da una maternità delusa?».

«Ancora scassi i cabasisi con questa camurrìa?».

«Ti volevo semplicemente dire che, semmai, si tratta di un caso di paternità delusa».

E gli riferì quello che gli aviva contato il tabaccaro Bonsignore.

«Interessante. Ti sei fatto descrivere l'omo? Devono averlo visto bene in faccia».

«No».

«A che si riferisce questo no? Non l'hanno visto bene o tu non gli hai spiato?».

«Non gli ho spiato».

«Manco cos'era l'auto?».

«Manco».

«Santa Madonna, si può sapìri pirchì?».

«Certo. Non voglio provocare scarmazzo, rumore. Se facevo una domanda in più, entro un'ora tutto il paìsi avrebbe parlato di un tentativo di rapimento. Tanto i Bonsignore, marito e mogliere, non si scorderanno un particolare, di questa facenna ne discuteranno ancora per jorni e jorni. Se e quando ne avremo bisogno, andremo a interrogarli».

«Però questo leva di mezzo ogni dubbio che si è trattato di un tentativo di rapimento».

«Io non ne ho mai avuto il dubbio» fece il commissario, «ma non è questa certezza che ci farà fare un passo avanti. C'è un dato fondamentale che ci manca».

«Quale?».

«Sarebbe importante sapere se era mirato».

«Spiegati meglio».

«Quell'omo ha rapito la picciliddra perché era la figlia di Belli o voleva pigliarsi una bambina qualisisiasi, la prima che gli veniva a tiro?».

«Saperlo cangerebbe le cose» commentò Mimì.

«Se voleva pigliarsi una picciliddra qualisisiasi» continuò Montalbano, «tutta la facenna è governata dal caso e ogni indagine addiventa difficile. Ma se voleva pigliarsi la figlia di Belli il rapimento non è più casuale e quindi il rapitore deve di necessità essere stato in possesso di alcune informazioni fondamentali per agire».

«Fammi un esempio».

«Per esempio, il rapitore doveva conoscere in anticipo che Belli e i Mongiardino sarebbero andati a fare la scampagnata di pasquetta a Piano Torretta. Quando l'hanno deciso? A chi l'hanno detto?».

«Scusami, ma se invece il rapitore si è appostato sotto casa e li ha seguiti fin da quando sono usciti?».

«Mimì, ma anche ammettendo la tua ipotesi, al rapitore per forza qualcuno glielo deve aver soffiato che Belli e i Mongiardino quella matina sarebbero comunque usciti per fare una gita. Non è obbligatorio per legge farsi la scampagnata di pasquetta!».

«Vero è».

Calò silenzio, Montalbano principiò a considerare a Mimì con l'occhi mezzo chiusi. Augello, che aviva ripigliato a scrivere, intercettò la taliata e si mise subito a disagio.

«Che hai? Che vuoi? Fammi finire il rapporto».

«Mimì, quanno correvi appresso a tutte le più belle fimmine di Vigàta e dintorni, hai conosciuto la futura mogliere di Belli, la Mongiardino?».

«Lina? Sì, l'ho conosciuta. Ma solo superficialmente, le stavo 'ntipatico e non perdeva occasione per farmelo capire. Soddisfatto?».

«Piccato».

«Piccato pirchì?».

«Se la conoscevi, potevi farle una telefonata e con la scusa di sapere come stava la picciliddra...».

«Ma con Beba sono amiche».

«Davero?!».

«Sì, c'è una certa differenza d'età, ma so che sono amiche».

«Allora stammi a sentire bene, Mimì. Stasera stessa Beba deve telefonare alla mogliere di Belli e dirle che ha appena saputo da te dello spavento che si è pigliata. Quindi deve portare il discorso su come e quando...».

«Quello che Beba deve arrinèsciri a sapìri l'ho capito benissimo» tagliò Augello piccato. «Non c'è bisogno che fai il maestro di scola».

Mentre si sbafava un piatto di triglie fritte condite con aceto, cipuddra e origano, piatto che ogni tanto la cammarera Adelina gli faciva attrovare nel frigorifero, continuò a pinsari al rapimento della picciliddra.

A quanto arrisultava fino a quel momento, il rapitore, a parte la timpulata che le aviva dato per tenerla bona, non aviva fatto altro male alla picciliddra. Ma c'era di più. Si era preoccupato, al momento di lasciarla libera, che non le capitasse qualche danno e che andasse a finire in mano alle pirsone giuste. Gli sarebbe stato facile abbandonarla in campagna, ma non aviva voluto. Forse si scantava che la picciliddra potiva fare un malo incontro con qualichiduno più carogna di lui. Quindi probabilmente, mentre circava il loco bono indovi far scinniri Laura dalla machina, aviva visto a mano dritta, nella sò stessa direzione di marcia, la villa del dottor Riguccio e allura aviva lasciato la picciliddra quasi davanti al cancello. Evitando accussì che Laura, un esserino di appena tri anni, per raggiungerlo dovesse traversare la strata traficatissima di machine, smarrita e scantata com'era, mentre già accomenzava a fare scuro, con un'alta probabilità di essere travolta. Pirchì

310

tante precauzioni pigliate da uno che non si era fatto scrupolo a rapirla?

Dormì un sonno piombigno, s'arrisbigliò di umore bono, arrivò in ufficio disposto ad amare il prossimo almeno quanto se stesso. Non si era ancora manco assittato che s'appresentò Mimì.

«Beba ha potuto parlare con la mogliere di Belli?».

«Come no, tutto secondo i suoi ordini, capo».

«Embè?».

«Dunque, la sera di Pasqua la situazione era che Belli aveva comunicato a Lina, la moglie, che non aveva nessuna intenzione di andare in gita il giorno appresso con la famiglia Mongiardino. Che Lina ci andasse pure, lui sarebbe rimasto a casa».

«E perché?».

«Perché pare che nel dopopranzo c'era stata una discussione violenta con Gerlando».

«Lina ha detto a Beba il motivo della discussione?».

«No. Ad ogni modo, Lina è riuscita, a tarda sera, a far cambiare idea al marito. Però c'è stata una modifica: invece di andare a Marina Sicula, come avevano nei giorni avanti stabilito, avrebbero fatto una gita a Piano Torretta».

«Come mai?».

«È stata un'idea di Belli. Probabilmente perché essendo Piano Torretta assai più vicino a Vigàta, avrebbe trascorso meno ore col cognato. E così Lina, sempre la sera di domenica, ha telefonato al fratello e gli ha comunicato il cangiamento».

«Ho capito. In conclusione, a sapere che il posto della scampagnata sarebbe stato Piano Torretta erano solo Belli e i Mongiardino».

«Esattamente. Quindi il rapimento appare sempre meno mirato».

«Tu dici?».

«Certo che lo dico. Stando così le cose, il rapitore, che si era informato a tempo macari da qualche cammarera dove Belli avrebbe passato la pasquetta, si sarebbe dovuto trovare a Marina Sicula. E se era a Marina Sicula, come ha fatto a sapere che Belli aveva cangiato idea e se ne era andato a Piano Torretta? Ad ogni modo, a casa Mongiardino c'è aria pesante. Non solo perché Belli e Gerlando sono sciarriati, ma macari perché Lina si è azzuffata col marito».

«La ragione?».

«Dice che tutto è successo per colpa di lui. È stato lui a voler andare a Piano Torretta. Se andavano come stabilito a Marina Sicula, non sarebbe capitato niente e non si sarebbero pigliati quel gran scanto».

«Ma che ragionamento!».

«Beh, sai come sono fatte le fìmmine».

«Io non lo so, sei tu l'esperto. La picciliddra come sta?».

«Meglio assai. Si trova bene con la psicologa, che è un'amica. Macari Beba la conosce».

«Il marito si è ripreso da quella specie d'influenza?».

«Non era in casa, Lina ha detto che aveva fatto un salto nell'ufficio della Vigamare».

«E che è?».

«Il nome della sua ditta, un misto di Vigàta e di mare. Quindi deve stare meglio. Beba e Lina hanno stabilito d'incontrarsi domani pomeriggio».

«Buono a sapersi».

«Ma perché vuoi insistere, Salvo? La figlia di Belli ha avuto la disgrazia di trovarsi al posto sbagliato, ma se al posto suo c'era un'altra picciliddra le cose sarebbero andate allo stesso modo. Credimi».

Passò la matinata a scriviri e a firmari carte e la bona disposizione verso il mondo e le criature che lo popolano doppo manco cinque minuti di quel travaglio gli era svaporata. Fu solo taliando il ralogio che vitti che si era fatta l'ora di andare a mangiare. Ma non erano rimasti d'accordo con Belli che sarebbe passato in matinata?

«Catarella!».

«Ai comandi, dottori!».

«Per caso ha telefonato il signor Belli?».

«Non m'arrisulta, dottori. Ma siccome che dovetti tanticchia assentuarmi per un bisogno di subitanea d'urgenza, aspittasse che lo addimando a Messineo il quale che fu lui...».

«Va bene, spicciati».

Montalbano non ebbe il tempo di fare biz.

«Nonsi, dottori. Non gli arrisulta. Il signor Melli non tilifonò».

Allora chiamò lui. Gli arrispose la voce del vecchio Mongiardino.

«Montalbano sono. Vorrei parlare col signor Belli».

«Ah».

Pausa. Quindi:

«Non c'è».

«Ah» fece a sua volta il commissario. «Sa se passerà da me, come eravamo rimasti d'accordo?».

«Difficile».

«Che significa?».

«È partito, commissario».

Montalbano strammò. Che era successo?

«Quando?».

«Stamatina all'alba. Ha costretto Lina a fare i bagagli in nottata. Non ha voluto dare spiegazioni. Ha caricato la bambina che dormiva, povira picciliddra!».

«Com'è partito?».

«Con la sua macchina».

«Sa dov'è diretto?».

«Se n'è tornato a Roma».

«Suo figlio Gerlando lo sa?».

«Sì».

«E lui che spiegazione ha dato di questa partenza?».

«Dice che non riesce a spiegarsela. Dice che forse è per una telefonata».

«Che ha fatto suo genero?».

«No, lo chiamavano da Roma».

Qualichi cosa che era andata storta nell'affari romani? Possibile, ma la facenna meritava d'essiri studiata meglio.

«Signor Mongiardino, le dispiace se nel pomeriggio, dopo le cinque, passo un momento da casa sua?».

«Perché dovrebbe dispiacermi?».

314

E accussì il signor Belli si era dato, come dicevano a Roma. E lui non potiva farci nenti. Quello era libero di andare e viniri come gli piaciva. Ma qual era il pirchì di quella scappatina improvisa? Era vera la chiamata da Roma? Mimì era ancora in ufficio. Gli riferì la fuga in Egitto della famiglia Belli. Macari Mimì si mostrò sorpreso assà.

«Ma se Lina e Beba avevano stabilito d'incontrarsi!».

«A mia» disse Montalbano «pare che sia arrivata l'ora di parlare con Gerlando Mongiardino che forse potrebbe dirci di più sulla telefonata ricevuta da Roma».

«Che titolo abbiamo per parlargli?».

«Mimì, titoli ne possiamo trovare quanti ne vogliamo. Macari se non è stata fatta denunzia, un tentativo di rapimento c'è stato. E noi abbiamo il dovere di svolgere indagini. Ma ad ogni modo non ti preoccupare, con Gerlando parlerò io».

Stava per nesciri dall'ufficio, ma ci ripinsò.

«Mimì, un'altra cosa. Voglio sapere nome, cognome, indirizzo e telefono della psicologa che si è occupata della picciliddra».

Alle cinque del doppopranzo, mentre Montalbano stava a ragionare con Augello, s'appresentò Fazio.

«Dottore, porto carrico. So chi è che si firma Balduccio Sinagra».

«Hai pigliato appunti? Date di nascita, di morte...».

«Certo».

«Mani in alto» fece Montalbano raprendo un cascione della scrivania e tenendoci dintra una mano.

La voce del commissario era ferma e determinata. Tanto che persino Mimì lo taliò imparpagliato.

«Che fa, babbìa, dottore?».

«Ti ho detto mani in alto».

Esitante, Fazio isò le mano.

«Bene. Dove hai gli appunti?».

«Nella sacchetta destra».

«Infila lentamente la mano nella sacchetta, piglia il pizzino con gli appunti e posalo altrettanto lentamente sul tavolo. Se fai un movimento brusco ti sparo».

Fazio eseguì. Montalbano pigliò con dù dita il pizzino e lo gettò nel cestino.

«Ora puoi parlare senza quelle minchiate di date che io odio e che tu ami».

«Levami una curiosità» intervenne Mimì. «Ma con che gli sparavi a Fazio? Col dito?».

«Con questo» fece il commissario tirando fora un revorbaro dal cascione.

Era scassato, non potiva sparare, ma su chi non lo sapiva faciva un bell'effetto. Il sorriso dalla faccia di Mimì scomparse.

«Tu sei completamente pazzo» murmuriò.

«Posso sapere che hai scoperto?» spiò il commissario a Fazio che lo taliava intronato.

«Dunque» principiò quello ripigliandosi faticoso, «vossia se lo ricorda che don Balduccio ebbe un figlio, Pino intiso "l'accordatore", che se ne andò negli Stati?».

«Non me lo ricordo, non ero qua, ma ad ogni modo ne ho inteso parlare».

«Pino in America ebbe diversi figli. Uno, Antonio, era intiso "l'arabo". Siccome che era pazzo, ogni tanto si mittiva a parlari una lingua che lui chiamava arabo ma che arabo non era e che nessuno capiva».

«Va bene, vai avanti».

«Antonio "l'arabo" ebbe tri figli, due fìmmine e un màscolo. Al màscolo mise il nome del catanonno, Balduccio».

«Che sarebbe il signore che è arrivato a Vigàta?».

«Precisamente».

«Che età ha?».

«Trentino è».

«Sai quanto si fermerà a Vigàta?».

«Qualcuno m'ha detto che resterà a lungo, per questo ha fatto restaurare la villa».

«Che ha in testa di venire a fare qua?» spiò quasi a se stesso Augello.

«Mimì» disse Montalbano, «hai mai visto in campagna che fanno le mosche? Volano, volano, e appena vedono una bella cacata ci si posano sopra. E da noi, oggi come oggi, ci sono tante belle, grosse cacate a disposizione. Si vede che la voce si è sparsa e le mosche si stanno precipitando, macari d'oltreoceano».

«Se le cose stanno come dici» osservò pinsoso Mimì, «viene a dire che presto tornerà la stascione dei kalashnikov, delle ammazzatine».

«Non credo, Mimì. I sistemi sono profondamente cangiati, macari se lo scopo finale è sempre quello. Ora preferiscono travagliare sott'acqua e con le amicizie giuste nei posti giusti. E per prima cosa, queste amicizie

317

giuste vanno in giro a dire che la mafia non c'è più, è stata sconfitta, quindi si possono fare leggi meno severe, si può abolire il 41 bis... Ad ogni modo, di questo picciotto americano voglio sapìri di tutto e di più, come dicono alla televisione».

I Mongiardino abitavano sulla strata principale di Vigàta, al secondo di una solida casa ottocentesca di quattro piani, ampia, costruita senza economia di spazio. Gli venne a raprire un omo ben vestito, anziano ma non vecchio, molto dignitoso.

«Si accomodi, commissario. Mi scusi se non la ricevo in salotto, ma è tutto in disordine e la donna oggi non è venuta. Andiamo nel mio studio».

Tipica càmmara da avvocato, pisanti librerie piene di volumi di leggi e sentenze. Sullo scrittoio c'era qualichi cosa che il commissario non capì di subito, gli parse una crozza di morto, di quelle che una volta i dottori tenevano nello studio medico. Venne fatto accomodare supra una poltrona di pelle nìvura.

«Le posso offrire qualcosa?».

«Niente, grazie. Le confesso che questa partenza così improvvisa di suo genero mi ha meravigliato».

«Macari io sono rimasto stupito. Avrebbero dovuto trattenersi ancora tre giorni. Vede quella?».

Indicò la cosa sullo scrittoio. Non era una crozza, ma una palla di gomma grezza.

«Avevo comprato un'altra palla a Laura e stavo cominciando a dipingerla. Perché quella che aveva a pasquetta e che si è persa durante il... quando l'hanno...

insomma quella che non aveva più quando l'hanno ritrovata, l'avevo disegnata io. Ci avevo dipinto sopra la fata Zurlina e il mago Zurlone, due personaggi di una storia che mi ero inventato e che le piaceva...».

S'interruppe.

«Mi scusi un momento».

Si susì, niscì, tornò doppo tanticchia asciugandosi la vucca con il fazzoletto. Evidentemente si era commosso ed era andato a rinfrancarsi con un bicchiere d'acqua.

«La sua signora è in casa?».

«Sì. Non sta tanto bene. Si è messa a letto. È rimasta addolorata per la partenza della nipotina. Voleva godersela in pace dopo lo spavento che avevamo avuto. E macari io avrei voluto... Lasciamo perdere».

«Avvocato, voglio essere franco con lei. Che ci sia stato un tentativo di rapimento della bambina, è fuori discussione».

Mongiardino aggiarniò visibilmente.

«Come fa a dirlo? Non può essersi trattato di...».

«Ci sono due testimoni» tagliò Montalbano. «Hanno visto un uomo che costringeva Laura a salire dentro a una macchina pochi momenti prima che cominciasse il temporale».

«Dio mio!».

«Che lei sappia, suo genero ha nemici?».

La risposta arrivò immediata.

«No. Anzi, è benvoluto da tutti».

«È ricco?».

«Questo sì. Se Laura, come lei dice, è stata rapita, può darsi che volevano ottenere un buon riscatto...».

«E allora perché l'hanno rilasciata quasi subito rinunziando ai soldi che avrebbero potuto ottenere?».

Mongiardino non seppe che rispondere, si pigliò la testa tra le mano.

«Perché suo figlio Gerlando e suo genero non vanno d'accordo?».

«L'ha saputo macari lei? Hanno avuto, e continuano ad avere, forti divergenze sulla conduzione della società».

Era sincero, l'avvocato. Evidentemente questo gli avivano contato sia Belli che sò figlio per non metterlo in agitazione, non gli avivano detto la virità e cioè che Gerlando infilava le mano nella cassa. La visita si stava rivelando tempo perso, l'avvocato Mongiardino non potiva essiri di nessun aiuto.

«Senta, il motivo per cui suo genero non voleva più partecipare alla scampagnata di pasquetta era perché aveva avuto una discussione piuttosto accesa con Gerlando?».

«Sì».

«E non può essere che la ragione della partenza improvvisa di suo genero con tutta la famiglia sia un'altra discussione con Gerlando piuttosto che la fantomatica telefonata da Roma?».

Mongiardino allargò le braccia.

«Può darsi. Ma temo...».

«Sì?».

«... che quei due siano arrivati al punto di rottura».

Tre

L'indomani matina, che era jornata accupusa e fridda, tirava un vento che tagliava la faccia, Montalbano venne convocato dal questore. Passando davanti alla piazza del Municipio di Montelusa, vitti una scena stramma. C'era un signore cinquantino, distinto, cappotto, fasciacollo, cappello, guanti, che teneva alto un cartello di compensato sul quale c'era scritto: «mafiosi e cornuti». Davanti a lui un vigile piuttosto agitato gli stava dicendo qualichi cosa. I rari passanti tiravano di longo, non avivano gana di curiosità, faciva troppo friddo. Montalbano parcheggiò, scinnì, si avvicinò ai due. Fu allora che il commissario riconobbe l'omo col cartello, era il geometra Gaspare Farruggia che aviva una piccola impresa di costruzioni. Una pirsona perbene.

«Si sciolga! Non glielo ripeto più! Si sciolga!» stava intimando il vigile.

«Ma perché?».

«Perché trattasi di manifestazione non autorizzata! Si sciolga!».

«Non ce la faccio a sciogliermi da solo» fece calmo il geometra. «Con questa temperatura, casomai, solidifico».

321

«Non faccia lo spiritoso!».

«Non lo sto facendo, si figuri se ne ho voglia, sto rischiando davvero d'essere sciolto nell'acido solforico da chi so io».

Solo in quel momento il vigile riconobbe Montalbano.

«Commissario, questo signore qua...».

«Vai pure, vai. A lui ci penso io».

«Buongiorno, dottor Montalbano» fece educatamente il solitario manifestante la cui faccia era addivintata rossoblu per il gelo.

Il commissario ci mise picca e nenti per convincerlo ad abbandonare momentaneamente la protesta e a rifocillarsi in un cafè vicino. S'assittarono a un tavolo. Mentre s'arricriava con un cappuccino bollente, l'omo gli spiegò che alcuni imprenditori onesti avivano addeciso di fare gruppo costituendo una piccola associazione antiracket. C'era una legge regionale che incoraggiava la formazione di queste associazioni con aiuti in denaro. Era macari un modo, aggiunse, di mettere in evidenza i nomi degli imprenditori che non avivano nenti da spartire con la mafia.

«Non basta più la certificazione antimafia?» spiò il commissario.

«Dottore mio, con la nuova legge l'importo dei lavori per il quale non c'è bisogno della certificazione è salito a 500.000 euro. Basterà perciò frazionare i subappalti in modo che ognuno non superi il mezzo milione di euro. Inoltre i subappalti ora sono possibili nella misura del cinquanta per cento dal trenta che erano, e il gioco è fatto. Macari chi porta scritto in fronte che è mafioso può ottenere il subappalto. Mi spiegai?».

«Perfettamente».

«Insomma, volevamo mettere le mani avanti, far sapere che noi, certificazione o no, siamo diversi da tutti quei mafiosi pronti ad assaltare la casciaforte».

«E che è successo?».

«È successo che siamo andati a Palermo. Nessuno sapeva dirci l'ufficio giusto. Una via crucis che durò tre giorni, ci mandavano da Ponzio a Pilato. Finalmente ci trovammo davanti a uno che ci disse che bisognava iscriversi all'apposito albo in dotazione nei municipi dei capoluoghi di provincia. Allora siamo rientrati a Montelusa e io, che sono il presidente di questa associazione, sono andato al Comune. Macari qua nessuno sapeva niente. Poi trovai un impiegato che mi spiegò che l'albo non c'era in quanto da Palermo non erano ancora arrivate le norme per la sua costituzione. Sono passati due mesi e ancora non arrivano. Una sullenne pigliata per il culo. Mentre spuntano come funghi nuove società che non trovano ostacoli burocratici, macari se tutti sanno che sono fatte da prestanome».

«Ad esempio?».

«Non ha che l'imbarazzo della scelta. A Fiacca la famiglia Rosario ne ha costituite cinque, a Fela la famiglia De Rosa pure cinque, a Vigàta l'americano ce ne ha quattro, ma quello vuole allargarsi macari in altri campi, a Montelusa la famiglia...».

«Un momento. Chi è l'americano?».

«Non lo sa? Balduccio Sinagra junior. S'è precipitato apposta dagli Stati visto il vento che tirava qua! Qua è diventata una pacchia, dottore mio! Lo sa che al Ministero ora non si devono più comunicare relazioni dettagliate sullo stato dei lavori ma, cito testualmente, "note informative sintetiche con cadenza annuale"? Che gliene pare? E lo sa che...».

«Non voglio sapere altro» fece Montalbano susendosi e pagando.

Durante l'orata che fu a rapporto dal questore, a Montalbano parse che la seggia sulla quale stava assittato gli abbrusciasse, letteralmente, le natiche. Persino il questore lo notò. «Montalbano, che ha da agitarsi tanto?».

«Un foruncolo, signor questore».

Appena tornato in commissariato, chiamò Fazio e Augello e contò loro quello che aveva saputo dal geometra.

«E non mi è parso che Farruggia raprisse la vucca solo per fare vento. Sapiva quello che diciva. Voglio conoscere i nomi delle società di Balduccio Sinagra junior, come sono costituite, dove hanno sede legale. Io non ci capisco di queste cose ma al tribunale o alla Camera di commercio queste società devono risultare».

«Ci penso io» disse Fazio. «Non è cosa difficile. E caso mai vado a trovare questo geometra Farruggia e mi faccio aiutare da lui».

«Mi spieghi il perché di questo interessamento?» spiò Mimì.

«Perché la cosa mi feti, mi puzza. Il nipote di un boss che ha fatto fortuna con gli appalti truccati torna dall'America e costituisce quattro società pronte a concorrere a gare d'appalto. Non ti pare strammo?».

«A mia no. Può darsi che faccia le cose in modo legale. Noi possiamo al massimo intervenire se sgarra».

«Ma siccome a noi non ci costa niente avere queste informazioni... Accussì, se un giorno o l'altro quello sgarra, come dici tu, noi ci troviamo avvantaggiati. Senti, Mimì, hai nome e numero di telefono della psicologa che si è incontrata con la picciliddra?».

«Di che stiamo parlando?» spiò Augello strammato dall'improvviso cangiamento d'argomento.

«Te lo sei scordato il tentativo di rapimento della figlia di Belli?».

«Ah, sì, mi ha detto tutto Beba».

«Puoi chiamare questa signora dicendole se passa da qua oggi doppopranzo? All'ora che fa più comodo a lei».

«Dice che invece passi tu da lei nel doppopranzo e all'ora che ti fa più comodo» fece Mimì vedendo trasire Montalbano in ufficio doppo che questo era andato a farsi una gran mangiata di fragaglia alla trattoria di Enzo e aviva, di conseguenza, i riflessi tanticchia allintati.

«Chi dice che?».

«La psicologa. Olinda Mastro. Ti do l'indirizzo di Montelusa. Non m'è parsa una pirsona facile».

«Sai che ti dico? Ci vado subito».

Alla dottoressa Mastro, poco più che trentina, alta, soda, biunna, bella, l'apparizione di Montalbano davanti alla porta della sò casa non fece per niente piaciri.

«Non poteva telefonare prima?».

«Ma il mio vice col quale ha parlato mi ha riferito che lei...».

«D'accordo. Ma una telefonata non avrebbe guastato».

«Senta, se è occupata ripasso».

«Ma no, dato che ormai è qua...».

Si fece di lato per lasciarlo passare. Come diceva Matteo Maria Boiardo? «Principio sì giolivo ben conduce». Quindi, se il principio era stato così giolivo, figurarsi come sarebbe stato il seguito!

«Per di qua».

L'appartamento era granni, luminoso a malgrado che la jornata non era felice. Lo fece accomodare sulla poltrona colorata di un salotto che pariva nisciuto da una rivista d'arredamento moderno, pochi mobili ma molto eleganti.

«Le dispiace se fumo?» spiò il commissario.

«Sì».

«È meglio non perdere tempo. Sono venuto per parlare con lei di...».

«... di Laura, la bambina, lo so. Ma vorrei sapere cosa spera di ottenere da me. E comunque, devo disilluderla».

«Non ci ha capito niente, vero? Del resto l'ho sempre pensato che queste storie di psicologia sono cose campate in aria».

L'aviva fatto apposta a formulare la domanda in modo accussì sgarbato e a farla seguire da un commento offensivo. Era una provocazione e Olinda Mastro sicuramente ci sarebbe caduta con tutte le scarpe. Invece la psicologa restò tanticchia a taliarlo e alla fine un sorriso divertito la fece promuovere da bella a bellissima.

«Non attacca» disse.

Macari Montalbano sorrise.

«Le domando scusa».

Quel sorriso reciproco fece di colpo cangiare l'atmosfera, era come se si fosse dissolta la barriera invisibile che fino a quel momento li aviva separati.

«La verità è che sono furiosa».

«Perché?».

«Perché quando ero riuscita a guadagnarmi la fiducia totale di Laura, i suoi genitori hanno pensato di portarsela a Roma».

«Lei lo trova strano?».

«Inspiegabile. E inoltre la piccola, quasi sicuramente, ritornerà a rinchiudersi in se stessa e il trauma subito le resterà dentro come un grumo non sciolto che...».

«Da chi l'ha saputo, che erano partiti?».

«Ho telefonato a Vigàta ai Mongiardino per dire a che ora sarei andata da loro e invece l'avvocato mi ha detto che erano dovuti partire. Se l'avessi saputo prima avrei cercato di convincere Lina, la madre, che è mia amica».

«Che spiegazione le ha dato l'avvocato Mongiardino?».

«Che il genero è stato richiamato urgentemente a Roma per una faccenda che riguarda i suoi affari. Ma dico: che bisogno aveva di portarsi appresso tutta la famiglia? Poteva lasciare Laura con la madre dai nonni ancora per qualche giorno».

«Quindi lei non è riuscita a sapere niente dalla bambina?».

«Qualcosa sì. Almeno credo».

Restò tanticchia a taliare pinsosa il commissario, doppo s'addecise.

«Venga con me».

Percorsero il corridoio fino alla prima entrata, Olinda Mastro raprì la porta e Montalbano s'attrovò in un cammarone il cui pavimento era letteralmente cummigliato di giocattoli d'ogni tipo, bambole, cavallucci a dondolo, casette di fate, orsacchiotti, trenini, modelli d'auto e d'aerei, pistole spaziali, centinaia di pennarelli e fogli di disegno. C'era macari un'autopompa dei pompieri con scale e fari: sempre, da picciliddro, ne aviva desiderata una accussì. Dovette tenersi a forza dall'accularsi e mettersi a giocare. La psicologa intanto aviva pigliato da un ripiano di ligno alcuni fogli di carta da disigno.

«Questi li ha fatti Laura. Fortunatamente ha una straordinaria capacità di disegno. Li avevo portati qua per poterli studiare meglio. Guardi».

Montalbano taliò e non ci capì nenti di nenti. Rettangoli sbilenchi, linee spezzate, qualichi cosa che doviva essiri una machina, qualichi cosa che doviva essiri un omo, qualichi cosa che doviva essiri una palla colorata. Isò l'occhi interrogativo.

«Hanno un senso?».

«Certamente. Guardi anche lei questo foglio. Che rappresenta?».

«Dovrebbe essere un'automobile con dentro delle cose».

«Giusto. È un'automobile. Questo segno qua avanti è l'uomo che ha rapito Laura, quest'altro segno indica la bambina sul sedile posteriore con la sua palla. Quella che il nonno le aveva dipinta. E quest'altro foglio?».

«Mi pare che rappresenti la bambina con la palla, l'omo e l'auto. Ma...».

«Dica» l'incoraggiò Olinda.

«Mi pare che la bambina e l'uomo ora siano fuori dall'auto».

«Bravissimo. È così. E non vede altro?».

«Sinceramente, no».

«Non vede che l'uomo, la bambina e l'auto si trovano tutti all'interno di un rettangolo?».

«È vero, sì. Ma che significa?».

«Significa che sono dentro a una stanza».

«Una stanza?».

«Sì. E come si chiama la stanza che può contenere un'automobile?».

Montalbano si dette una manata sulla fronte.

«Cristo! Un garage!».

«C'è arrivato. Guardi quest'altro. Cronologicamente, viene prima di quello che ha appena visto».

L'auto era addisignata ferma davanti a un rettangolo allato al quale ci stava l'omo. Il rettangolo era stato colorato in grigio con un pennarello. Stavolta il commissario non ebbe dubbio.

«Questa è la saracinesca del garage che l'uomo sta aprendo».

«Visto com'è diventato bravo in poco tempo?» fece Olinda rimettendo i fogli a posto. «Lo vuole un caffè?».

«Sì».

«Allora resti qua a giocare con quella macchina dei pompieri. Si vede che ne ha una voglia matta. La chiamo appena è pronto».

E brava la psicologa! Se la scialò con la macchinetta che aviva macari una sirena che spirtusava le grecchie. Purtroppo venne chiamato in salotto.

«Senta, dottoressa...».

«Mi chiami Linda e io la chiamerò Salvo».

«D'accordo. Non è riuscita a sapere dalla bambina cosa fece l'uomo quando erano dentro al garage?».

«No. Avevo appena cominciato ad affrontare questo argomento. Ma mi sono fatta un'idea».

«Cioè?».

«Che non sia successo assolutamente niente. La bambina non ha subito violenza, ha ricevuto solo una volta un ceffone, non so quando...».

«Posso dirglielo io».

E le contò quello che gli aviva riferito Bonsignore.

«Quindi se Laura non avesse fatto quel tentativo di fuga, il rapitore non le avrebbe dato nemmeno quello schiaffo» concluse la psicologa.

«Secondo lei» spiò Montalbano, «perché la bambina è stata rapita?».

«Secondo me, non è stata rapita» disse quietamente Linda.

Montalbano springò come un cavallo dalla seggia.

«Ma che dice?!».

«Quello che penso. Lei ha chiesto la mia opinione o no? Se vogliamo metterci ad adoperare le parole giuste, la bambina è stata allontanata, ripeto allontanata, sia pure a for-

330

za, dai suoi familiari quel tanto che bastava per far credere a tutti che fosse stata rapita. È stata tenuta per qualche tempo dentro il garage di una casa nelle vicinanze. Lì ogni abitazione ha il garage, li conosco quei posti».

Minchia! Quant'era intelligente quella fìmmina che in quel momento stava accavallando le lunghe gambe! Ecco spiegata la singolarità del cosiddetto rapimento: si trattava solo di tenere ammucciata la picciliddra per un certo periodo di tempo, quel tanto che abbastava a far pinsare a un sequestro. E l'ordine dato al rapitore evidentemente era stato quello non solo di non farle male in nessun modo, ma di evitare che altri potesse farglielo, intenzionalmente o no.

«Vorrei abbracciarla» scappò di dire a Montalbano dal profondo.

«Lo faccia» disse Linda susendosi addritta.

Naturalmente in commissariato non trovò Fazio, sicuramente a caccia delle società dell'americano. Gli tornò a mente che dalla Scientifica non si erano ancora fatti vivi con i risultati degli esami sui vestiti di Laura. Si era fatto pirsuaso, doppo le parole di Linda, che dalla Scientifica non avrebbero potuto dirgli nenti d'importante. Telefonò lo stisso, per il solo piaciri di rompere i cabasisi a Vanni Arquà.

«Arquà? Montalbano sono. Permettimi di compiacermi teco e con tutta la tua squadra per la solerzia e la prontezza con la quale avete fatto riscontro alla richiesta di questo commissariato. Sarà mia cura informare dettagliatamente il signor questore».

«Ma di cosa stai parlando?».

«Sto parlando dei vestiti di quella bambina che vi ho fatto avere...».

«Ah, quelli? Sì, gli esami li abbiamo fatti».

«Posso avere l'intima soddisfazione di sapere perché non me li avete inviati?».

«Montalbano, per inviarteli dovevamo fare riferimento a qualcosa, no? Mica siamo un ufficio privato di analisi!».

«Mi stupisco, Arquà. Come mai nessuno ti ha messo al corrente?».

«Di che?».

«C'è stato il tentativo di rapimento di una bambina che è la nipote di un importante uomo politico».

Abbassò di colpo la voce, la riducì a un soffio.

«La cosa è tenuta segretissima, si sospettano oscure trame, si parla addirittura di terrorismo... ecco perché ufficialmente non deve risultare niente».

«Capisco, capisco» fece Arquà macari lui con la voce a soffio. «Vuoi sapere i risultati?».

«Sì, ma dimmeli per telefono, niente di scritto, per carità!».

«Aspetta un momento».

«Dunque» ripigliò Arquà doppo tanticchia e con un tono ancora più cospirativo, «niente di rilevante, sul vestitino sono state rilevate tracce di sugo, di marmellata, di ricotta e di olio di macchina. Le mutandine erano sporche di pipì, deve essersela fatta addosso. Ah, sulla parte posteriore del vestitino c'erano tre capelli maschili, neri. E basta».

«Teneteli da conto, questi tre capelli. Grazie, Arquà. E mi raccomando, silenzio assoluto».

Povira picciliddra! Doviva aviri passato terribili momenti di scanto! E in quanto alle piccole macchie di olio di macchina, questo non faciva che confermare quanto gli aviva detto Linda: Laura era stata per un certo tempo dintra a un garage.

L'indomani a matino, doppo una decina di minuti ch'era arrivato in ufficio, squillò il telefono.

«Dottori? C'è qua il signori Bongiardino che voli parlari con vossia di pirsona pirsonalmenti».

Catarella continuava a scangiare la *m* con la *b* e viceversa. Doviva trattarsi dell'avvocato Mongiardino.

«Fallo passare».

Non era l'anziano avvocato, ma un quarantino che indossava vistita su misura e costosi, aviva baffetti 'ntipatici e un Rolex prezioso al polso.

Macari il sciàuro della colonia della quale si era imbevuto doviva costare assà. Per l'occasioni aviva indossato una faccia severa.

«Sono Gerlando Mongiardino».

Il fimminaro, quello che infilava le mano nella cassa della società. Si era apprisentato lui, levando al commissario il disturbo di andarlo a trovare.

Montalbano gli fici 'nzinga d'assittarsi, ma quello restò addritta.

«Grazie, vado via subito. Sono venuto solo per dirle che trovo scorretto il suo modo d'agire».

«Quale modo?».

«Lei, pigliando a pretesto un ipotetico rapimento, per il quale non è stata sporta nessuna denunzia, badi bene, è andato a importunare mio padre con domande che niente hanno a che fare con la storia capitata casualmente a mia nipote Laura».

«Che significa casualmente?».

«Che Laura si è persa mentre scoppiava il temporale, che qualcuno si è preso cura di lei, l'ha ospitata nella sua macchina e l'ha lasciata andare quando tutto è finito».

«E perché questo pietoso qualcuno l'avrebbe pigliata a schiaffi?».

«Si riferisce al fatto che Laura aveva una guancia gonfia? Ma chi le dice che sia stato uno schiaffo?».

«Due testimoni».

«Che hanno visto?».

Montalbano gli riferì paro paro il racconto dei Bonsignore. Gerlando Mongiardino, alla fine, sorrise.

«Ma commissario, ci rifletta! Se un tale cerca di salvare una bambina che si è perduta e questa bambina scappa dal suo salvatore rischiando di andare a finire sotto a una macchina, non può darsi che quel tale abbia per un momento perduto la pazienza? I signori Bonsignore hanno creduto che si trattava di un rapimento e quindi ogni cosa che hanno visto l'hanno inquadrata nell'ottica del sequestro. Ma le cose possono e devono essere viste da un'altra angolazione».

E bravo Gerlando Mongiardino! La sua spiegazione correva come un binario.

«Lei ha mai letto Borges?» gli spiò Montalbano.

«Che è, un libro?» spiò a sua volta disgustato Mongiardino.

Ci sono pirsone accussì, alle quali la domanda se hanno letto un libro risulta più offensiva della domanda se sono stati amici intimi di Jack lo Squartatore.

«Mi scusi ma, premesso che sulla sparizione di Laura ho un'altra opinione, come posso portare avanti le indagini senza parlare coi familiari della bambina?».

«E che c'entrano col supposto rapimento di Laura le domande che lei ha fatto a papà sui miei rapporti con mio cognato Fernando?».

«Perché mi occorre un quadro complessivo della situazione. Anzi, dato che lei è qua, vuole dirmi la ragione di queste liti? Mi ero infatti ripromesso di venire alla Vigamare per parlarle».

«Le nostre liti hanno sempre avuto un solo motivo: la conduzione della società della quale io e mio cognato siamo soci ognuno al cinquanta per cento. Tutto qua».

Quattro

Doviva trattarsi di una spiegazione combinata in famiglia per non perdere la faccia davanti al pàisi, il quali pàisi sapiva invece benissimo la scascione vera delle azzuffatine, vale a dire l'irresistibile attrazione che il pilo fimminino esercitava su Gerlando e che lo portava a mettersi in sacchetta i soldi della società e sgarrare malamente nei riguardi del cognato.

Valiva la pena di chiarire meglio l'argomento.

«Mi potrebbe accennare in che consiste la vostra disparità di vedute sulla conduzione?».

«Semplice: io voglio che la Vigamare si espanda sempre di più pigliandosi nuovi mercati e lui no, vuole che resti com'è».

«Se lo spiega il perché suo cognato non voglia ampliare la società? È troppo prudente?».

Modo gentile per avanzare l'ipotesi che Belli non si fidava di Gerlando Mongiardino.

«Non si tratta di prudenza. Direi disinteresse. Fernando ha altri e assai più grandi affari a Roma, è un imprenditore capace di rischiare e molto».

«E allora?».

«Commissario, voglio essere sincero. Fernando questa società a Vigàta l'ha costituita solo per fare un piacere a sua moglie, cioè a mia sorella, la quale voleva che io mi sistemassi, dato che non avevo un lavoro fisso. E inoltre mia sorella pensava che la società avrebbe dato motivo a suo marito di venire spesso a Vigàta, così lei avrebbe potuto avere più occasioni per vedere i genitori. Per Fernando, in conclusione, la Vigamare non conta niente, per me invece questa società è tutto».

«Suo padre mi ha detto che teme che i vostri rapporti sono arrivati a un punto di rottura».

«Tutto quello che si doveva rompere si è rotto».

«In che senso?».

«Nel senso che mio cognato si è ritirato dalla società il giorno prima di partire per Roma. Siamo andati dal notaio quella stessa sera».

Le cose perciò erano arrivate a quel punto di rottura che diceva l'avvocato Mongiardino. Doveva esserci stata una sciarra terribile tra Gerlando e Belli.

«E chi ha comprato la sua quota?».

«Io».

Lui?! E con che aviva pagato? Con cìciri e fave? Con conchiglie? E se si era impegnato a pagare la quota a rate, come aviva fatto Belli a fidarsi ancora una volta di quel malaconnutta?

«Mi scusi, signor Mongiardino, la mia è una domanda che effettivamente non c'entra niente col rapimento e quindi lei è liberissimo di non rispondere, ma può dirmi quale modo avete concordato per il pagamento della quota?».

«Contanti».

337

Montalbano fici una faccia accussì sbalorduta che Mongiardino si sentì in doviri di spiegare.

«Certo che non sono andato dal notaio con le valigie piene di soldi. Ho fatto un trasferimento di fondi dalla mia banca alla sua».

Fondi? Di quali fondi parlava? Fondi di cafè? Fondi di pantaluna? Si fece però pirsuaso che Gerlando Mongiardino, con molta abilità, l'aviva portato ad andare a sbattiri contro un muro. Le banche non avrebbero mai tradito il segreto bancario e andare a parlare al notaro sarebbe stato come pretendere un colloquio con un catàfero.

«Ha altri soci?».

«No».

Che altro c'era da dire?

«Congratulazioni e auguri» fece Montalbano susendosi.

«Grazie, commissario. E spero di avere chiarito...».

«Perfettamente».

Si stringero le mano sorridendo.

«Linda? Montalbano sono».

«Ma che piacere! Dimmi».

«Avrei bisogno di rivederti».

«Stiamo già a questo punto?».

E ridacchiò. Montalbano arrussicò.

«Scu... scusami, Linda, ma mi sono comportato come un...».

«Lascia perdere. Dimmi».

«Devo farti una domanda su una cosa che mi hai accennato e che mi è poi completamente passata di mente» fece Montalbano.

«Chiedi».

«Tu lo sai dov'è stata ritrovata Laura?».

«Davanti al cancello della villa del dottor Riguccio».

«Ecco, mi pare che mi hai detto che conosci quella zona, quella che da Piano Torretta va verso Gallotta».

«Sì».

«Mi ci accompagneresti?».

«Certo. Quando?».

«Oggi pomeriggio, se puoi. Verso le cinque. Lasci la tua macchina davanti al commissariato e proseguiamo con la mia. Lo sai dov'è il commissariato di Vigàta?».

«No».

«Ora te lo spiego».

Principiò a parlare facendosi subito pirsuaso che non sarebbe stato in grado di indicare la strata a Linda. Non perché il commissariato fosse allocato all'interno di un labirinto, ma per una sua congenita incapacità topografica. In un posto sapiva arrivarci solo pirchì il corpo ce lo portava per i fatti suoi. Alla fine di deci minuti di una parlata piena di «alla seconda a sinistra, giri subito a destra» e di «alla terza a destra, giri alla seconda sempre a destra», Montalbano s'arrese.

«Forse è meglio che quando arrivi a Vigàta, t'informi».

«Porto carrico grosso» fece Fazio trasenno nell'ufficio di Montalbano che in quel momento stava a parlare con Augello.

«Assettati e conta».

«Dottore, devo fare una premessa. Ho le sacchette piene di carte e mi necessita di consultarle ogni tanto. Posso farlo senza scanto di essere sparato?».

«Per questa sola e unica volta, sì».

Come aviva fatto a infilarsi nelle sacchette tutti quei fogli che tirò fora e che alla fine formarono una pila sul tavolo del commissario? Appresso Fazio si schiarì la gola, s'appuiò con la schina alla spalliera. Era evidentemente orgoglioso del travaglio che aviva fatto. Finalmente s'addecise a raprire la vucca.

«Dunque: l'americano ha e non ha quattro società abilitate a concorrere agli appalti per opere pubbliche».

«Non cominciamo a dire minchiate» fece irritato il commissario. «Che significa ha e non ha?».

«Ora vengo e mi spiego, dottore. Queste quattro società si trovavano da qualche tempo in una certa difficoltà, avevano avuto questioni per il pagamento dei contributi, alcuni loro cantieri erano stati chiusi per inosservanza delle norme antinfortunio, erano state multate per ritardi di consegna, cose accussì. Per ripigliare il travaglio avrebbero dovuto sanare le pendenze, mettersi in regola, ma i soldi fagliavano. A un certo momento, vale a dire meno di tre mesi passati, succede il miracolo. Le quattro società, delle quali vado a dirle i nomi...».

E principiò a sfogliare la pila che aviva davanti.

«Mi potresti risparmiare?» implorò Montalbano con un filo di voce.

«E vabbè» concesse magnanimo Fazio. «Le quattro società trovano i soldi per mettersi in regola, ma...».

«Ma sono costrette a passare di mano» fece Augello.

«E questo è il bello!» disse Fazio. «Non passano di mano, non cangia quasi niente nell'assetto societario. L'amministratore delegato di prima resta al suo posto, il consiglio sostanzialmente lo stesso. Solo che tra i consiglieri d'amministrazione ora c'è macari Balduccio. E con lui compare sempre macari un altro nome. Ufficialmente, in queste società, Balduccio conta quanto il due di coppe».

«Mentre ufficiosamente è diventato il proprietario delle quattro società e gli altri sono òmini di paglia o quasi» concluse il commissario.

«Esattamente. È lui, Balduccio, che ha tirato fora i soldi per regolarizzare le società e per accattarsele. Il ragioniere Farruggia, che in queste cose ha un odorato da cane cirneco, ha saputo per vie traverse da amici che ha nelle banche di questi movimenti di denaro da Balduccio alle casse delle quattro ditte».

«Scusatemi» intervenne Mimì. «Fino a questo punto, non ci trovo niente d'irregolare. Se lui vuole comparire solo come uno dei consiglieri d'amministrazione, fatti suoi. La domanda invece è: com'è che ha tutti questi soldi a disposizione? Li ha trovati qua o se li è fatti in America? Non potremmo domandare a...».

«Guardi, dottore» interruppe Fazio, «che della vita americana di Balduccio si sa abbastanza. Farruggia si è informato presso certa gente che sta a Nuovajorca, a Broccolino e in altri posti, gente che con noi non aprirebbe mai bocca. Mi sono spiegato?».

«Sì. Vai avanti».

«A carico di Balduccio junior non c'è niente, fatta eccezione di qualche cattiva frequentazione».

«Cattiva in che senso?» spiò Montalbano.

«Mah, vecchi mafiosi amici del padre, boss in disarmo... Ma, nella sostanza, Balduccio è stato, fino al momento di venire a Vigàta, un brillante impiegato di banca».

«Ma perché è venuto?» spiò stavolta Mimì.

«Ufficialmente, e siamo sempre qua, all'ufficiale e all'ufficioso, per tentare di ripigliarsi da un grave dolore. Ha perso la zita in un incidente automobilistico e ne ha patito molto. Così gli hanno consigliato di sbariarsi cangiando aria. E lui ha scelto la terra di suo padre e di suo nonno».

«Che animo delicato e sensibile!» fece Montalbano.

«E ufficiosamente?» spiò Mimì che non mollava l'osso.

«Ufficiosamente è venuto, per conto delle sue cattive frequentazioni, a fare tutta una serie d'investimenti. Perché da noi il momento è quello giusto, mentre negli Stati ci sono troppi controlli macari per la faccenda del terrorismo».

«Ma chi gli ha dato i soldi?» scattò Mimì. «Non credo che il suo stipendio di bancario, sia pure brillante...».

«Ufficialmente» l'interruppe Fazio «si tratta di un'eredità».

«Lo zio d'America» disse Montalbano.

«Nonsi, dottore. In questo caso, il nonno di Sicilia. Don Balduccio senior, parlo sempre della versione ufficiale, avrebbe esportato capitali all'estero. Capitali che non è stato possibile sequestrare perché nessuno ne era a conoscenza. Quando don Balduccio senior è morto, questi soldi sono passati a Balduccio junior. È chiaro? Ufficiosamente invece don Balduccio senior non aveva esportato niente di niente. Questi sono soldi sporchi, riciclati, che possono entrare da noi spacciandoli come rientro di capitale dall'estero. Messa così la cosa, noi non possiamo farci niente. Questi soldi, di chiunque siano, sono rientrati da noi legalmente, Balduccio junior ha pagato il due e mezzo per cento come vuole la legge e ora è completamente a posto».

Calò pisante silenzio.

«Farruggia» ripigliò Fazio doppo tanticchia «mi ha macari accennato a una cosa che riguarda Belli. Pare che abbia...».

«... l'intenzione di vendere il suo cinquanta per cento al cognato» completò Montalbano.

«Sì. E lei come lo sa?».

«Lo so. Ma non si tratta d'intenzione, è cosa già fatta. Farruggia ti ha detto chi ha dato i soldi a Gerlando Mongiardino?».

«Secondo lui, darrè a tutta l'operazione ci starebbe sempre il nostro amico americano che ha una gran gana d'allargarsi».

«Mi sa che dobbiamo principiare a contare i morti» disse Mimì. «I Cuffaro non se ne staranno calmi e tranquilli a vedere un Sinagra che arriva qua a fare quello che gli pare».

Montalbano parse non dare peso alle parole di Mimì. Si rivolse invece a Fazio.

«Tu ci hai detto che nei nuovi consigli d'amministrazione, oltre al nome di Balduccio junior, ne compare sempre un altro».

«Sissignore!» fece Fazio sorridendo con l'occhi sparluccicanti.

«Perché ti stai divertendo tanto?».

«Perché vossia è uno sbirro che non ce ne sono altri!».

«Grazie. Mi dici questo nome?».

«Calogero Infantino».

«E chi è?».

«Calogero Infantino è un signore, incensurato, che fino a quando è arrivato l'americano aveva un negozio all'ingrosso e al minuto di elettrodomestici».

«E dopo l'arrivo dell'americano?».

«Ha sempre mantenuto il negozio».

«E allora che c'entra con l'americano?».

«Con l'americano non c'entra. Ma, vede, Calogero Infantino si è maritato con Angelina Cuffaro».

«Minchia!» fece Mimì. «I Cuffaro e i Sinagra si sono appattati!».

«Proprio accussì» disse Fazio. «E a quanto mi risulta, l'accordo tra le due famiglie mafiose è stato voluto, come prima cosa, da Balduccio junior. Quindi, dottore, non ci saranno né raffiche di kalashnikov né morti da contare. I Sinagra e i Cuffaro andranno d'amore e d'accordo».

«E noi che possiamo fare?» spiò Mimì.

«Noi possiamo fare come gli antichi» disse Montalbano.

Augello lo taliò imparpagliato.

«E che facevano gli antichi?».

«Si grattavano le panze e si taliavano i bellichi».

Andò alla trattoria, ma non aviva tanta gana di mangiare. Enzo se ne addunò e si preoccupò:

«Comu si senti, dutturi?».

«Bene, grazie».

«E allura pirchì nun havi pititto?».

«Pirchì ogni tanto mi vennu troppi pinseri».

«Mali, dutturi. Lu sapi? Ci sunno dù parti del corpo che non vonnu pinseri: la panza e l'autra ca vossia capisci».

A malgrado non avesse nicissità digestive, si fece lo stisso la longa passiata sino al faro. Assittato supra al solito scoglio, gli tornò il pinsero che gli aviva fatto passare il pititto. E che non era un pinsero vero e proprio. Era qualichi cosa che non quatrava nel modo d'agire del rapitore di Laura, ma questa qualichi cosa non gli arrinisciva di precisarla, di metterla a foco.

Tornò in ufficio, accomenzò a firmare una muntagna di carte e a un certo momento il telefono squillò.

«Dottori? Venni una signora a dire che fora un mastro l'aspetta».

Il delirio di Catarella peggiorava di giorno in giorno: Mastro era il cognome di Linda. Puntualissima.

«Come mai conosci il posto dove stiamo andando?».

Linda sorrise.

«Ci sono cresciuta. Mio padre si era comprato un pezzo di terra da quelle parti e si era fatto costruire una casetta. Poi, io avevo una quindicina d'anni, la vendette a sua sorella, zia Rita».

«Allora i tuoi ricordi si fermano a quel periodo?».

«No. Io volevo molto bene a zia Rita e ogni domenica venivo a trovarla. Suo marito, zio Carlo, era uno che sapeva tutto di tutti».

«Quindi i tuoi zii abitano ancora lì».

«No. Zio Carlo, due anni fa, è stato trasferito a Cosenza, dove era nato, e ha venduto a sua volta».

«Sai a chi?».

«Ai Carmona, gente che conosco».

«Ora ti dico perché stiamo andando là».

«Non ce n'è bisogno. L'ho capito».

«Che hai capito?».

«Stiamo andando a cercare una casa, una villa o quello che è, che abbia anche un garage in muratura».

Come le caminava la testa, a quella bella picciotta! Montalbano la taliò ammirativo.

«Perché stai facendo questa strada? Così allunghiamo» fece Linda.

«Lo so. Ma voglio vedere una cosa. Un momento solo».

Fermò, scinnì. Linda lo seguì. La villa dei Sinagra era in cima alla collina sotto la quale passava la strata, tutte le finestre erano raprute, davanti al cancello, quello che una volta era protetto da òmini armati, sostavano tri machine. Balduccio aviva ospiti, ma non si vidiva anima criata. I tempi erano cangiati, non c'era più bisogno di guardie del corpo, di squatre di sorveglianza, tutto alla luce del sole.

«Possiamo ripartire».

«Da come guardavi quelle finestre» disse Linda «parevi Romeo sotto il balcone di Giulietta. Speravi che s'affacciasse?».

Montalbano non arrispunnì. Arrivato a Piano Torretta, il commissario vi trasì con la machina da uno dei varchi aperti nella recinzione d'arbusti.

«Tu lo sai dove i Mongiardino avevano preparato il loro tavolo?».

«Sì. Vai avanti ancora. Lo vedi laggiù quell'altro varco? Vi si erano messi proprio accanto».

Montalbano proseguì e si fermò dove gli aviva detto Linda. Scinnero. Piano Torretta, quasi perfettamente circolare, era molto vasto e i Mongiardino erano andati a mettersi ai margini e per di più nelle vicinanze di un varco indovi certamente ci sarebbe stato trafico di auto.

«Non è stata una scelta felice» disse Linda.

«Bastava che si fossero messi un po' più verso il centro e alla bambina non sarebbe potuto capitare niente» fece Montalbano. «La palla con la quale giocava non avrebbe mai potuto raggiungere la recinzione e superarla».

«Già» fece asciutta Linda.

Rimontarono in machina, passarono attraverso il varco e si trovarono sulla strata che portava a Gallotta. C'era poco movimento.

«Come procediamo?» spiò Linda.

«Intanto apri il cruscotto, ci stanno una biro e un taccuino. Da qui alla villa del dottore ci sono circa sei chilometri. Tu devi scrivere a chi appartengono le abitazioni ai due lati della strada, se lo sai. Se non lo sai, segniamo il posto con un punto interrogativo. Naturalmente prenderemo in considerazione solo le abitazioni che hanno un garage in muratura».

«E se ci troviamo davanti a una casa che potrebbe avere un garage, ma non è a vista, che facciamo?».

«Fermiamo, scendiamo e ci diamo da fare. Macari se sarò obbligato a scavalcare qualche cancello».

«Perché solo tu? Ho messo i pantaloni apposta».

Di subito, tutta la facenna s'addimostrò assà più complicata. Anzitutto le case non erano tutte allineate lungo i due lati della strata, ma ce n'erano alcune in seconda fila. Di queste ultime s'arrinisciva a vidiri la facciata, ma la parte posteriore arrisultava ammucciata rispetto alla strata, abbisognava allora avvicinarsi il più possibile percorrendo stritti viottoli, controllare e tornare narrè. Un'imprevista perdita di tempo. Per di più alcune case erano recintate da muretti sui quali abbisognò acchianare per poter aviri un esauriente colpo d'occhio. Per fortuna non si vidiva gente, si trattava di case di vacanza, ancora non era arrivata la stascione e per di più quello era un jorno lavorativo. A un certo punto Montalbano disse:

«Per facilitarci il lavoro, tutte le case dovrebbero essere come quella lì».

E ne indicò una a mano dritta, una vera costruzione di campagna, col suo garage, ricavato da quella che una volta era stata una stalla, in bella evidenza e inserrato da una saracinesca.

«Purtroppo» disse Linda «quella è proprio la casa che ti dicevo, dove sono cresciuta. Ora è dei... Accosta! Ferma!».

«Che c'è?» spiò il commissario ubbidendo automaticamente.

«Mi pare che c'è qualcuno» fece Linda scinnenno di corsa e chiamando a gran voce: «Signora Carmona!».

Sempre assittato al suo posto, il commissario vitti una signora anziana comparire da darrè la casa, isare le vrazza al cielo nel riconoscere Linda, correrle incontro, abbrazzarla. Le dù fìmmine parlarono tra loro tanticchia, doppo Linda si voltò verso la machina.

«Salvo! Vieni!».

Scinnì, le fìmmine erano trasute in casa, le seguì. S'attrovò in un salone rustico, confortevole. La signora Carmona era una sittantina che gli fece subito simpatia perché gli arricordò vagamente una sua vecchia amica, una maestra in pensione, Clementina Vasile-Cozzo. L'istisso modo di parlare, la stissa franchezza nelle parole e nei gesti. Umberto, il marito, era andato a Vigàta ma sarebbe tornato tra poco. Perché Linda non l'aspittava? Sarebbe stato felice di rivederla. Loro avivano definitivamente abbannunato il paìsi e si erano trasferiti lì, indove c'era la paci dell'angeli.

Nelle vicinanze, macari altre famiglie avivano fatto l'istisso. E più ancora avrebbero seguito l'esempio, ma c'era il problema dell'acqua che abbisognava farsi arrivare con le autobotti. Mentre parlava, andò in cucina e tornò con un vassoio.

«Dovete assolutamente assaggiare questo parfè di

mènnuli all'antica che ho fatto proprio oggi. Che siete venuti a fare da queste parti?».

Mentre si beava a sbafarsi una porzione di semifreddo che era veramente bono, Montalbano le arrispunnì che per una sua inchiesta, ma non disse quale, doviva fare una specie di censimento delle abitazioni di quella zona. E dato che Linda... La signora Carmona l'interruppe:

«Se venivate subito qua, risparmiavate un sacco di tempo. Mio marito questo censimento l'ha già fatto».

«E perché?».

«Perché c'è forse la possibilità di ottenere l'allacciamento alla rete idrica. Ma bisogna contribuire alle spese e allora mio marito è andato porta a porta, per un mese intero, a spiare chi era disposto... Ma ecco la sua macchina!».

Cinque

Il signor Michelangelo Carmona, che la mogliere chiamava Micò, non solo aviva travagliato a Vigàta come geometra comunale, ma era macari un tipo picinoso, preciso fino alla maniacalità. Mentre la signora Carmona nisciva a fare quattro passi con Linda, il geometra principiò a sgombrare il tavolo da tutto quello che ci stava supra, ma non dal vassoio con il parfè di mènnuli che Montalbano abilmente arriniscì a mantiniri a portata di mano. Finito che ebbe, niscì dalla càmmara e tornò doppo tanticchia strascinando un'enorme valigia. Aiutato dal commissario, la isò sul tavolo, la raprì e accomenzò a tirare fora carte topografiche, estratti catastali, dichiarazioni giurate, atti di vendita, rogiti notarili, ricevute dell'ufficio del registro e altri fascicoli che in breve cummigliarono il piano del tavolo. Montalbano si mise il vassoio sulle gambe e intanto che Micò era assorto in una misteriosa cernita, pigliato il cucchiaro dal suo piattino che era stato posato provisoriamente supra una seggia allato, attaccò il parfè. Nel frattempo Micò, avendo attrovato i documenti che gli abbisognavano, stava nuovamente riempiendo la valigia, assistimata 'n terra aperta, con tut-

351

te le altre carte. A opra finita, stinnicchiò sul piano del tavolo, che a stento la contenne, una grande mappa a mano e pigliò a considerarla pinsosamente che pareva un comandante in capo che studiava il campo di battaglia. In una mano tiniva una para di fogli arrotolati.

«Per favore, commissario, venga vicino a me» fece tirando fora dal taschino della giacchetta una matita gialla.

A malincuore, Montalbano abbandonò il vassoio che però mise al posto delle sue chiappe.

«Questo che sto indicando con la matita è il settore che le interessa, vale a dire il tratto di strada da questo varco di Piano Torretta fino alla villa del dottor Riguccio. Sono cinque chilometri e novecentosettantadue metri. La mappa l'ho fatta io per fare le cose facili. Per comodità, ho segnato le abitazioni con un numero progressivo».

«Magnifico» disse Montalbano, «ma come faccio a sapere i nomi dei proprietari?».

«Semplicissimo. In questi fogli qua» fece Micò agitando le carte che teneva nella mano «ci sono i nomi e gli indirizzi di tutti. A ogni numero della mappa corrisponde il nome del proprietario».

«Splendido» disse Montalbano. «E se io volessi sapere quante di queste case hanno un garage in muratura, di quelli chiusi da una saracinesca?».

«Mi dia dieci minuti. Vuole che glielo scriva?».

«Se non le porta fastidio...».

Mentre Micò s'acculava davanti alla valigia rovistando tra le carte, Montalbano tornò alla seggia, levò il vassoio, s'assittò, si rimise il vassoio supra le gambe e ripigliò a mangiare. Micò emerse con in mano una specie di librone che riproduceva piante di case, pigliò macari lui una seggia e s'assittò. Taliava la mappa, taliava il librone, taliava le carte coi nomi e ogni tanto scriviva qualichi cosa su un foglio pulito. Sul vassoio oramà restavano solamente le ultime due cucchiarate di parfè. Per decenza, Montalbano ordinò a se stesso di non mangiarsele e per prudenza, non fidandosi del buon proposito, si susì e andò a posare il vassoio supra la credenza.

«Ecco fatto» disse Micò pruiendo il foglio che aviva scritto. «Qui ci sono i nomi, gli indirizzi e macari i numeri di telefono. Le case coi garage in muratura da queste parti sono scarse, da noi, col tempo che fa, mettono la macchina sotto un pergolato o la lasciano all'aperto. Le occorre altro?».

«Nient'altro, grazie. Lei per me è stato come una miniera d'oro, le sono veramente grato. Una domanda sola: questi dati sono recenti?».

«Li ho raccolti il mese passato. Mi dà una mano a rimettere in ordine tutto prima che torni mia moglie?».

E Montalbano ne approfittò per fare sparire le tracce della colpa, andò in cucina col vassoio e gettò nella munnizza i miseri resti del parfè.

Lasciarono la casa dei Carmona che già faciva scuro. La sirata era chiara e silenziosa, le foglie dell'àrboli non si parlavano tra di loro.

«Mi pare che sia andata bene» fece Linda.

«Già».

«Micò ci ha risparmiato un sacco di lavoro».

«Già».

«Che hai?».

«Niente, riflettevo».

Potiva dirle che il parfè non aviva nisciuna gana di farsi dissolvere dagli àciti nella panza e combatteva strenuamente?

«Vuoi che ti aiuti con quell'elenco che ti ha dato Micò?».

«Perché no?».

«Ma prima vorrei cenare. La passeggiata con la signora Carmona mi ha fatto venire appetito. Tu ne hai?».

«Beh...».

«Vedo che non sei entusiasta della proposta».

«Ma no! D'accordo. Hai un posto dove andare?».

«Oltre Gallotta c'è una trattoria di campagna, Da Giugiù, ci sei mai stato?».

Non ne aviva mai sentito la nominata. S'apprioccupò.

«Sei sicura che si mangia bene?».

«Ci sono stata una quantità di volte. Stai tranquillo. Da qui ci metteremo una mezzoretta».

Invece ci misero un'orata pirchì se la pigliarono commoda. Linda parlava del suo travaglio coi picciliddri e al commissario piaciva starla a sèntiri. Aviva una voce che cangiava colore.

«Vorrei stare leggera» fece Linda a Giugiù, un omo di non meno di centotrenta chili di stazza.

«Le cose lèggie se le piglia 'u ventu» sentenziò Giugiù.

«È vero» arrispunnì Linda ridendo. «A lei infatti non riuscirebbe a pigliarla manco un tornado».

La conseguenza della breve scaramuccia fu: pecorino, aulive virdi e aulive nìvure per antipasto, spaghetti al suco di porcu per primo, sasizza e costate di maiale per secunno. Con piacere, Montalbano notò che Linda non s'arrendeva davanti ai piatti, anzi ingaggiava battaglia coll'aiuto di un vino rosso che aviva la stissa violenza di un gallo da combattimento. Alla fine la picciotta disse:

«Lo vuoi provare il vero parfè di mandorla? Quello della signora Carmona era buono, ma quello che fanno qui...».

«Ti confesso una cosa. Il parfè non mi piace. Dai Carmona l'ho assaggiato per convenienza» mentì il commissario facendo la faccia contrariata. «Prenditelo tu, io ti sto a guardare».

Ma non ce la fece manco a taliarlo, il parfè: ogni volta che l'occhi gli si posavano sopra, sintiva lo stomaco che bruntuliava sdignato e tanticchia di nausea che lo pigliava alla gola.

Sulla strata del ritorno, Linda disse:

«Dove andiamo a guardare le carte? Al commissariato o a casa tua a Marinella?».

Montalbano la taliò imparpagliato.

«Te l'ho detto io che abito a Marinella?».

«No, me l'ha detto Beba. Non lo sai che siamo amiche? Mi ha detto questo e altre cose».

«Che altre cose?».

«Altre cose».

Mentre Montalbano stava raprendo la porta di casa, Linda disse:

«Ci mettiamo a lavorare sulla verandina?».

«Sai macari che c'è una verandina?».

«Uffa!» fece Linda.

In linea teorica, la picciotta, a controllare i nomi della lista, che erano appena otto, avrebbe dovuto impiegarci massimo massimo una mezzorata.

Quanno s'assittarono sulla verandina non era manco mezzanotti, quanno Montalbano riaccompagnò Linda davanti al commissariato perché ripigliasse la sua machina, erano le cinque e mezzo del matino.

In conclusione, si corcò col proposito di farsi un due orate di sonno e invece s'arrisbigliò che erano le deci passate. Si fece una doccia presciosa, si radì lasciandosi mezza varba, si vistì di cursa e poco passate le unnici trasì in ufficio.

«Mandami Fazio» disse a Catarella.

Doppo tanticchia sentì tuppiare, ma invece di Fazio s'appresentò Mimì.

«Novità?» spiò Montalbano.

«Le solite cose. Due furti, una misteriosa sparatoria verso Piano Lanterna. E tu, novità?».

«E che novità vuoi che abbia io?».

«Mah!» fece Mimì taliandolo intensamente.

Trasì Fazio.

«Agli ordini, dottore. Come sta?».

Perché macari Fazio si mittiva a spiargli come stava, cosa che di solito non faciva mai?

«Bene. Perché me lo domandi?».

«Mah!» disse Fazio.

Mimì, va' a sapìri pirchì, ridacchiò. Montalbano non gli dette conto. Tirò fora dalla sacchetta l'elenco dei nomi scritto da Micò e lo posò sul tavolo.

«Devo fare una premessa. Mi sono incontrato con la dottoressa Olinda Mastro, la psicologa di Laura, che mi è stata di grandissimo aiuto e non solo perché mi ha spiegato quello che le ha detto la picciliddra».

«Non solo? E che altro aiuto t'ha dato?» spiò Mimì con la faccia 'nnuccenti di un angilo.

Macari stavolta Montalbano fece finta di nenti e contò ai due tutto, compresa la visita a casa Carmona.

«Ieri sera Linda, dato che in quella zona conosce praticamente tutti, ha esaminato con me questo elenco e...».

«Mi scusi, dottore, chi è Linda?» spiò Fazio.

«È la dottoressa Mastro, che si chiama Olinda ma che dagli amici si fa chiamare Linda» spiegò Mimì, carcando sulla parola «amici», ma mantenendo sempre la faccia di un serafino.

«Ha esaminato questo elenco e ha cancellato cinque nomi» proseguì Montalbano non dando a vidiri la caldaia a vapore che gli cuturiava dintra e che potiva esplodere da un momento all'altro. «Si tratta di persone che mai e poi mai avrebbero a che fare con qualcosa d'illegale. Restano tre nomi: Bonito Gaspare, impiegato di banca, Arena Giacomo, trasportatore, e Zirretta Federico, impiegato. Oli... O... Li...».

«Oliolà» fece Mimì.

Montalbano, con una faticata enorme, arriniscì a non far esplodere la caldaia.

«Linda questi tre non li conosce. Dovremmo saperne di più».

«Mi faccia vedere» fece Fazio allungando una mano.

Il commissario gli pruì l'elenco, Fazio lo taliò tanticchia e doppo disse:

«Questo Bonito Gaspare di anni cinquanta e abitante in via Cavour 32, è cassiere nella filiale che la Trinacria ha sul porto. Lo conosco da più di vent'anni e mi sento di garantire per lui. È l'onestà fatta pirsona».

«Allora cancellalo» disse Montalbano. «E gli altri due?».

«Non li conosco. Ma rimedio subito» disse Fazio susendosi e mittendosi in sacchetta l'elenco.

Restati soli, Montalbano taliò a Mimì con ariata seria.

«Posso sapìri pirchì fai tanto lo spiritoso?».

«Pirchì io le cose che ci hai detto le sapevo già. Stamatina alle otto Linda ha fatto dettagliato rapporto telefonico a Beba».

«E che le ha detto?».

«Beba non ha voluto aprire bocca, con me. Non c'è stato verso di farla parlare. Ma credo che Linda le abbia contato tutto quello che c'era da contare. È stata più di un'ora a telefonare e ogni tanto Beba rideva fino alle lagrime».

«E che avevano tanto da ridere?» spiò Montalbano torvolo.

«Questo lo sanno Linda, Beba e tu. Quindi presumo che le ha detto macari cose che tu non ci hai riferito perché, a stretto rigor di termini, non riguardavano per niente l'indagine».

E l'infame sorrise.

«Mimì, lo sai che ti dico, a stretto rigor di termini?» spiò Montalbano arraggiato.

«No».

«Vaffanculo».

C'era una pietruzza nell'ingranaggio del suo ciriveddro che paralizzava il giro delle rote e delle rotelline. E fino a quando non la livava, quella pietruzza, non ci sarebbe stato verso di rimettere in moto il meccanismo. L'intoppo era il modo di procedere del sequestratore. Che cosa capitava nei rapimenti normali? Capitava che i sequestratori che dovivano aviri contatti con la pirsona sequestrata, provvedevano a infaccialarsi, ad ammucciarsi la faccia con un passamontagna o con una mascheratura qualisisiasi per non farsi arriconoscere dalla vittima che, una volta rilasciata doppo il riscatto, avrebbe potuto fornire agli inquirenti precisi identikit. E difatti, se durante un sequestro il prigioniero, o la prigioniera, vidiva, macari casualmente, la faccia di un carceriere, il suo destino era segnato. Sia pure con tante scuse, la pirsona viniva ammazzata. Da questa regola non si sgarrava.

E allora pirchì questa volta il rapitore di Laura non aviva pigliato nessuna precauzione e aviva agito a faccia scoperta? Pirchì Laura era una picciliddra di tri anni e le sarebbe stato difficile, se non impossibile, descrivere com'era fatto il rapitore? La ragione poteva macari essiri questa, ma comunque la facenna rappresentava un grosso azzardo. Tant'è vero che quanno aviva dovuto inseguire Laura, che era scappata dalla machina, l'omo era stato visto in faccia dai Bonsignore.

Però d'altra parte il sequestratore non avrebbe potuto agire se non a viso scoperto. In genere i rapimenti avvengono quanno c'è scuro e macari allora i rapitori fanno in modo di non essere riconosciuti. Qui, di necessità, tutto doviva avvenire alla luce del sole, macari se il sole era oscurato dalle nuvole. E perciò come faciva un omo ad aggirarsi in pieno jorno, in mezzo a una quantità di gente, indossando con grande disinvoltura un passamontagna? Era l'istisso che firriare con un cartello sul quale ci stava scritto: «Sto commettendo un sequestro». Nenti, la picciliddra doviva essiri pigliata da uno che correva il rischio enorme di essiri arraccanosciuto da chiunque.

E allora: che cosa gli avivano detto o promisso a petto del rischio? Questo era il busillisi. Soldi? Ma non c'erano soldi che potivano compensare quel tipo d'azzardo. Garanzie? Di che?

E fu allora che gli tornò a mente quello che gli aviva detto Linda: non era un vero e proprio rapimento, ma un allontanamento momentaneo che doviva far nasciri l'idea di un sequestro. L'idea. La sensazione. L'impressione. Si figurò un dialogo immaginario (ma poi non tanto).

«Pensi un po', commissario! La bambina si è persa, ma fortunatamente è stata raccolta da un pietoso automobilista, rimasto anonimo, che l'ha accompagnata in un posto sicuro. E noi che intanto ci disperavamo pensando a un rapimento!».

«Vogliono sporgere denunzia?».

«E perché? Per una sensazione? Per una impressione?».

Ecco che cosa avivano garantito al sequestratore: che non ci sarebbe stata nessuna denunzia, nessuna indagine, a patto che alla picciliddra non fosse capitato danno, pirchì, in caso di danno, macari casuale, nisciuno avrebbe potuto previdiri la reazione dei genitori. E infatti la denunzia non c'era stata pirchì non c'era motivo di farla. E l'indagine, che motivo aviva per essere fatta?

Ad ogni modo, la pietruzza era stata livata.

Stava per tornarsene a Marinella, col nirbùso di un doppopranzo perso in ufficio a sbrigare facenne senza importanza, quanno s'appresentò Fazio.

«Che mi sai dire su quei nomi?».

«Assai, dottore. E per non farla arraggiare, quello che ho saputo l'ho imparato a memoria, accussì non ho bisogno di carte».

«Bravo. Vedo che in vecchiaia migliori, come il vino bono».

«Dottore, vossia s'intende di mangiare, ma sui vini è scarso. Non sempre la vicchiaia fa bene al vino. Dunque, principio da Zirretta Federico che è impiegato amministrativo alla Casa circondariale».

«Al carcere?».

«Sissignore. Da trent'anni. Il Direttore mi ha detto che non solo è un impiegato esemplare, ma che ha macari promosso diverse iniziative nella Casa a favore dei carcerati. È un uomo molto buono».

«Che stipendio ha?».

«Quella miseria che lo Stato passa a gente come noi».

«Come ha fatto a trovare i soldi per farsi una casa a Piano Torretta?».

«Me lo sono spiato macari io. E ho avuto la risposta. La mogliere, che è di Ribera, ha avuto un'eredità dallo zio. Siccome non hanno figli, si sono fatti fabbricare la casa. Sintissi a mia, dottore, Zirretta è fuori discussione».

Non aviva motivo di dubitare di quello che Fazio gli diciva.

«E l'altro?».

«Qui la facenna si fa più interessante. Arena Giacomo ha cinquant'anni. Maritato e divorziato. Macari lui nenti figli. Si definisce autotrasportatore, ma in realtà possiede solamente un camioncino col quale fa piccoli trasporti occasionali».

«Ti pare interessante?».

«Mi lasci finire».

«Ti piace fare come la maschiata, eh, Fazio?».

«Che viene a dire?».

«Che nei giochi di fuoco i botti più grossi sono alla fine».

Fazio sorridì, compiaciuto.

«E che botto, dottore! Intanto, Arena Giacomo non è pulito. È stato condannato perché, senza porto d'armi, gli hanno trovato una pistola in sacchetta. Un'altra condanna l'ha avuta perché, guidando 'mbriaco, è andato a sbattere contro un'edicola distruggendola».

«Tutto qua? Ancora non sento botti grossi».

«È figlio di Arena Romualdo detto Rorò».

«E chi è Rorò?».

«Non chi è, dottore, ma chi era. È stato ammazzato una ventina e passa di anni fa. Apparteneva alla famiglia Sinagra».

Un mafioso sparato nel corso della guerra tra i Sinagra e i Cuffaro! Montalbano appizzò di subito le grecchie.

«Sentito finalmente il botto?» fece Fazio a rivincita.

«Come mai il figlio non si è vendicato?».

«In quel periodo era in Germania a travagliare come operaio in una fabbrica d'automobili. Tornò dopo un anno e venne arrestato per la storia della pistola. Si vede che l'intenzione di vendicarsi l'aveva. Ma quando è uscito dal càrzaro, le cose stavano rapidamente cangiando a sfavore dei Sinagra. E lui allora non si è cataminato».

«Perché non aveva seguito le orme del padre?».

«Era stato Rorò a volerlo fora dal giro. Era molto affezionato al figlio».

«Se, come mi hai detto, Giacomo Arena campa alla meno peggio, a maggior ragione vale spiarsi chi gli ha dato i soldi per accattarsi la casa di vacanza in campagna».

«Dottore, si vede che vossia non ha taliato bene la lista che le fece il signor Carmona. È molto precisa. La casa appartiene tuttora al signor Di Gregorio, Arena l'ha pigliata in affitto. Ed è andato ad abitarci».

«Da quando?».

«Da tre mesi. Ha fatto un contratto di un anno».

«Vive lì da solo?».

«Sissi. Ogni tanto si fa tenere compagnia da qualche buttana».

«Sai se Arena, oltre al camioncino, ha macari un'altra macchina?».

«Certo. Una Polo».

Montalbano sinni stette tanticchia pinsiroso. Doppo spiò:

«L'ipotesi che Giacomo Arena si sia messo a disposizione dell'americano ti pare cosa di vento?».

«Per niente, dottore. Solo che credo che le cose siano andate arriversa».

«Cioè?».

«Che sia stato Balduccio junior a mettersi in contatto con i superstiti o i parenti degli appartenenti alla famiglia. A fare l'elenco gli avrà dato una mano macari l'onorevole avvocato Guttadauro che li conosce tutti, i morti e i vivi».

«Comunque, di questo contatto tra l'americano e Giacomo Arena non abbiamo prove».

«Non c'è stato tempo di cercarle» corresse Fazio.

«Sai che fai, Fazio, da questo momento?».

«Certo che lo so. Mi metto appresso a Giacomo Arena».

«Sai fotografare?».

«M'arrangio».

«Scattami qualche foto di Arena senza farti scoprire. Portati un aiuto, se vuoi. M'interessa in modo particolare che venga bene la faccia. Appena le hai fatte, le fai subito sviluppare e me le porti».

«Dottore, ma non c'è di bisogno di mettersi a fare come a cinema, inseguimenti, fotografie... Sicuramente da qualche parte la trovo, una foto di Giacomo Arena».

«Ma fammi il piacere! Mi vuoi dare una fototessera o una foto d'archivio? Quelle sembrano fatte apposta per non far riconoscere le persone!».

Era appena arrivato a Marinella che squillò il telefono. Era Linda.

«Salvo, dato che un impegno che avevo è saltato, ho pensato che potevamo andare a cena».

«Per farti fare ancora quattro belle risate con Beba?» pinsò subito, arraggiato.

«Mi dispiace, ma aspetto delle persone. Ci risentiamo. Ciao».

Riattaccò. Il telefono squillò.

«Linda, ti ho detto che...».

«Chi è Linda?» fece la voce di Livia.

E bonanotti.

Sei

Nuttatazza 'nfami, un totale di otto lunghissime telefonate fatte a e ricevute da Boccadasse, Genova, fino a quanno la stanchizza e il sonno avivano avuto la meglio supra i due contendenti. S'arricampò in ufficio appresentandosi con un'ariata che non era cosa. Al solo vidirlo con quella faccia, manco Catarella ebbe il coraggio di andare oltre a un normale:

«Bongiorno, dottori», oltretutto pronunziato a mezza voce.

«Bongiorno la minchia» fu la funerea e minacciosa risposta.

Nisciuno osò disturbarlo per un due orate. Erano infatti da picca passate le unnici quanno sentì tuppiare discretamente. Era Fazio il quale doviva essere stato debitamente avvertito dell'umore nìvuro del commissario pirchì, assittandosi, disse:

«Dottore, vuole scommettere che appena comincio a parlare le passa di colpo la botta di malo stare?».

«Scommettiamo. Come mai sei qua invece di stare appresso a Giacomo Arena?».

«Ci sono già stato appresso, dottore. Ho avuto una gran botta di culo, rispetto parlando».

«Racconta».

«Stamatina alle sei mi sono messo di postìa, con la mia auto, sulla strada di Piano Torretta. Mi sono portato ad Alfano, che è con noi da una settimana e nessuno lo conosce. Avevo macari la macchina fotografica. Bene, alle sette ci è passato davanti il camioncino di Arena che sulle fiancate tiene scritto "G. Arena – Traslochi-Trasporti". Lui avanti e noi darrè. A mezza strata si è fermato da un benzinaro e siccome c'era tanticchia di fila, è scinnuto. Allora a mia è venuta un'idea. Ho detto ad Alfano di andare a spiargli se poteva fargli un trasloco urgente. Mentre Alfano gli parlava, ho scattato una gran quantità di fotografie che sono già allo sviluppo. Alfano è tornato riferendomi che Arena gli aveva risposto che non faceva più trasporti o traslochi in quanto ora lavorava fisso alle dipendenze di una ditta. Quando ha fatto benzina, noi ci siamo andati appresso, così abbiamo visto dove è andato a fermarsi, proprio all'ingresso di un grande magazzino. È sceso ed è entrato nel magazzino. Dopo un poco sono usciti fora due òmini che hanno principiato a caricare il camioncino di frigoriferi e scaldabagni. Finito il carico, Arena si è messo al volante ed è partito per le consegne».

«Perché non l'hai seguito?».

«Perché non ce n'era più di bisogno. Le foto le avevo fatte e avevo macari saputo per chi Arena travagliava stabile, c'era scritto nell'insegna supra il magazzino».

«Che c'era scritto?».

«Elettrodomestici Infantino».

«Embè?».

«Dottore, se lo scordò? L'altra volta gliene parlai. Calogero Infantino è quel signore incensurato, commerciante di elettrodomestici, maritato con Angelina Cuffaro, che compare nei nuovi consigli d'amministrazione delle società rilevate da Balduccio junior».

Montalbano lo taliò ammammaloccuto.

«Ma come? Arena ora si mette a travagliare con la famiglia Cuffaro, quelli che gli hanno ammazzato il padre?».

«Dottore, ma non lo disse lei stesso che i tempi sono cangiati? Ora si ragiona solo in termini di bisinissi».

Inaspettatamente, Montalbano sorrise. Macari Fazio.

«Dottore, la vinsi la scommessa?».

«Sì».

«Allora mi paghi un cafè che ne ho di bisogno».

«Macari io» fece il commissario sbadigliando.

In tarda matinata, Montalbano addecise di riunire lo stato maggiore del commissariato che consisteva, oltre a lui, in Augello e Fazio.

«Le cose, per come la penso io, sono andate così» esordì. «Balduccio junior torna dall'America per riciclare legalmente denaro mafioso. Siccome appartiene alla nuova generazione, invece di dichiarare guerra ai Cuffaro si allea con loro stabilendo una certa divisione negli utili. Gli affari gli vanno bene perché agisce sott'acqua, impadronendosi di società che sono sull'orlo del fallimento. Ma quando vuole estendere il suo campo d'azione al mercato all'ingrosso del pesce, si trova di fronte a due difficoltà. La prima è che la società di Belli, la Vigamare, va benissimo e quindi i metodi devono essere diversi da quelli fino a quel momento usati, la seconda è che Fernando Belli è un uomo onesto che è difficile da piegare. Balduccio però non tarda a individuare la maglia lenta della Vigamare, vale a dire l'altro socio, il cognato di Belli, Gerlando Mongiardino. L'avvicina, o lo fa avvicinare, e gli prospetta i vantaggi che potrebbero venirgli se in qualche modo lui, Balduccio, riuscisse a infilarsi nella società. Evidentemente Gerlando Mongiardino ne parla al cognato, ma questi lo manda a farsi fottere. Da qui le liti che tutti conosciamo. Altro che diversità di opinioni sulla conduzione dell'azienda!».

«Scusami se t'interrompo» fece Mimì. «Ma che interesse ha Gerlando Mongiardino a cangiare socio e a mettersi con uno come Balduccio junior?».

«Non sappiamo quello che Balduccio junior gli ha promesso. O forse pensa che avrà maggiore libertà di movimento nel mettersi in sacchetta i soldi della società».

«Scommettiamo che appena sgarra, Balduccio junior lo fa mangiari vivo dai pisci?» disse Fazio.

«Vado avanti» ripigliò Montalbano. «La partita è in situazione di stallo quando a Balduccio viene in mente un modo per forzare la mano a Belli. Il rapimento della figlia. Allora...».

«Un momento» interruppe Mimì. «Non mi torna».

«Che cosa?».

«Questa storia del rapimento. È un metodo vecchio, un metodo mafioso all'antica. Tu stesso, Salvo, hai sostenuto che questi mafiosi nuovi sono dei colletti bianchi che usano altri mezzi di pressione e solo quando non possono farne a meno... Il rapimento non coincide col modus operandi di Balduccio junior».

«Mimì, dato che ti butti sulla citazione dotta, voglio fare il sapiente macari io. Una volta ho letto un romanzo, mi pare che si chiamava *Dimenticare Palermo*, ma forse ha un altro titolo, faccio confusione. Ad ogni modo, questo romanzo conta la storia di un discendente di una famiglia di mafiosi, come il nostro Balduccio junior, nato e cresciuto in America, che studia, diventa una persona colta e dai modi fini, entra a far parte della buona società e si marita con una ricca americana. Vanno a fare una vacanza a Palermo. Qui un atto d'ammirazione di un tale verso la moglie viene da lui interpretato male. Rapidamente, il rapporto tra il marito e quel tale diventa una sfida. E mano a mano che questa sfida si fa sempre più pericolosa, addirittura mortale, il marito perde progressivamente cultura, finezza, eleganza per acquistare astuzia, violenza, volontà omicida. Insomma, regredisce. Palermo lo fa tornare alle sue origini, alle sue radici. Bene, Balduccio junior si è trovato davanti a qualcuno che lo sfidava ed è rapidamente, e sia pure per poco, tornato alle origini. Ma questo breve viaggio all'indietro lo fotterà. Si tratta di sequestro di persona, e non conta che sia stato fatto a scopo di riscatto o per esercitare una forte pressione su qualcuno. Non conta nemmeno la durata del sequestro, che sia un'ora o un anno sempre sequestro è. E il sequestro di persona, a quanto mi risulta, ancora non è stato derubricato».

«Mah!» fece dubitoso Mimì.

«Vedrai. Andiamo avanti. Balduccio junior convince Gerlando a segnalargli i movimenti di Belli e della sua famiglia quando verranno a Vigàta per la Pasqua. E gli spiega che si tratterà di un finto rapimento, alla picciliddra non verrà fatto alcun male. Male che invece sarà fatto in futuro a qualcuno dei familiari se Belli non aderirà alle sue richieste. Balduccio junior, per effettuare materialmente il sequestro, si rivolge al complice Calogero Infantino e questi passa l'incarico a Giacomo Arena che Balduccio junior ha messo a lavorare nel suo magazzino. Da tempo i Mongiardino con i Belli hanno deciso di trascorrere la pasquetta a Marina Sicula. E di questo Gerlando ha debitamente avvertito Balduccio junior. Senonché Belli non vuole più fare quella scampagnata, si convince solo domenica a tarda sera, ma desidera cangiare destinazione, andranno a Piano Torretta. Questa decisione, sempre a tarda sera, viene comunicata dalla sorella a Gerlando. Il quale è costretto ad avvertire Balduccio junior, che aveva fatto preparare il rapimento a Marina Sicula, del cangiamento di destinazione. Devono quindi in qualche modo improvvisare. Gerlando, arrivato per primo a Piano Torretta, dispone i tavoli in un punto strategico, a ridosso delle siepi e vicino a un varco. Informa col cellulare Balduccio dell'esatta posizione nella quale si ritroveranno a mangiare. Balduccio a sua volta trasmette l'informazione a Giacomo Arena. Questi arriva sul posto, del resto abita nelle vicinanze, e si mette ad aspettare l'occasione buona. Che finalmente si presenta quando la bambina perde la palla. La costringe a salire in macchina e la tiene prigioniera nel garage di casa sua, a poche decine di metri. Dopo due ore Laura viene ritrovata, ma Belli è persona troppo intelligente, ha capito quello che c'è sotto. Credo che abbia macari ricevuto un'esplicita telefonata di Balduccio junior. Sconvolto, sdegnato più che intimorito, cede la sua metà al cognato che oramai sa essere non solamente un ladro, ma macari un delinquente che non arretra manco davanti al rapimento di una picciliddra che oltretutto è la sua nipotina, e se ne torna a Roma. Deciso a non rimettere mai più piede a Vigàta».

«Bella ricostruzione» fece Mimì. «Perfettamente plausibile. È più convincente del romanzo che ci hai contato. Ma dove stanno le prove? Che elementi abbiamo in mano? Chiacchiere e tabaccheri di ligno».

Montalbano stava per arrispunnirgli, quanno tuppiarono alla porta.

«Avanti!».

Trasì l'agente Alfano. Aviva in mano una busta che pruì a Fazio.

«Le fotografie» disse.

E sinni niscì. Fazio raprì la busta. Le foto che aviva scattato ad Arena erano una vintina, ma due in particolare, indovi la faccia di Alfano arrisultava in primo piano, erano nitide, perfettamente definite.

«Eccole qua, le prove» fece Montalbano taliandole.

Da quello che gli aviva detto Fazio, la casa di Giacomo Arena distava un mezzo chilometro da quella dei Carmona. Quanno ci passò davanti, diretto a Gallotta, Montalbano rallentò. Più che una casa, era un piccolo casolare di campagna, malo tenuto, con pezzi d'intonaco caduti e le persiane che necessitavano da anni di una passata di colore. Il garage, con la saracinesca abbassata, era una costruzione rettangolare allocata allato al casolare. Evidentemente in origine doviva essere stata una stalla.

Accelerò, non vidiva l'ora d'arrivare a Gallotta.

La tabaccheria di Bonsignore era sulla piazza. Trasì e darrè al banco vitti un picciotto vintino, sicco da fari spavento, con l'occhi di pisci morto. Restò un attimo imparpagliato, s'aspittava di trovarvi il finto monsignore.

«Desidera?» spiò il picciotto.

«Veramente volevo parlare col signor Bonsignore».

«Lo zio mi ha pregato di sostituirlo, oggi non è potuto venire».

«Ma è qui a Gallotta?».

«Certo. Non è potuto venire perché deve dare adenzia alla zia che ha l'influenza».

«Mi può indicare dove abita?».

«Scusi, ma lei chi è?».

«Il commissario Montalbano sono».

L'occhi di pisci morto del picciotto parsero pigliare vita.

«Ci sono novità sul rapimento?».

Montalbano ammammalucchì.

«Quale rapimento?».

«Quello della picciliddra il giorno di pasquetta. Lo zio e la zia non fanno che parlarne a tutto il paìsi».

«Non c'è stato nessun rapimento. Ed è appunto per chiarire le cose che sono venuto qua. Mi spiega dove abita suo zio?».

«La porta appresso» fece il picciotto deluso.

Il signor Bonsignore indossava un'inopinata veste da càmmara colore viola che gli dava un'ariata addirittura cardinalizia.

«Commissario, che piacere! Che bella sorpresa!».

«La sua signora come sta?».

«Meglio, meglio. La febbre le sta calando».

Lo fece trasire in un salotto austero. Alle pareti, una Crocefissione d'autore ignoto che era meglio se restava ignoto per l'eternità, una Madonna con sette spade nel petto, una Natività con un Bambinello sproporzionato, assai più grande del bue e dell'asinello messi 'nzemmula.

«Le posso offrire un po' di rosolio?».

Rosolio?! Esisteva ancora? Fu tentato d'accettare, ma poi temette di dover vivirisi un intruglio letale.

«No, grazie, non si scomodi. Mi trattengo solo pochi minuti».

Tirò fora dalla sacchetta una delle due fotografie di Giacomo Arena e la pruì a Bonsignore. Il quale la pigliò e la taliò. Attentamente. Ma pariva più confuso che pirsuaso.

«E chi sarebbe questo signore?» s'addecise a spiare alla fine.

Montalbano, a quella domanda che non s'aspittava, si vitti perso.

«Ma come, non lo riconosce? È quell'uomo che, il

giorno di pasquetta, lei ha visto con la bambina! La guardi meglio!».

Bonsignore si susì, andò vicino alla finestra indovi che c'era maggiore luce. Taliò e ritaliò la foto, avvicinandola e allontanandola.

«Ora che mi ci fa pensare, una certa somiglianza c'è. Ma non mi sento, in coscienza... Capisce, commissario, tutto è capitato accussì di velocità... Io stavo facendo manovra e perciò... Certo, ho visto tutta la scena, ma in quanto a dire che faccia aveva quell'uomo...».

Da dubbiosa, l'espressione di Bonsignore addivintò trionfale.

«Allora era vero, si trattava di un rapimento! Avevamo ragione!».

«Cosa glielo fa credere?».

«Il fatto stesso che lei è venuto qua con questa foto!».

«Ma no, l'eventuale riconoscimento mi è necessario per confermare un alibi di quest'uomo».

E gli contò una storia inventata e accussì tortuosa che lui stisso ci si perse dintra. Dato che Bonsignore aviva dei dubbi, dirgli che si trattava di un riconoscimento a discarico forse gli avrebbe fatto calare gli scrupoli. Ma l'altro non si cataminò dalla sua posizione.

«Mi dispiace, commissario, ma non...».

«Perché non fa vedere la foto alla sua signora?» suggerì Montalbano ancora spiranzoso.

«È inutile. Clotilde ha visto tutto, certo, ma è molto miope. E in quel momento non portava occhiali».

Montalbano si sentì come uno che, andato a riscuotere in banca un assegno di un milione di euro, si sente dire dal casciere che l'assegno è a vacante.

«Tutto qua?» fece il pm Carlentini.
«Perché, non le basta?» spiò Montalbano.
«Ci devo riflettere».
Il pm Carlentini appoggiò la schina allo schinale del seggiolone di ligno intagliato e inserrò l'occhi. Doppo li raprì e si mise a taliare, senza cataminarsi di un millimetro, il muro che aviva di fronte.
«Forse è caduto in catalessi» pinsò Montalbano.
Non era caduto in catalessi. Pirchì sollevò il vrazzo mancino e si mise a osservare la manica della giacchetta soffiandoci supra leggermente. Quindi fece l'istisso col vrazzo dritto. Infine taliò Montalbano. La riflessione doviva essiri finita.
«No» disse.
«No che?» spiò il commissario che si sintiva arraggiare.
«Con quello che abbiamo in mano, non mi sento di firmare un decreto di perquisizione. Del resto, cosa spera di trovare in quel garage?».
«Non lo so» ammise il commissario.
«Lo vede?».
«Ma la partita è grossa, dottore! Ci permetterebbe di fermare sul nascere un traffico mafioso di vaste proporzioni che...».
«Me ne rendo conto benissimo. Ma proprio perché si tratta di un affare serio bisogna muoversi con estre-

ma cautela e solo quando abbiamo in mano elementi concreti. Una nostra mossa avventata potrebbe mandare all'aria tutto».

«D'accordo. Ma intanto io come faccio a...».

«Montalbano! Che mi sta dicendo? Ma se lei è famoso per i metodi, diciamo così, poco ortodossi!».

«Dutturi, che è? Stasira nun havi pitittu?».

Enzo taliava ammaravigliato il piatto dintra al quale ci stava spizzicata qua e là solo una delle tri magnifiche triglie. Le altre due erano intatte.

«Mi sento la bocca amara».

Era la verità, il concretizzarsi di una metafora. Partita persa su tutta la linea, le foto di Arena le potiva gettare nel cesso, il pm, certo giustamente, non aviva voluto rischiare. E lui si sentiva impotente. Forse la vicchiaia avanzante gli faciva non solamente il passo più a tardo, ma macari il ciriveddro più a lento. In altri tempi, che gli parevano lontanissimi, una soluzione gli sarebbe sicuramente venuta in testa. Ora era invece solo una testa ventosa tra ventosi spazi. Di chi era quel verso? Non arriniscì ad arricordarselo. Ma di chiunque era, pittava splendidamente il suo stato attuale.

Il telefono sonò doppo manco cinque minuti ch'era arrivato a Marinella.

«Pronto? Chi parla?» spiò subito a scanso d'equivoci.

Era Linda.

«Hai cenato?».

«Sì».

«Anch'io. Posso venire un pochino da te?».

«Guarda, Linda, domattina mi devo alzare prestissimo e...».

«Mi trattengo al massimo un'ora, lo giuro».

«E va bene, vieni».

Appena riattaccato, pinsò che la meglio era di telefonare subito a Livia.

«Che vuoi?».

Oddio, ma non le era ancora passata? A quanto gli pariva di ricordare, l'ultima telefonata della nottata passata era stata pacificatoria.

«Ce l'hai ancora con me?».

«Sì».

«Ma se stanotte...».

«Ci ho ripensato».

«No, senti, Livia, non fare così, ho bisogno di parlarti, vorrei un tuo consiglio».

«Lo vuoi da me? Perché non lo domandi a quella Linda?».

Dintra di lui scattò una specie di molla, incontrollabile.

«Glielo domanderò appena arriva».

«Sta venendo da te?».

«Sì, ma non per...».

S'addunò che stava parlando a vacante. Livia aviva riattaccato. Ma che minchiate faciva? Per farsi passare il nirbùso andò ad assittarsi nella verandina. Doppo tanticchia arrivò Linda. Le fece posto sulla panchina.

Lei attaccò subito.

«Mi dici a che punto sei con l'indagine?».

«A un punto morto».

«Perché?».

Le contò tutto, come una specie di sfogo. Tutto, fino a Bonsignore che non se l'era sentita di racconoscere Giacomo Arena in fotografia, fino al pm che gli aviva negato la perquisizione.

«Ma scusami, Salvo, che speravi di trovare nel garage di Arena?».

«È la stessa domanda che mi ha fatto il pm. E ti rispondo come ho risposto a lui: non lo so».

«Allora perché ti ostini?».

«Mi sento come un cane da caccia, il suo istinto e il suo fiuto l'avvertono che nelle vicinanze deve esserci qualcosa, ma non riesce a capire di cosa si tratta».

Linda per un pezzo non parlò. Doppo disse:

«Tutto quello che la bambina indossava quando è stata rapita ce l'aveva ancora quando è apparsa al cancello della villa Riguccio. Questo lo so per certo».

«Catenine? Anellini?».

«Non ne portava».

«Aveva un fiocco nei capelli, un nastro?».

«No».

Doppo tanticchia di silenzio, Linda fece una domanda che strammò Montalbano.

«Ti dispiace se accendo per un momento il televisore?».

«No. Ma che vuoi vedere?».

«Come va la Juve».

«Sei tifosa?!».

«Sì. Tu no?».

«No. Fai pure».

Linda si susì e di subito s'apparalizzò. Il commissario la taliò. La picciotta stava immobile, la vucca aperta, l'occhi sbarracati.

«Dio mio! La palla!» arriniscì finalmente a dire.

«Che palla?» fece Montalbano intronato.

«La palla di Laura. Ce l'aveva fino a quando è stata rapita. Ce l'aveva in macchina e nel garage. L'ha pure disegnata. Non ce l'aveva più invece quando è apparsa al cancello dei Riguccio!».

«Ne sei certa?».

«Certissima! Suo nonno gliene stava facendo un'altra!».

Sette

Prima di ricorrere ai metodi poco ortodossi, come li aviva chiamati il pm Carlentini, c'era un'altra strata da tentare, assolutamente ortodossa, anzi tradizionale per la sbirreria di tutto il mondo. In gergo, il saltafosso. Ma per rendere il saltafosso plausibile c'era di bisogno di un'attenta regìa, perché comunque di messinscena, di tiatro si trattava. Nel caso specifico, era fondamentale procurarsi prima di tutto un indispensabile oggetto di scena con una scusa qualisisiasi. Qualisisiasi va bene, ma in definitiva quale? La ricerca della scusa gli occupò i pinseri mentre si dirigeva da Marinella al commissariato. Aviva dormuto bene, tutta una tirata, si era arrisbigliato con la mente lùcita e frisca avendo chiaro quello che avrebbe dovuto fare. Il come farlo, restava ancora in una zona d'ùmmira.

La jornata era di una ducizza da lukum. A malgrado che aviva prescia, si godì il paesaggio andando a passo di formicola e facendo nesciri pazze le machine che erano darrè alla sua.

Appena trasuto in ufficio, s'appattò con Fazio.

«Pigliati una macchina di servizio, chiama Alfano e portatelo appresso».

«Che dobbiamo fare?».

«Rintracciate Giacomo Arena e vi mettete a seguirlo».

Fazio lo taliò dubitoso.

«Dottore, se me lo diceva aieri a sira sarebbe stato più facile. Ma ora come ora quello se ne starà in giro col camioncino a fare le consegne per conto della ditta Infantino e io come faccio a sapere...».

«Non c'è problema. Ti fai dire le consegne che Arena deve fare dallo stesso Infantino».

Fazio strammò.

«Con una macchina di servizio?! Ma, dottore, Infantino sapi leggere e scrivere! Vede stampato "Polizia" sull'auto, sente a mia che gli faccio domande e s'allarma!».

«È proprio quello che voglio. Metterlo in agitazione. Quando avrete avuto l'indicazione, seguite Arena e, appena siete in un posto che non ci sono né macchine né persone, lo fermate».

«Con quale scusa?».

«Inizialmente, con una scusa banale, che ne so, il fanalino posteriore rotto, eccesso di velocità, fate voi. Ma dovete portare avanti la cosa con tale lintizza e strafottenza che Arena, esasperato, perda la pazienza. E allora l'ammanettate per resistenza. Chiaro?».

«Chiarissimo. E dopo?».

«Dopo lo porti qua e lo metti in sicurezza».

«E il camioncino?».

«Mentre tu porti qua Arena, Alfano rimane lì di guardia. Appena hai messo Arena in sicurezza, ritorni sul posto. Quando sei lì, chiami col cellulare Infantino e gli spieghi dove si trova il suo camioncino. Non rispondere assolutamente alle sue domande. Aspettate fino a che non arriva qualcuno della ditta, consegnate il camioncino, e poi ve ne tornate qua».

«Sicuramente verrà Infantino in persona. E se mi spia che fine ha fatto Arena?».

«Gli dici la verità, che è stato arrestato».

«E se mi spia la ragione?».

«A quel punto diventi una tomba. Più evasivo sei e meglio è. Lascialo cocire a foco lento».

Ora doviva recitare la parte più difficile. Indove sarebbe stato necessario contare farfantarìe a un galantomo che altra colpa non aviva se non di essere il patre di uno sdilinquente. Ma la scusa per farsi dare quello che era indispensabile al saltafosso ancora non l'aviva attrovata. Addecise d'affidarsi alla ventura e la ventura gli fu amica.

Alla tuppiata, gli venne a raprire, proprio come l'altra volta che c'era andato, l'avvocato Mongiardino. Tutti e due, appena si vittiro, s'imparpagliarono. Mongiardino sorpreso dalla visita non preavvisata, Montalbano pirchì l'omo che gli stava davanti non era più il ben vestito signore anziano dell'altra volta, ma un vecchio cadente e trasandato. Aviva la varba longa, l'occhi arrussicati e gonfi, come capita a chi ha chiangiuto a longo. Matre santa! Che gli era capitato?

Mongiardino lo fece trasire nello studio e, mentre il commissario s'assittava, egli, più che assittarsi a sua volta, crollò sulla poltrona.

«Mi dica, commissario».

Una voce sfinita, che faceva le parole splàpite come doppo che si è cercato di cancellarle con una gomma. La càmmara era scurosa pirchì le persiane erano chiuse, eppure per Mongiardino doviva esserci troppa luce, si tiniva le mano davanti all'occhi.

«La signora come sta?» fece Montalbano tanto per principiare.

«È stata ricoverata ieri pomeriggio in una clinica di Montelusa. Il cuore».

Doviva trattarsi di cosa seria, se il marito era arridotto accussì. Le mano davanti all'occhi trimavano. Montalbano maledicì se stesso e il misteri che faciva, ma doviva insistere. E lo fece.

«Stamattina come stava? Ha notizie?».

«Non lo so. Più tardi, se ce la faccio, andrò a Montelusa».

«Mi scusi, ma suo figlio Gerlando non...».

Il vecchio si levò lentamente le mano di davanti all'occhi che apparsero al commissario chini di lagrime.

«Gerlando Mongiardino...» principiò il vecchio con voce inaspettatamente forte e chiara, ma dovette fermarsi un istante, il respiro gli era venuto a mancare, «Gerlando Mongiardino non appartiene più alla nostra famiglia. Ieri sera è andato in clinica, ma mia moglie non l'ha voluto vedere. E mai più metterà piede in questa casa. E appena sento la sua voce, riattacco il telefono».

Allura non era per la mogliere che il vecchio aviva chiangiuto! Vuoi vidiri che il pus era nisciuto fora dalla ferita infetta e tenuta fino a quel momento ammucciata? L'avvocato si susì, ma perse l'equilibrio. Di scatto, Montalbano satò addritta e lo sorresse.

«Voglio andare un momento di là».

«L'accompagno?».

«No».

Sapivano tutto! Sapivano la parte che Gerlando aviva avuto nel rapimento della picciliddra! S'avvicinò alla scrivania supra la quale c'era ancora la palla oramà tutta pittata, la fata Zurlina e il mago Zurlone splendevano di colori. E sempre supra la scrivania, il commissario vitti una busta voluminosa, che era stata rapruta. La girò per vidiri se c'era il mittente.

C'era: Lina Belli. Ora era tutto chiaro. Lina evidentemente aviva saputo la virità dal marito e l'aviva fatta sapìri a sua volta ai genitori. E quella busta era scoppiata in casa Mongiardino come una di quelle buste esplosive che degli imbecilli pericolosi ogni tanto, nel nostro bel paìsi, spediscono a qualcuno senza un pirchì o un pircomo, facendo un danno terribile. Alla signora era partito il cuore, all'avvocato era caduta di supra una valanga di anni. E questo era quello che si vidiva. Quello che era capitato dintra a loro, e non si vidiva, doviva essere stato ancora più devastante. Può un commissario sentirsi acchianare dintra un'ondata d'odio per il colpevole?

Tornò l'avvocato, pariva tanticchia più rinfrancato.

«Lei è venuto qua e non mi ha fatto nessuna domanda» disse. «Ma devo avvertirla. Se mi chiede cose che riguardano Gerlando Mongiardino io le risponderò che non mi interessano i fatti degli estranei».

«Dopo quello che lei ha detto, non ho più bisogno di farle domande».

La voce dell'avvocato ora parse venire da un abisso di sofferenza. A Montalbano arriniscì quasi insopportabile.

«Ha capito tutto?» spiò.

«Sì».

«Lei ha avuto ragione fin dal principio. Ma io non potevo pensare che si potesse arrivare a tanta bassezza, a tanta... iniquità».

Iniquità. Parola oramà poco adoperata, ma precisa, perfetta.

«Lei» continuò il vecchio «pensa di riuscire a farglie-la pagare? Glielo domando non per me, ma per quelle due ore terribili che ha fatto patire a una bambina innocente».

«Sì, posso riuscirci se lei mi aiuta. Ma questo significa che lei e sua moglie dovrete affrontare momenti peggiori, capisce? L'arresto di suo... di Gerlando, il processo...».

«Per noi, non può più esserci momento peggiore di quando abbiamo saputo. Che devo fare?».

«Mi dovrebbe dare la palla che ha dipinto per sua nipote».

Il vecchio parse strammato, ma non fece domande.

«Gliela posso solo prestare. Perché la voglio spedire a Roma, a Laura».

Si susì per pigliarla. Montalbano si susì macari lui e disse, per la seconda volta in quell'indagine:

«Signor Mongiardino, mi permette d'abbracciarla?».

«Dutturi, se a vossia non ci piaci più come cuciniamo qua, è patronissimo di cangiare trattoria!» fece Enzo offiso.

Montalbano aviva lasciato nel piatto una pasta al nìvuro di siccia che ci mancava solo la parola.

«Scusami, sono nirbùso».

Lo era al punto tali che si sentiva la vucca dello stomaco tanto stritta che non ci trasiva manco una spingula. E se il saltafosso, ovverossia lo sfonnapedi, il trainello, non funzionava alla perfezione? Se chi doviva pigliare per vera quella che era solamente un'accurata verosimiglianza, si addunava invece dell'inganno da un particolare trascurato, da un dettaglio sottovalutato e si tirava narrè all'ultimo minuto?

«Dutturi, il secunno non se lo mangia? Taliasse che per vossia ho messo di lato certe spigole che...».

«No, Enzo, non ce la faccio».

Stava per susirisi e nesciri dalla trattoria, pirchì il nirbùso era arrivato a un livello tale che accomenzavano a dargli tanticchia di nausea i pur meravigliosi sciàuri che vinivano dalla cucina, quanno vitti trasire a Fazio. Scattò addritta.

«Allora?».

Prima delle parole, lo tranquillizzò il surriseddro di Fazio.

«Tutto fatto, dottore. Venivo ad avvertirla».

«Hai mangiato?».

«Un panino. Ma non si preoccupi».

La trattoria era stipata di clienti, la maggior parte stava a taliare loro due, pigliata di curiosità.

«Parliamone fuori».

Niscèro. Il nirbùso di Montalbano era tanticchia, ma solo tanticchia, calato. Il difficile doviva ancora viniri.

«Com'è andata?».

«Dottore, abbiamo dovuto stargli appresso e aspittare che principiasse a fare una strata poco frequentata, verso il campo di calcio. Aviva il fanalino posteriore destro scassato, non c'è stato bisogno d'inventarci nenti. E non c'è stato manco bisogno di tirarla a longo per farlo incazzare, si è subito incazzato lui da se stesso».

«E perché?».

«Ha riconosciuto Alfano. Gli ha spiato: "Ma tu non sei quello che voliva fare il trasloco? Allora mi state appresso, sbirri di merda!". E in un vidiri e svidiri ha tentato di dargli un pugno. Senonché Alfano è stato più lesto e con un cazzotto gli ha scugnato il naso. Madonna, quanto sangue gli nisciva! Si è allordato tutto, cammisa, pantaloni... L'abbiamo ammanettato e l'ho portato al commissariato. Dopo sono tornato narrè, dove c'era il camioncino con Alfano e ho telefonato al magazzino. Mi ha risposto proprio Infantino. Ho solo detto: "Polizia. Venga a prendere il camioncino di Arena in via Moro. C'è ancora roba sua". E ho chiuso».

«È venuto Infantino?».

«Nonsi, dottore. Forse non si è fidato della telefonata, forse ha pensato che non era stata la polizia a chiamarlo. Passata una mezzorata, è arrivata una machina con due a bordo. Quando gli stavo dando le chiavi del camioncino, uno di loro mi fa: "Ma Arena, dov'è?". E io gli ho solo detto: "L'abbiamo arrestato". E basta».

«Bene. Ora, appena arriviamo in commissariato, tu telefona a quell'amico che hai alla Vigamare e fatti dire se Gerlando Mongiardino è lì. Se c'è, quando te lo dico io, accompagnato da Alfano e sempre con la macchina di servizio, vai alla Vigamare e mi porti in ufficio a Mongiardino».

«Lo devo arrestare?».

«No. Ma devi fare scarmazzo, rumorata. Trattalo male. E se ti giura che al momento non può seguirti e che passerà più tardi, rispondigli che il commissario lo vuole vedere immediatamente e che perciò non faccia storie e salga in auto».

«E dopo?».

«Dopo viene la parte più delicata. Tutto deve avvenire al momento giusto, al minuto secondo, in perfetto sincronismo».

«Ma cosa, dottore?».

«Ora te lo spiego».

Accompagnato da Fazio, Gerlando Mongiardino s'appresentò in ufficio che erano da picca passate le quattro di doppopranzo. Elegantissimo, tutto allicchittato, era avvolto da una nuvola di acqua di colonia, pariva addirittura preceduto da un turibolo invisibile che spargiva sciàuro. Ma era fora dalla grazia di Dio.

«Commissario! Non capisco!» fece furioso.

«Cosa?».

«Se lei aveva necessità di vedermi, bastava una telefonata e arrivavo! Invece mi ha fatto trattare dai suoi uomini come un delinquente! E davanti ai miei dipendenti!».

Montalbano taliò a Fazio con un'ariata di maraviglia.

«Ma sei impazzito? Chi ti ha ordinato di trattare il signor Mongiardino come un delinquente, io?!».

«No» disse Fazio. «E poi io i delinquenti li tratto in un altro modo».

E ghignò. Pariva veramente il poliziotto tinto delle pillicole miricane, quello che piglia a lignate e a càvuci nei cabasisi. Montalbano fece un gesto di rassegnazione e taliò a Gerlando, come a dire: «Lo vede con che brutta gente m'attocca di travagliare?».

«La prego di voler accogliere le mie scuse, signor Mongiardino».

E, doppo, arrivolto a Fazio:

«Tu, Fazio, vattene. E chiudi la porta».

Fazio niscì rivolgendo un'ultima taliata torvola a Mongiardino.

«Si accomodi».

«Commissario» disse quello dando un'occhiata al Rolex, «non ho tempo. Non è una scusa, mi creda. Ho un appuntamento tra mezzora a Montelusa. È un appuntamento che non... mi capisca... non vorrei proprio perdere».

«D'affari?».

«No. Di tutt'altro genere» disse Mongiardino.

E fece un misero surriseddru allusivo. Ma era nirbùso assà, si era assittato in pizzo in pizzo alla seggia, batteva in continuazione un pedi 'n terra. Probabilmente, e Montalbano ci spirava, l'avivano avvertito dell'arresto inspiegabile di Arena. E non sapiva da che parte gli sarebbe arrivata la botta.

«Una fìmmina?» spiò Montalbano, complice.

«Eh!» fece Gerlando. «Una piccola distrazione ogni tanto, lei è uomo e mi capisce, non...».

«Come no? La capisco benissimo. Ma io non le ruberò manco dieci minuti, glielo assicuro!».

L'altro s'assistimò meglio sulla seggia, ma di malavoglia.

«Perché ha voluto vedermi?».

«Perché c'è qualche novità sul presunto rapimento di sua nipote».

«Ancora quella storia?! Ma se le ho detto che non credo che si sia trattato di un rapimento!».

«E infatti io ho detto "presunto"».

«E allora?!».

«Lei conosce un tale che si chiama Giacomo Arena?».

La stoccata fu accussì improvisa che Gerlando non fece a tempo a quartiarsi. Istintivamente il suo busto fece uno scarto, come a scansarsi dal colpo.

«Chi... chi...» balbettò.

«Giacomo Arena. Un autotrasportatore».

«Arena?».

Faciva finta di tentare d'arricordarsi, ma era un pessimo attore. Ora aviva il labbro superiore sudatizzo.

«Ah sì, Arena, ha lavorato tempo fa da noi, come autista. Poi si è licenziato e si è messo in proprio».

Era una novità per Montalbano. Che gli facilitava però di molto le cose.

«Dunque vi conoscete?».

«Sì, ma...».

E tutto restò sospiso. Mongiardino non spiegò che

viniva a significare quel ma, il commissario non spiò altro per un pezzo.

Doppo Montalbano si calò lentissimamente di scianco, allungò una mano verso il cestino della carta straccia, scostò un foglio di giornale che lo cummigliava, tirò fora la palla che l'avvocato gli aviva imprestato, la posò sul tavolino. Ma non disse ancora nenti.

Mongiardino taliava affatato la palla, ora aviva macari la fronte sudata. Alla fine s'addecise lui a spiare, malamente fingendo maraviglia:

«Ma quella non è?...».

«Sì, è la palla con la quale stava giocando sua nipote quando è stata rapita. L'abbiamo trovata».

«Dove?!».

Non era stata una domanda, ma un grido vero e proprio. Montalbano pigliò tempo. Che minchia faciva Fazio? Si era addrummisciuto? Finalmente tuppiarono.

«Avanti».

La porta si raprì completamente. Nel corridoio, perfettamente inquadrati dintra al vano della porta, ci stavano Alfano e Fazio che tenevano in mezzo a Giacomo Arena, ammanettato. Arena, con la cammisa e la giacchetta macchiate di sangue, il naso gonfio e bluastro, pariva allura allura nisciuto da una càmmara di tortura. Faciva veramente imprissioni. Mongiardino lo taliò e aggiarniò talmente che il commissario si scantò che gli pigliava un sintòmo.

«Posso procedere, dottore?» spiò Fazio.

«Procedi».

Tempismo perfetto. Fazio richiuì la porta. Ora Mongiardino aviva le mano che gli trimavano.

«Lei mi stava domandando dove abbiamo trovato la palla di sua nipote» ripigliò il commissario. «L'abbiamo trovata nel garage della casa che Arena ha affittato vicino a Piano Torretta. Se mi consente, non adopererò più l'aggettivo "presunto" premesso alla parola rapimento. Perché il ritrovamento della palla dimostra inequivocabilmente che il rapimento c'è stato. E inoltre i due testimoni, mi pare di avergliene parlato l'altra volta, hanno riconosciuto Arena attraverso delle foto che gli ho fatto scattare».

Fece un sorriso storto che scantò Gerlando.

«Naturalmente, si tratta di foto fatte prima che Fazio riducesse Arena come lei lo ha appena visto».

«Ma... ma... che c'entro io... con Arena?».

Oramà era una pezza di pedi. Aviva un sudore che feteva d'agro, e che aviva spirciato la nuvola di profumo.

«Questo è il problema» disse Montalbano. «Arena, messo diciamo così alle strette da Fazio, ha fatto alcuni nomi».

«Qua... quali?».

«La servo subito. Balduccio Sinagra junior, Calogero Infantino e...».

«E?...».

«E il tuo, pezzo di merda».

Il passaggio improviso dal lei al tu fu per Mongiardino come un primo colpo di scupetta che lo ferì a morte, il «pezzo di merda» rappresentò invece il colpo di grazia. Ma quello che dovette veramente atterrirlo fu il lampo d'odio che intravitti nell'occhi del commissario. Odio vero, autentico, che non faciva parte della recita. Di subito capì che era perso, da quella càmmara non aviva più la possibilità di nesciri come un omo libero. Le lagrime gli principiarono a colare da sole, tanto che sul momento non se ne addunò, doppo invece si mise a singhiozzare senza vrigogna, senza dignità.

«Io... io non... non volevo... È stato Balduccio a... È stato lui che...».

«Il resto me lo conti davanti al pm» disse Montalbano.

Il saltafosso era arrinisciuto meglio di quanto ci aviva spirato. Ma avrebbe preferito marturiare ancora tanticchia quell'autentica merda che aviva davanti. Sollevò la cornetta.

«Mandami Fazio».

«No, per carità, Fazio no!» urlò Mongiardino satando addritta e impicciandosi con le spalle contro una parete. «No! Le botte no!».

Lo scanto lo faciva cimiare. E principiò a pisciarsi d'incoddro.

«Non mi toccare!» fece dispirato, con le vrazza stise in avanti, quanno vitti trasire a Fazio.

«Manco con i guanti» disse Fazio.

E subito appresso vennero le jornate delle grandi sodisfazioni e della grandissima camurrìa.

La prima sodisfazioni fu quanno Fernando Belli, chiamato da Roma, confermò al pm tutto quello che aviva pinsato Montalbano, aggiungendo che Balduccio junior stisso era nisciuto allo scoperto con una telefonata tipo: «Hai visto che potiva capitare a tua figlia?».

La secunna sodisfazioni fu quanno sbracarono, nell'ordine, Giacomo Arena e Calogero Infantino. Confessarono e il commissario li arrestò.

La terza sodisfazioni fu quanno mise le manette a Balduccio Sinagra junior che, per l'occasione, si mise a santiare in miricano.

La quarta sodisfazioni fu quanno la Guardia di Finanza addecise di dare una taliata alle società di Balduccio junior.

La quinta sodisfazioni fu quanno, durante la perquisizione nel garage di Giacomo Arena, di darrè a una pila di copertoni venne fora la palla di Laura, quella con la quale stava giocando al momento del sequestro. E Montalbano fece restituire l'altra palla, quella che gli era servita per il saltafosso, all'avvocato Mongiardino. Fece restituire pirchì gli fagliò il coraggio di andarci lui stisso e quindi di trovarisi faccia a faccia con lo sconfinato dolore di quel poviro vecchio.

La camurrìa invece fu una sola e, appunto, grandissima: l'enorme quantità di rapporti che dovette compilare e le centinara di firme che dovette mettiri, in calce, di lato, di traverso, di supra, di sutta.

A un certo punto, dispirato, si spiò se avrebbe mai più avuto la gana di fare altri arresti in futuro, a petto di tanta burocrazia.

Era un vinniridì sira quanno pigliò l'aereo per Genova. Per telefono, non sarebbe mai arrinisciuto a spiegarsi con Livia. L'unica era andarci a parlare di persona. O meglio, di pirsona pirsonalmente.

Nota

Queste tre indagini del commissario Montalbano, scritte in periodi diversi, e lo si vede dalla scrittura, hanno un elemento in comune: non sono imperniate su delitti di sangue. Non c'è un morto, in queste pagine. È una scelta voluta (e anche un rischio voluto), ma il perché io stesso non so spiegarmelo fino in fondo. Forse una specie di rigetto. Del resto i morti ammazzati, nelle mie storie, sono sempre stati un pretesto.

I tre racconti sono inediti. Solo per uno di essi ho parzialmente utilizzato un mio scritto apparso su «Micromega», n. 2, del 2002.

Le citazioni riguardanti la Cabbala le ho tratte da *La Qabbalah* di Giulio Busi (Laterza Editori, Bari 1998).

C'è da aggiungere che i personaggi di queste tre storie, i loro nomi (soprattutto i cognomi!) e le situazioni nelle quali si trovano e agiscono sono frutto della mia fantasia.

Il libro è dedicato a Pepè Fiorentino e a Pino Passalacqua che non avranno modo di leggerlo.

A. C.

2004

Indice

Questo volume è stato stampato
su carta Arena Ivory Smooth
delle Cartiere Fedrigoni
nel mese di novembre 2021
presso la Leva srl - Milano
e confezionato
presso IGF s.p.a. - Aldeno (TN)

La memoria